afgeschreven

SNEEUWBLIND

Rosie Thomas

Sneeuwblind

Van Holkema & Warendorf

Voor Graeme en Judith

Tweede druk, 2000

Oorspronkelijke titel: *White*
Copyright: © 2000 by Rosie Thomas
Nederlandse vertaling: Abbie Doeven
Copyright Nederlandse vertaling:
© 2000 by Unieboek bv, Postbus 97, 3990 DB Houten
Omslagontwerp: Studio Eric Wondergem
Opmaak: ZetSpiegel, Best

ISBN 90 269 8208 9/NUGI 301

Voor meer informatie: www.unieboek.nl

1

Zoveel huwelijksfeesten, dacht Finch Buchanan.

Huwelijksfeesten onder luifels in zomertuinen. Huwelijksfeesten in Toronto en New York, aan de kust, in witwandige presbyteriaanse kerken, in met bloemen gedecoreerde huizen of fleurige hotels. Een huwelijksfeest in een skichalet in de Cariboo-bergen en nog een op het Caribische strand. Lang van tevoren gepland of in een roekeloze opwelling, waar en hoe ze ook plaatsvonden, ze leken alle hetzelfde, en dit was daar geen uitzondering op. Integendeel.

Ditmaal was het het huwelijksfeest van haar liefste vriendin, die naast een vaas met witte lelies en stefanotis stond en zich van Suzy Shepherd ontpopte tot mevrouw Jeffery Sutton uit Medford, Oregon. Suzy was, afgezien van Finch zelf, zo'n beetje de laatste van hun groepje die in het huwelijk trad.

De bruid droeg een ivoorkleurig, satijnen Donna Karan-pak en de bruidegom was een marineblauwe Armani aangepraat. Als bruidsmeisje was ook Finch in een pakje gekleed, hyacintblauw, van een snit die haar dwong haar enkels dicht bij elkaar te houden en haar handen deemoedig ineen te vouwen. Ik ben te oud om als bruidsmeisje opgetuigd te worden, dacht ze.

Suzy en Finch waren beiden tweeëndertig. In hun eerste jaar aan de medische faculteit van de universiteit van British Columbia waren ze kamergenoten geweest en trokken gedurende hun hele studie met elkaar op. Nu was Suzy kinderarts en naar Oregon verhuisd om samen met Jeff te zijn, terwijl Finch als huisarts in Vancouver was gebleven. Ze belden elkaar vaak op en e-mailden bijna elke dag roddeltjes, grapjes en medische nieuwtjes en ontmoetten elkaar zo vaak ze maar konden. Maar toch miste Finch haar

5

vriendin en bondgenote, en Suzy's huwelijk kon haar alleen nog maar een stap verder buiten haar bereik brengen.

Ze deden elkaar de ringen om. Terwijl Finch stond toe te kijken en een paar pijnlijke tranen wegknipperde, leed het voor haar geen enkele twijfel dat deze twee gelukkig waren. Ze waren in een roes, net zo beneveld als een paar van Suzy's pasgeborenen na een voeding. Het was geen afgunst wat Finch voelde; ze voelde zich een beetje verward. Zelf had ze zich nooit verdiept in de geheimen van de echtelijke staat. Er waren natuurlijk wel mannen in haar leven geweest, zowel voor korte als langere duur. Maar in de af-gelopen tijd niet zoveel.

De korte burgerlijke plechtigheid was voorbij. Suzy en Jeff liepen onder een luifel arm in arm tussen de rijen stralende vrienden door naar buiten. Achter de luifel kwam een mengeling van maartse regen en natte sneeuw naar beneden. Een fotograaf was druk in de weer met zijn Nikon.

Nadat Suzy haar moeder, tantes en nieuwe schoonfamilie had gekust, ontvouwde ze een paraplu om de rest van het gezelschap buiten te sluiten en fluisterde tegen Finch: 'Godsamme, ik heb het gedaan. Ik ben met iemand getrouwd.'

'Je bent met Jeff getrouwd.'

'Ja. Ik houd van hem.'

'Dat weet ik.'

Suzy lachte en liet het spleetje tussen haar voortanden zien. Ze kwam niet uit een streng orthodox nest, wat een van de redenen was waarom Finch haar vanaf het begin had gemogen – om haar anders-zijn dan en onverschilligheid voor alles wat voor Finch gesneden koek was en waaraan ze waarde dacht te hechten. De eerste keer dat ze elkaar ontmoetten, kwam Suzy hun kamer op de campus binnenstappen, ontdeed zich van een plunjezak en een armvol supermarkttassen en keek naar de bagage en bijpassende skitassen die twee van Finch' drie oudere broers de trap hadden opgedragen.

'Je bent zeker een of andere prinses uit Vancouver?'

'Denk maar wat je wilt.'

'Nou, ik ben maar een gewone arme drommel. Mijn moeder woont in een gehuurde tweekamerflat en mijn vader heb ik al in geen twaalf jaar meer gezien.' Het was waar. En het was ook waar dat Suzy verreweg de beste studente van hun jaar was.

Nu draaide ze met haar paraplu, waardoor er ijskoude druppels in het rond vlogen. 'Verdomd, ik ben een getrouwde vrouw. Breng me maar direct naar de bar om me over de schok heen te helpen,' zei mevrouw Jeffery Sutton.

De receptie werd gehouden in een nieuw restaurant met bar, dat door het bedrijf van Jeff was ontworpen en ingericht. 'Vind je het leuk?' vroeg hij Finch. Er waren nisjes en houten vloeren en listige spiegels en halogeenlampen. Het was niet origineel, maar wel goed gedaan.

'Heel leuk,' zei Finch.

'Nou, ik denk dat ik je niet aan mensen hoef voor te stellen,' zei Jeff. Zijn zijden das en bovenste knoopje waren al los.

'Nee.' Finch glimlachte. De meeste van Suzy's vrienden die naar Oregon waren gekomen, waren ook de hare. 'Ga maar, en geniet van het feestje.'

Met haar glas Franse champagne schoof ze in de dichtstbijzijnde nis om tot de ontdekking te komen dat Taylor Buckaby en zijn vrouw er al zaten. Taylor had in zijn heel jonge jaren even een verhouding met Suzy gehad, maar uiteindelijk had hij gekozen voor de secretaresse van de faculteitsvoorzitter, een lange, slanke blondine. Nu was ze een ronde, mollige blondine, maar verder was alles bij het oude gebleven. Taylor was orthopedisch chirurg. Finch kon zich voorstellen hoe gelukkig hij zich moest voelen tussen zijn bottenzagen en glimmende titaniumgewrichten.

'Hallo, Taylor, Maddie.'

'Ha, Finch. Hallo.'

Ze babbelden wat, over vrienden en het werk en de kinderen van de Buckaby's.

'Geen plannen om je ook te gaan settelen, Finch?' vroeg Maddie.

'Nee, geen plannen.'

'Finch is uit op grotere uitdagingen dan een man en kinderen,' lichtte Taylor joviaal toe, en blies zijn reeds ronde wangen op. 'Vorig jaar heeft ze in Alaska de McKinley beklommen.'

Maddie zette haar vaalblauwe ogen op scherp. Ze zag eruit alsof ze gewend was glazen vol champagne weg te werken, of wat er ook maar voorhanden was.

'Waaróm?'

Er gingen een paar tellen van stilte voorbij waarin Finch over haar antwoord nadacht. Het was niet de eerste keer dat haar die vraag werd gesteld, het was alleen maar ongewoon om de verbijsterde verbazing te ervaren waarmee de vraag werd gesteld. Ze moest denken aan de temperatuur op de berg van veertig graden onder nul, aan het schuivende ijs, het gevaar van longoedeem en de plaatdunne richel die op een hoogte van 5000 meter omhoogliep, met aan weerszijden een afgrond van 6000 meter.

'Ehhh...'

Ook moest ze denken aan de ongedwongen kameraadschap en de galgenhumor van het team bergbeklimmers waarvan ze deel had uitgemaakt – alleen via de West Buttress-route, 'The Butt', niets bijzonders. Wat haar het levendigst voor de geest kwam, was de vlaag van euforie die al het andere uit haar gedachten had gewist toen ze zichzelf op de top had gehesen.

'Omdat ik dacht dat ik het leuk zou vinden,' zei ze flegmatiek. 'En dat was ook zo.'

Maddie knipperde met haar ogen en liet haar tong over haar lipstick glijden. 'Ieder het zijne, zeg ik altijd maar.'

Het dansen begon. Jeff en Suzy begonnen onder gejuich en geklap langzame cirkels in elkaars armen te draaien. Finch bleef nog vijf minuten bij de Buckaby's zitten om niet de indruk te wekken dat ze genoeg van hen had en stond toen op. Ze at wat *sushi* bij het buffet en praatte nog met een stuk of zes mensen van wie ze het leuk vond hen weer eens te zien. Daarna danste ze met Jeff, tot Jeffs vader het overnam. Jim Sutton was een krasse zeventigjarige, met handen als sneeuwschuivers en een doorgroefd, bruin gezicht, als gevolg van een leven van hard werken in de bouw. Jeff en Suzy hadden met elkaar gemeen dat ze beiden hun achtergrond verre waren ontgroeid, zonder de behoefte te voelen om daarmee te breken.

Jim voerde een enthousiaste draaisprong uit, die Finch naar adem deed snakken. 'U bent te veel voor me,' protesteerde ze.

'Kom op, doktertje. Nog één keer.'

Finch zag dat het al over zessen was, en ze moest een vliegtuig halen. Dennis Frame, haar partner, nam voor haar waar en ze had al drie dagen vrij genomen.

'Volgende keer,' grinnikte ze. 'Als ik geluk heb.'

Ze ging op zoek naar Suzy en vond haar in een van de nissen achterin. Ze had iets mayonaiseachtigs op een Donna-revers gemorst en leek voorbereid te zijn op een serieuze nacht.

'Hé, je bent na één poging al aan de dans van Jim ontsprongen.'

'Lieverd, ik moet ervandoor.'

Suzy fronste haar wenkbrauwen. 'Het is nog zo vroeg! Je kunt nu nog niet weggaan.' Het was echter een routinematig protest. Toen Finch had beloofd op de bruiloft te komen, had ze er meteen aan toegevoegd dat ze niet lang zou kunnen blijven, omdat ze de dag daarna moest werken. En Suzy wist van vroeger hoe tergend precies haar vriendin met tijd en haar professionele verantwoordelijkheden kon zijn. Ze waren anders, maar ze begrepen elkaar en hun vriendschap had zelden gewankeld.

Finch zei: 'Ik weet het, ik weet het. Maar ik moet morgen op de kliniek zijn. Omwille van Dennis kan ik niet meer zoveel dagen vrij nemen vóór de expeditie.'

Suzy kwam uit de nis en sloot haar vriendin in haar armen. Haar gezicht werd ernstig toen ze zei: 'Luister, beloof me goed op jezelf te passen. Ik wil dat je veilig en wel weer terugkomt. Wie moet Sutton juniors peetmoeder worden als jij er niet meer bent?'

'Suze. Je bent toch niet...?'

Suzy knipoogde. 'Nóg niet, maar ik ben het wel van plan.'

'Nou, dat is geweldig. En er gebeurt me niets. Ik ga alleen mee als arts en ben niet een van de topklimmers.'

'Oké, als je daar dan maar aan denkt. Kom, ik loop met je mee.'

Ze baanden zich zigzaggend een weg door de menigte. Onderweg maakte Suzy even een omweggetje naar de bar. 'Dat zou ik bijna vergeten.'

Ze leunde over de bar heen, waarbij ze het bovenste van haar gebruinde dijen liet zien. Jeff pakte haar beet en gleed met zijn handen over haar heupen, tot Suzy weer overeind kwam met in haar ene hand datgene waarnaar ze had gezocht. 'Straks,' zei ze berispend. En ze liet haar bruidsboeket zien en duwde het Finch gedecideerd in haar armen.

'Ik niet,' protesteerde Finch. 'Zoek iemand anders die het meer verdient. Iemand die graag een man wil hebben.'

'Er is niemand anders, meid. Jij bent de laatst overgebleven authentieke ongetrouwde vrouw. Nog even en ze zitten op je erfenis te azen.'

'Je wilt alleen maar dat ik een van jullie word. Je wilt me getrouwd hebben omdat jij dat ook bent.'

Suzy glimlachte, een lieve, hemelse lach van puur geluk en tevredenheid. 'Natuurlijk is dat zo.'

'Vergeet het maar, maatje.'

Ze liepen door de menigte naar de deur. Het feestje bereikte zijn kookpunt, zoals dat bij trouwerijen zo vaak gebeurde.

'Finch vliegt vanavond nog terug naar Vancouver,' legde Suzy aan het laatste groepje uit.

'Het weer is niet al te best,' merkte een van Jim Suttons makkers op.

'Finch is wel erger gewend,' zei Suzy trots.

Finch sloeg haar arm om haar heen. 'Vooruit, ga terug naar je gasten. Ik bel je nog. En veel plezier op je huwelijksreis.'

De pasgehuwden zouden naar het Caribisch gebied gaan. Suzy was dol op stranden.

Ze gaven elkaar een zoen.

'Denk aan wat ik heb gezegd. Over terugkomen.'

'Doe ik,' beloofde Finch. 'Wees gelukkig, mevrouw Sutton.'

'Doe ik,' echode ze. 'Bedankt dat je er was, Finch. En voor al het andere, al het goede dat we samen hebben gehad. Ik houd van je, weet je dat? En je was een pracht van een bruidsmeisje.'

'Ik had het niet willen missen. Ik houd ook van jou.'

Vanuit de deurpost blies ze haar een laatste kus toe. Op het moment dat Finch naar buiten stapte, sloegen de kou en de wind haar tegemoet. Ze dook in elkaar en wankelde op haar hoge hakken naar de parkeerplaats waar ze haar huurauto had neergezet. Zodra Finch in de auto zat, de radio had afgesteld op een rockzender en de verwarming begon te werken, duwde ze haar hoofd stevig tegen de hoofdsteun en liet een jodel van opluchting ontsnappen.

Het zoveelste huwelijksfeest.

Ze drukte haar voet op het gaspedaal en zette er de vaart in, tot het slippen van de achterwielen haar waarschuwde hoe glad de weg was. Ze nam onmiddellijk gas terug en lette op het opdoemen van achterlichten vóór haar.

Op het vliegveld zette ze de auto op de daartoe bestemde plek en deponeerde de sleutels en papieren in de bus bij het gesloten hokje aan het eind van het parkeerterrein. De wind was toegenomen en er zaten scherpe ijsnaaldjes in. Haar dunne jas over het vaalblauwe pakje bood nauwelijks bescherming, en het was nog een lange wandeling naar de deuren van de vertrekhal. Ze zette haar tas neer en hurkte om er iets uit te halen. Onderin zat haar Gore-tex ski-jack, en met een geknor van opluchting trok ze het aan. Ze had het meegenomen voor haar driedaagse uitstapje naar Oregon, met de gedachte dat ze misschien nog een wandeltocht zou kunnen maken of een langlauftocht. Er bleek echter geen tijd voor te zijn, maar nu was het trouwe kledingstuk tenminste nog ergens goed voor. Geïsoleerd vanaf het topje van haar hoofd tot halverwege haar dijen, stak Finch haar hoofd in de lucht en beende door de wind. Haar tas had ze over haar ene schouder geslagen en in haar andere hand hield ze Suzy's bruidsboeket. Ze had het bijna in de auto achtergelaten, maar was toch tot de conclusie gekomen dat ze de bloemen van haar beste vriendin niet kon laten verwelken op de passagiersplaats van een gehuurde auto.

Binnen de automatische deuren was de warmte een zegen, maar de hal was tjokvol. Eén blik op de vertrektijden vertelde haar hoe laat het was, wat nog eens werd bevestigd door de receptionist achter de balie van Air Canada. 'Het spijt me, mevrouw, het vliegveld is gesloten. Geen vluchten totdat het beter weer wordt. Morgenochtend, denk ik.'

Sam McGrath was aan het hardlopen. Het was meer dan een gewoonte, deze dagelijkse overwinning van weerzin en vermoeidheid om een bepaald ritme en ten slotte de gelijktijdigheid van spieren, ademhaling en geest te bereiken, wat het allemaal de moeite waard maakte. Het was een pijler van zijn bestaan. Soms, op meer zwartgallige momenten, was hij wel eens bang dat het de enige was. Hij liep langs de oever van een klein meer en er lag ijs, dat de dode rietstengels langs de randen met een dikke korst bedekte en het diepere water een dun huidje gaf. Het pad kronkelde zich tussen bomen en struiken, met lenteknoppen die door de terugkeer van de winter zwart waren geworden; de grond was glibberig door eerder gevallen natte sneeuw, maar Sam kende de weg zó goed dat hij zijn looppas niet hoefde te vertragen. Hij had het warm, en nu hij op volle snelheid liep, maakte zijn gelijkmatige ademhaling wolkjes in de bijtende lucht en zijn voetzolen roffelden een ritme in zijn hoofd.

Hij hield van deze eenzaamheid. Meestal werd zijn dagelijks hardlopen ingekapseld door de stad en waren er altijd mensen te zien. Zijn vader bracht hem altijd zijn spullen om op bronforel te vissen, herinnerde Sam zich. Op een dag hadden ze ergens verderop in de bossen in de oude groene tent gekampeerd en hun vangst boven een rokerig vuur geroosterd. Hij moest toen ongeveer tien jaar zijn geweest. Het moest tijdens een vrij weekendje zijn geweest toen Michael het niet voor elkaar had gekregen om te gaan klimmen.

De herinneringen roerden zich huiverend in zijn gedachten.

Hij was acht jaar en stond met zijn vader aan de voet van een klif. De klifwand verhief zich zó hoog boven Sams hoofd dat hij de zon aan het gezicht onttrok. Hij stak zijn handen met de palmen horizontaal omhoog, maakte zich lang en liet ze tegen het zandsteen rusten. Mike had ze met veel omhaal met kalk ingewreven. Stukjes gruis schraapten keer op keer tegen zijn huid. Langzaam, met een misselijk gevoel achter in zijn keel, keek hij omhoog, op zoek naar een houvast. Toen boog hij één knie en duwde het topje en de zijkant van zijn gymnastiekschoen in een gat. Omhoog. Zijn vingers wrongen zich in allerlei bochten. De spleten waren te klein, maar toch dwong hij zichzelf om zijn gewicht eraan toe te vertrouwen. Het zweet kwam door het dunne laagje kalkstof heen. Omhoog. Het gras, lieflijk en sappig, lag ver beneden hem. De rots was dicht bij zijn gezicht en de lucht achter en onder hem zoemde en dijde uit en speelde een spelletje met de zwaartekracht. Het ene moment was hij een veertje, dat ternauwernood was verankerd aan het rotsgesteente, het volgende moment een zak met drijfnatte kleren, te zwaar om zich overeind te houden. Nog één steunpunt verder. Hij kon niet naar boven of beneden kijken.

'Sammy, er kan je niets gebeuren. Ik ben hier om je op te vangen.' Hij kon er zich geen voorstelling van maken of zijn vaders handen enorm groot waren, een grote wieg die op hem stond te wachten, of een kopje dat onder zijn gewicht in gruzelementen zou vallen. Met een wanhoop die hem vanbinnen opslokte, hield hij nog even vol, toen werden zijn benen vloeibaar en zijn vingers gleden weg van hun houvast.

Hij viel door de ruimte. Er was een witte flits van opluchting, berusting, voordat zijn vaders armen hem vastpakten en hem onmiddellijk met een grote zwier van triomf, kracht en trots omhoogtilden, en toen begonnen ze beiden van pret te lachen. Michael zwaaide zijn zoon door een lus van blauwe oneindigheid, voordat hij hem weer met beide voeten op de grond neerzette. Hij kuste hem in zijn nek, onder de natte krullen van zijn haar.

'Goed zo, jongen. Vóór je twintigste beklim je de Cap, net als je ouweheer. En daarna nog een paar.'

Sam liet zich vervolgens aan zijn oor trekken en op zijn schouder slaan, maar wist dat hij niet zou doen wat er van hem werd verwacht. Niet zou en kon doen, wat de Cap ook mocht zijn.

Twintig jaar later dwong hij zichzelf zich te concentreren op de lengte van zijn passen en het gelijkmatig houden van zijn ademhaling. Hardlopen was daar goed voor, altijd. Je kon kilometers lopen, verloren in gedachten en herinneringen, als je dat tenminste wilde. En als je niet wilde denken, kon je alles uit je hoofd zetten, alles behalve je benen en longen, en de weg die voor je lag. Het pad bracht hem naar de andere kant van het meer en ging toen steil omhoog door een rand van douglassparren, om vervolgens op de asfaltweg uit te komen waar het de kam van de richel volgde. Met zijn hoofd omhoog en nog steeds gelijkmatig ademhalend, zelfs na de beklimming van de heuvel, rende Sam moeiteloos over de weg. Er kwam een bestelauto voorbij, die in de tegenovergestelde richting reed, maar verder was er geen verkeer. Nog geen zeshonderd meter verderop lag de afslag naar zijn vaders huis.

Het huis van de McGraths lag een eindje van de weg, weggedoken tegen de zwarte bomen, alsof het erin zou verdwijnen als het kon. De witte verf op de raamkozijnen was vervaald tot grijs en was op sommige plekken aan het afbladderen, en de gordijnen voor drie van de vier ramen waren stijf dichtgetrokken, alsof het voorgoed was, alsof ze nooit meer zouden worden geopend, ongeacht het uur van de dag. De oude stationcar van Mike McGrath stond op een met onkruid en struikgewas begroeid pad, met daarnaast Sams huurauto. Sam had zijn tempo vertraagd tot een wandelpas toen hij bij de brievenbus op zijn versplinterde paal was aangekomen, en de koude wind begon meteen tussen zijn ribben te steken. Er viel weer natte sneeuw. Sam trok de capuchon van zijn fleece jack omhoog en liep op weg naar de deur om de twee auto's heen.

Zijn moeder liet hier altijd bloemen groeien. Cosmea's en goudsbloemen, herinnerde hij zich. Ze hield van heldere kleuren. Ondanks de kou bleef hij opzettelijk wat treuzelen op de plek waar de rand van haar tuin was en dacht aan de manier waarop ze op zomeravonden hierheen kwam om de kopjes van verwelkte bloemen eraf te halen of toefjes gras uit de aarde te trekken. Het huis stond op het westen en de zon zou de voorkant nog in kleur zetten als de bossen erachter al donker waren geworden.

Sam haalde nog eens diep adem. Hij kon hier niet blijven rondhangen, zei hij tegen zichzelf. Hij moest naar binnen gaan en het hem vertellen. Hij duwde de voordeur open door zijn schouder ertegenaan te zetten, omdat de deur door vocht was kromgetrokken en daarom vaak klemde.

Mike zat in zijn stoel naar de tv te kijken. Op de kachel stond een pot koffie, en een onverpakt gesneden brood lag als een zacht pakje kaarten op het aanrecht gespreid. Sam duwde zijn capuchon naar achteren toen zijn vader naar hem keek.

'Ging het lekker?' vroeg de oude man zonder veel belangstelling.

'Ja, ik ben langs het huis van de Bowmans gegaan en het meer rond.'

'Een heel eindje.'

'Gaat wel. Het is koud buiten.'

'De koffie is klaar.'

'Bedankt.'

Sam schonk zichzelf een kopje in en nam een paar slokken, eraan denkend geen vies gezicht te trekken.

'Wil je hiernaar kijken?' vroeg hij scherp. De jammerende gezichten van een talkshow vulden het scherm met verhalen over geweld, begeleid door wrok en rancune. Hoewel het hier wel paste, dacht hij. In dit huis hing altijd een sfeer van teleurstelling. Een overvloedige hoeveelheid, gelardeerd met woede. Dus waarom ook niet op de buis? Misschien hield Mike daarom wel van al deze programma's. Hij voelde zich erbij thuis.

'Ik dacht dat we misschien wat konden praten,' ging Sam verder. Hij zette zijn vaders stok weg die naast zijn stoel stond, zodat hij zijn eigen stoel wat dichterbij kon schuiven, waarbij hij het tv-scherm gedeeltelijk blokkeerde. Het resultaat was dat ze bijna met hun knieën tegen elkaar aan zaten. Sam had zijn hand kunnen uitsteken en Mikes hand in de zijne kunnen nemen, maar hij deed het niet. Ze waren niet gewend elkaar aan te raken, niet meer vanaf de tijd dat Sam een puber was geworden.

Mike reageerde door met de afstandsbediening het geluid wat zachter te zetten. Vervolgens draaide hij zich om teneinde zijn zoon aan te kijken.

'Ik ben niet geplaatst,' zei Sam.

Er volgden twee, drie tellen stilte.

Mike wreef met een vereelte duim over zijn mondhoek.

'Hè?'

'Ik heb vorige week in Pittsburgh gelopen. De kwalificatie voor 2000.' Vanaf het moment dat de internationale commissie van de USA Track & Field had aangekondigd dat het mannenteam van de olympische marathon, evenals in de afgelopen dertig jaar, weer door een enkele wedloop zou worden samengesteld, had Sam getraind voor de City of Pittsburgh Marathon. En voor Sam was het een van die dagen geweest waarop de racemachine was gaan haperen en er ten slotte mee was opgehouden. Hij had niet veel van die dagen, maar wanneer de machine hem wel in de steek liet, had het meestal iets te maken met de druk van verwachting waaronder hij gebukt ging. Met name de verwachtingen die zijn vader van hem had. Sam was zich volledig bewust van het psychologische krachtenspel tussen hen, maar dit bewustzijn bracht hierin geen enkele verandering, noch in de effecten ervan.

'Dat wist ik niet.'

Het gezicht van de oude man verried weinig. Hij bleef Sam gewoon aankijken en wachtte op verdere uitleg.

Het was zo karakteristiek, dacht Sam, dat hij van tevoren niets wist van de race, ook al was zijn zoon kandidaat voor het olympisch team. Mike leefde een leven dat werd bepaald door zijn eigen, zich steeds verengende interesses. Hij keek tv, las een beetje, meestal tijdschriften over de natuur, ging zo nu en dan eens bij een buur op bezoek en dronk zijn biertje.

Maar het was even karakteristiek, moest Sam erkennen, dat hij zijn vader niets over Pittsburgh had verteld. Hij had zich voor de race gekwalificeerd door een tijd te lopen die beter was dan twee uur twintig bij een nationaal kampioenschap, en hij had Mike onmiddellijk daarna opgebeld om hem dat te vertellen.

'Dat is vrij goed,' was de enige reactie geweest.

In zijn puberteit had Sam zichzelf getraind om niet in opstand te komen tegen zijn vaders gebrek aan enthousiasme. Zo is hij nu eenmaal, redeneerde hij. Hij wilde dat ik het ene deed en ik deed het andere.

Maar hoe dan ook, deze keer had Mike wel een erg terughoudende indruk gemaakt, en daarom had hij hem van tevoren niets meer verteld over de grote race en hem daarna niet gebeld om het slechte nieuws te vertellen. In plaats daarvan had hij een week gewacht en was toen gekomen om de oude man een bezoek te brengen. Hij had in gedachten verschillende versies van deze scène opgevoerd, waarbij hij Mike teksten had toegedacht om uiting te geven aan medelijden, of bemoediging voor de volgende keer, of gewoon medeleven – maar het somberste scenario had de werkelijkheid het dichtst benaderd. Mike was noch verrast, noch meelevend, hij was gewoon teleurgesteld. Zoals hij al vele malen eerder was geweest. Het patroon lag nu vast.

'Wat is er dan gebeurd?' vroeg Mike ten slotte.

Sam betrapte zich erop dat hij zijn schouders ophaalde en probeerde hiermee op te houden. 'Ik was fit genoeg en voelde me in het begin goed. Ik kon het gewoon niet voor elkaar krijgen.'

'Wat voor tijd heb je gemaakt?'

'Niet goed; twee achtentwintig. Ik heb het vele malen beter gedaan, heb alle andere jongens verslagen die voor mij waren – Petersen, Okwezi, Lund. Maar niet op de dag toen het erop aankwam.'

Mike bleef hem aankijken en zei niets.

'We hebben altijd nog 2004.' Sam glimlachte en dacht bij zichzelf: Het zou andersom moeten zijn. Jij zou dat tegen mij moeten zeggen.

'Je bent achtentwintig, negenentwintig, is het niet?'

Je weet hoe oud ik ben. 'Een marathon lopen is gelukkig geen kinderspel. Je kunt tot ver in de dertig tot de koplopers blijven behoren.'

'Ik had me erop verheugd om dat goud mee naar huis te nemen.'

Mike knikte naar de schoorsteenmantel, alsof daar, tussen de schilderijen van bergen en bebaarde mannen, een ruimte was die was beroofd van de olympische medaille van zijn zoon.

'Ik was tevreden geweest met alleen naar Sydney te gaan en mijn land te vertegenwoordigen. Het ging nooit alleen maar om het winnen, vader,' zei Sam geduldig.

'Nee.'

Het eenlettergrepige woord was een schimpscheut, deskundig afgevuurd, die zich als een vishaak in Sam boorde.

Het is zoals het is, dacht Sam bij zichzelf. Het komt omdat hij verbitterd is over zijn eigen leven. En ditmaal heeft hij het recht om zich te beklagen. Hij zou trots op me zijn geweest als ik het had gehaald, dus is het begrijpelijk dat hij zich nu het tegenovergestelde voelt.

'Het spijt me dat ik het deze keer niet heb gehaald. Het was voor mij ook moeilijk. Maar ik houd niet op met hardlopen. Het betekent heel veel voor me.'

'Blijf het doen zolang het nog kan,' stemde Mike in. 'En het kan nog.'

Wil je dat ik zeg dat me dat ook spijt? vroeg Sam zich af.

Mikes blik ging alweer over zijn zoons schouder heen, terug naar het jouwende publiek op de televisie. Het volume ging weer hoger.

Zittend in dit huis, met zijn vervalende behang en dezelfde oude sofa en stoelen, en de verleidelijke omslagen met blauwe luchten van zijn vaders tijdschriften – hij was nog steeds geabonneerd op *Climber* en *Outside* en de rest – viel het Sam moeilijk om de herinneringen uit zijn hoofd te zetten. Ze hadden zich verschanst in de keuken en in de kasten, en achter de gordijnen, wachtend om hem te overvallen. Waar hij nu woonde, verderop in Seattle, waar hij zijn werk had, met Frannie en vrienden als gezelschap en afleiding, kon hij ze ontlopen. Maar niet hier, zelfs niet even. Hij veronderstelde dat dit voor iedereen gold die naar huis ging. Of je je bezoek wel of niet leuk vond, hing af van de aard van de herinneringen.

Toen Sam zes was, waren ze naar dit huis verhuisd. Daarvoor hadden Mike en Mary McGrath aan de kust van Oregon gewoond, dicht bij Newport, maar toen was Mike begonnen met het verhuren van vakantiehuisjes, samen met een partner, en was met zijn gezin in het dorpje Wilding gaan wonen. Het bedrijf had het maar een paar jaar volgehouden en de partner was er met het grootste gedeelte van de liquide middelen vandoor gegaan. Hij had Mike met de schuldenlast laten zitten, maar de McGraths waren hier blijven wonen. Ze hadden geld gestoken in dit huis, dat enkele kilometers buiten het dorp lag, en Mary had voor het huis een tuin gemaakt en begon wat vrienden te maken. Sam ging naar school en leek gelukkig, en Mike was het om het even of hij nu hier of ergens anders woonde. Hij nam een baan aan als transportmanager bij een houtindustrie. Het kon Mike niet zoveel schelen waar hij woonde of waar hij zijn geld mee verdiende, zolang hij zijn vrouw en kind maar een onderdak en eten kon geven en zo vaak mogelijk naar Yosemite en de Tetons kon gaan, en naar de vele rotsen om te klimmen, wanneer zijn budget te klein was voor een echte expeditie.

Sam wist dat andere kinderen met heel wat ergere dingen te kampen hadden, maar het klimmen viel hem zwaar. Hij ging mee op kampeertochten, en terwijl zijn vader in zijn eentje aan het klimmen was, voetbalde hij met de andere jongens, zwom in ijskoude beekjes en maakte wandel- en fietstochten, altijd angstig voor het moment dat zijn vader hem zou roepen.

'Kom, Sammy, het is jouw beurt.'

'Nee.' Proberen te klimmen terwijl zijn vader naar hem stond te kijken, met het bloed dat in zijn oren hamerde en trillende gewrichten, en het happen naar lucht met het topje van zijn longen, omdat hij zijn houvast zou kunnen verliezen wanneer hij dieper ademde – dit alles was Sam maar al te bekend.

'Kijk dan naar me,' zuchtte Mike.

Zijn bewegingen waren zo soepel terwijl hij klom, zijn lichaam leek wel water dat over de rots vloeide. Maar Sam hield zijn armen stijf om zijn knieën geslagen wanneer hij zat te kijken, en zijn adem kwam ongelijkmatig.

Val niet, bad hij. Val niet, pap.

Een paar tellen later bereikte de man de top van de rots en verdween, dan verscheen zijn vrolijk lachende gezicht over de rand.

'Zie je wel? Een peulenschilletje.'

Sam voelde zijn wangen warmer worden, maar niet door de stralende zon. Zijn vader kwam alweer naar beneden, soepel en onverstoorbaar. En toen, halverwege, stopte hij plotseling.

'Wat moet ik doen?' vroeg hij, en hij slingerde de woorden over zijn schouder in de stilte van de lucht. 'Ik kan niet verder. Zeg me wat ik moet doen.' De jongen liet zijn ogen over de roodachtige klip gaan, zocht in het zandsteen naar een spleet of een bobbel. Er waren geen touwen, zijn vader had alleen zijn eigen vingers en tenen, en nu kon hij niet verder en zou hij zeker vallen... hij zou vallen en vallen, en hij zou doodgaan.

'Zie je iets?' Mike McGrath riep luider. 'Een voetsteuntje?'

Sam staarde tot zijn ogen gingen branden.

De rode rots was glad en hard en er zat geen kuiltje in, ook niet om zijn vaders leven te redden. Ontzetting maakte zich meester van de zonnige middag, legde de vogels het zwijgen op en maakte van een tel een uur.

'Wacht. Misschien, als je daarheen gaat...' Hij ging op zijn knieën de rots op en met gebalde vuisten hield hij zich vast aan lange graspollen. Onder de plek waar zijn vaders voeten stonden, zat een bobbeltje.

Te laat.

'Ik val,' riep de man plotseling. En al vallend ging hij van de rots vandaan en zijn lichaam draaide eenmaal om in de lucht, zwart, en hulpeloos als een pop.

Uit Sams mond wrong zich een gil.

Zelfs nadat Mike zijn keurige flikflak had uitgevoerd en keurig met beide voeten naast elkaar en armen langs het lichaam precies in het midden van de oude baddoek terechtkwam, die hij aan de voet van de rots had laten liggen om de zolen van zijn bergschoenen niet in contact te laten komen met de grond, was Sam nog aan het gillen. Zijn moeder kwam op het geluid af rennen. Hij wierp zichzelf in haar armen.

'Michael,' protesteerde ze, 'wat ben je aan het doen?'

Terwijl ze dit zei, hield ze de jongen tegen zich aangedrukt en Sam kon haar stem in haar borstkas horen vibreren.

'Ik wilde hem geen angst bezorgen. In 's hemelsnaam, ik liet hem alleen maar zien dat het véílig is. Sammy, er is niets aan de hand. Ik deed het met opzet.'

'Hij is acht jaar, Mike.'

'Ik wil dat hij weet wat klimmen is.'

Dat wist Sam McGrath al. Hij wist dat het iets was waar zijn vader van hield. Zonder te weten hoe hij het moest zeggen, begreep hij dat Michael op zijn eigen manier van hem en zijn moeder hield, maar klimmen gaf al het andere zin. Elke dollar die hij kon missen, elk weekend en elke vakantie werden eraan opgeofferd. Dat was alles. Het was zó overweldigend dat het in zekere zin volkomen eenvoudig was. En wat hemzelf betrof, Sam wist ook dat het hem sprakeloos van angst maakte.

'Laat hem met rust. Hij leert het wel wanneer hij er klaar voor is.'

Toen was er iets, een zekere spanning, die als een dunne draad tussen hen tweeën werd strakgetrokken, wat nog veel onaangenamer was dan zijn eigen angst, en om die te ontladen, maakte Sam zich los van zijn moeder en stond op.

'Het is oké. Ik zal het nu doen,' zei hij.

'Goed zo, jongen. Zie je wel?' Michael lachte, en de vrouw fronste haar wenkbrauwen.

Op een dag vroeg Sam aan zijn vader: 'Je gebruikt touwen als ik erbij ben. Waarom gebruik je ze niet als je alleen bent? Zou dat niet veiliger zijn?'
Hij zou het antwoord nooit vergeten.
'Het gaat niet om veiligheid. Het gaat om puurheid.'
Mike vertelde hem dat een bergbeklimmer het zichzelf zo veilig kon maken als hij zelf wilde. Door te weten wat hij deed en waarnaar hij op weg was, door berekeningen te maken en te plannen. En bovenal door zich te concentreren.
'Het is net als een wiskundevraagstuk. De rotsen stellen je voor een probleem en jij lost het op. Touwen en haken en alle andere hulpmiddelen maken het alleen maar moeilijker en gevaarlijker. Het echte klimmen is hetzelfde als de liefde bedrijven. Je bent met z'n tweeën, jij en de rots, en naakt zijn is het beste. Je bent nog te jong om daar iets van te begrijpen.'
Sam voelde zich in verlegenheid gebracht en mompelde: 'De meeste mensen klimmen samen met iemand anders.'
'Ik wacht tot jij groot bent. Tegen die tijd heb ik je alles geleerd wat ik weet. Wanneer je je studie af hebt en jurist bent, zult je rijk genoeg zijn om naar Alaska te gaan en de Himalaya's en de grote bergen te beklimmen, alle plekken die je oude vader nooit te zien heeft gekregen.'
Sam stak zijn kin in de lucht en keek hem aan, met een blik van verzet die hij als een steen in zijn maag voelde liggen.

'Wil je nog een kopje?' vroeg Sam, knikkend naar de koffiepot. Hij schoof zijn stoel terug naar zijn gebruikelijke plek en stond op. Het contact tussen hen werd er niet door verbroken, omdat er geen contact was geweest. Mike had zich blijkbaar nauwelijks van de televisie losgemaakt en nu hield hij zonder enig commentaar zijn kopje bij.
Sam vulde het en begon voorbereidingen te treffen voor het eten. Hij was naar de stad geweest en had een grote voorraad gekocht om de lege kasten en de oude vriezer in het tuinhuisje te vullen.

Hij vond dat Mike niet goed voor zichzelf zorgde en hij wilde er, voordat hij wegging, zeker van zijn dat hij tenminste voedsel in huis had, ook al zou hij het niet opeten.

'Vind je steak en salade goed?'

Mike had altijd van eenvoudig voedsel gehouden. Soms praatte hij wel eens over Mary's kippenstoofpot of knoedelstew, en dan besefte Sam hoezeer hij zijn vrouw nog miste en voelde zich schuldig dat hij niet dichterbij woonde of zijn vader niet vaker opzocht.

'Als je dat gaat maken.'

Toen het eten klaar was, legde Sam messen en vorken op de oude, geel gelamineerde tafel en zette de borden neer. 'Het is klaar.'

Mike grabbelde naar zijn stok, maar hij lag nog op de plek waar Sam hem had neergelegd. De oude man bromde geïrriteerd en strekte zich moeizaam uit, maar Sam was hem voor. Hij gaf zijn vader de stok aan en hielp hem overeind om hem vervolgens te begeleiden bij de enkele stappen naar de tafel.

'Het gaat wel. Hoe denk je dat ik me red wanneer jij niet op bezoek bent?'

'Natuurlijk red je je wel. Maar wanneer ik er ben, vind ik het fijn je te helpen.'

Daarna aten ze zonder een woord te zeggen, het enige geluid was het getik van hun mes en vork, en van de wind, die ijspijltjes tegen de ramen sloeg.

'Het is geen weer om te reizen,' merkte Mike op.

Ik zou kunnen blijven slapen, dacht Sam. Maar dat wilde hij niet, en dit besef maakte zijn schuldgevoel alleen nog maar groter. Hij wilde hier weg, terug naar zijn eigen plek, weg van de zwijgende horden van hun herinneringen.

'Het zal wel gaan. Ik moet weer aan het werk.'

Dat was nog iets om teleurgesteld over te zijn. Hij had het niet eens tot een rechtenstudie gebracht. Sam deed in computers, het ontwerpen en opzetten van websites, en het liep ook nog niet eens zó geweldig.

De stilte was tenminste verbroken. Mike kauwde nadenkend op zijn steak en veegde toen zijn mond af. 'Dus je denkt dat dit het is? Geen tweede kans?'

Hij had het weer over het hardlopen.

Sam moest twaalf zijn geweest, omdat Mary er nog was, hoewel ze al wat ziekelijk leek te zijn. Hun laatste zomervakantie dus. Sam kon het zich niet meer precies voor de geest halen waar ze hadden geklommen, maar hij herinnerde zich elke kloof en elk hoekje. Er was een nauwe schoorsteen en toen een lastige overhang. Mike was als eerste gegaan en hij nam de onderkant van de schelp alsof het niet meer dan een optische illusie was.

'Klim wanneer je er klaar voor bent,' hoorde Sam hem vanaf het onzichtbare, veilige punt daarboven roepen.

De rots wachtte en drukte zwaar. 'Ik denk niet dat ik dit kan.'

Er kwam geen antwoord, en Sam zuchtte en begon te klimmen. Al toen hij aan het eerste houvast hing en begon te berekenen hoe hij de volgende moest bereiken, lieten zijn geest en zijn wil hem in de steek. Het ging er niet alleen om dat hij het niet kón. Het ging er veel meer om dat hij het niet wílde. Meteen klom hij weer de korte weg terug vanwaar hij gekomen was en riep weer. Hij vertelde Mike dat hij naar beneden ging en die dag niet meer zou klimmen. Hij voelde een begin van opstandig geluk. Een paar tellen later verscheen Mike weer naast hem op de richel. De ruimte leek te klein voor hen beiden.

Mike zei: 'Wil je hier nog eens goed over nadenken?'

Het was geen vraag, maar Sam was zo overmoedig om het als een vraag te beschouwen.

'Eh, nee, dank je. Ik ga terug.'

'Ik vind dat je het moet proberen.'

'Ik vind dat ik terug moet gaan.'

'Doe wat ik je zeg, zoon.'

De rots leek zwaar op hun hoofd te drukken.

'Dat wil ik niet.'

Het was zelfdiscipline die Mike in toom hield. Hij wilde zich daar op de berg niet door woede laten overmeesteren, omdat woede het verlies van zelfbeheersing betekende, en verlies van zelfbeheersing betekende gevaar. In plaats daarvan liet hij zijn zoon veilig op de grond zakken en bleef toekijken, tot Mike zich had losgemaakt van het touw. Toen draaide hij zich om en klom in zijn eentje over de overhang.

Sam rende over het pad door het bos. Hij ging steeds harder lopen, om de schok te kunnen verwerken over wat hij had gedaan. Toen hij bij de kampeerplaats aankwam, zat Mary vermoeid in haar stoel in de schaduw van een boom. Mary verdedigde haar zoon tegenover zijn vader. Dat was het jaar waarin Sam begon met hardlopen.

'Niet meer voor 2000, vrees ik.'
Ze hadden hun bord leeg. De talkshow was voorbij en er kwam een soepreclame. Sam ruimde de tafel af. 'Heb je zin in een toetje? Er is appeltaart.'
'Jawel, als er is.'
Hij zette hem op tafel en ze aten weer in stilte. Zo was het nu eenmaal. Daarna deed hij de afwas en hing – zonder het te weten – de vaatdoek op om te drogen, precies zoals Mary dat altijd had gedaan. Mike had nooit een vaatwasmachine gekocht.
Pas toen nam Sam de vrijheid om op zijn horloge te kijken. 'Het is tijd voor het vliegveld.'
'Ga je echt in dit weer?'
Sam hief zijn hoofd op, zogenaamd om naar de wind te luisteren. Hij wilde de tv afzetten, voor het geval het plaatselijk weerbericht erop zou komen en zijn vluchtroute zou afsnijden.
'O, het valt wel mee.' Hij haalde zijn tas uit de slaapkamer, waar nog steeds zijn sportposters aan de muur hingen, en zocht met veel vertoon naar zijn sleutels. 'Heb je nog iets anders nodig, vader?' Er was eten in de kast, een voldoende voorraad brandstof en er lagen tijdschriften op de stoel.
'Nee, niets.'
'Dan kan ik maar beter gaan. Ik bel je morgenochtend. Vanuit mijn flat of op kantoor, in Seattle.'
'Goed.' De oude man kneep in zijn neus en wreef erover met de rug van zijn hand. Toen hees hij zich omhoog en liet zijn gewicht op zijn stok rusten. Ze kwamen tegelijkertijd vanuit tegenovergestelde richting bij de deur aan. Sam keek op hem neer.
Michael had een gebroken rug overleefd, maar het verschrikkelijke letsel en de jaren van herstel hadden zijn vader niet alleen zijn rechte gestalte ontnomen, maar ook andere dingen. Sam vond dat de manier waarop de oude man nu leefde niet veel meer

was dan overleven. Dit besef deprimeerde hem niet alleen, maar vervulde hem ook met een medelijden waarmee hij geen raad wist. Bovendien maakte het hem meer bewust van zijn eigen goede conditie en omstandigheden, terwijl hij desondanks nog steeds gevangen zat in een leven dat hem geen bevrediging schonk of hem een directe kans op verbetering in het vooruitzicht stelde. Dat Mike hem als een mislukkeling zag, bevestigde alleen maar zijn eigen mening.

'Het spijt me echt dat ik het niet heb gehaald.'

'Misschien een volgende keer, zoals je al zei,' antwoordde Mike. Ze raakten elkaar op een onhandige manier aan – iets meer dan een handdruk, maar minder dan een omhelzing. Toen lieten ze elkaar weer los. 'Bedankt voor het kopen van al die voorraden. Ik had ze niet nodig.'

'Pas goed op jezelf.'

'Je weet hoe ik ben.'

O ja, dacht Sam. Hij sjorde zijn tas omhoog, liet zijn hand even op Mikes schouder rusten, opende toen de deur en deed hem weer achter zich dicht. Het sneeuwde nu hard, en de wind joeg de sneeuw in de spleten van stoepen en muren. Sam reed door Wilding en daarna de snelweg op. Hij drukte op de radioknopjes, strekte zich uit in zijn stoel en met het meedogenloze geluid van heavy metal muziek in zijn oren reed hij door de storm richting vliegveld.

'Het spijt me, meneer,' zei de man achter de balie. 'Het weer is te slecht, er gaan geen vliegtuigen meer. Misschien over een uurtje, als het wat beter wordt.'

'Dan wacht ik wel,' zei Sam, alsof hij een keuze had. Bij de kiosk kocht hij een *Forbes* en bij de koffieshop een koffie met melk om de smaak van zijn vaders brouwsel weg te spoelen. Onder het bord met vertrektijden vond hij een zitplaats en zette zich klem tussen een jongen met een snowboard en een vrouw met een baby op haar schoot. Hij dronk langzaam zijn koffie op en keek toe hoe de vluchtelingen voor het weer zich een weg door de barrière van de glazen deuren baanden. De hal liep vol, en om hem heen verdrong zich een gestage aanwas van mensen.

Sam had misschien vijftien minuten met het lege plastic kopje in zijn hand gezeten toen hij haar zag.

Weer gingen de deuren open en de wind nam een vlaag van ijskristallen mee, die zich in een driehoek over de donkere vloer van de vertrekhal verspreidden. In hun kielzog werd een vrouw naar binnen geblazen, maar ze liep niet, als alle anderen, ineengedoken om zichzelf tegen het weer te beschermen. Ze hield haar hoofd opgeheven, en haar ogen straalden van vreugde. En ze bleek niet meer aan te hebben dan een paar dunne, hooggehakte schoenen en een verschoten ski-jack. Haar benen waren heel lang en zaten onder de modder.

Afgezien van een kleine weekendtas hield ze achteloos een bruidsboeket in haar hand.

Sam vloekte binnensmonds. Een bemoeial was al met haar getrouwd. Hij volgde haar met zijn ogen naar de balie van Air Canada. Ze kreeg hetzelfde te horen als hij en liep toen weg. Sam stond al bijna op om naar haar toe te gaan, toen hij zich bedacht dat hij haar niet kende. Nóg niet. In plaats daarvan keek hij toe hoe ze een kop koffie kocht en die staande opdronk, met haar blik op de vertrektijden. Het boeket lag bij haar voeten, samen met haar tas. Er was geen bruidegom te zien, geen zelfgenoegzame overwinnaar die klaarstond om haar mee te nemen op huwelijksreis. Blijkbaar was ze alleen.

Hij stond op en legde zijn jas op zijn zitplaats; zo te zien was het nu de enige vrije zitplaats. Hij liep tussen de groepen reizigers door, tot hij naast haar stond. 'Wil je zitten?'

Haar blik gleed over zijn gezicht, neutraal, denkend, ietwat geamuseerd. 'Er zijn drie zwangere vrouwen en verschillende bejaarden die hier nog geen zitplaats hebben. Waarom ik?'

Mijn hemel, dacht hij, ze is me er een! 'Goeie vraag.'

'Maar bedankt voor het aanbod.' Ze glimlachte. Ze was niet mooi, haar ogen stonden te ver uit elkaar en haar kaken waren te geprononceerd. Ze was meer dan mooi; ze was intrigerend.

'Waar moet je heen?'

'Naar huis, naar Vancouver. En jij?'

'Ja, ik ook.' Seattle, BC, maar wat deed dat ertoe? Het werk wachtte morgen op hem, Frannie – Sam deed er een pakpapiertje omheen en legde ze allemaal weg. Het was een hele tijd geleden dat hij zoiets volkomen onbezonnens had gedaan.

'Woon je in Vancouver?'

'Nee, dat nou niet. Ik ga op bezoek. Het ziet ernaar uit dat we nog lang moeten wachten. Misschien wel tot morgen.'

'Ik geef de hoop niet op. Ik moet vanavond weg,' zei ze, op haar horloge kijkend. 'En ik moet nog wat telefoontjes plegen. Leuk met je te hebben gepraat.' Ze stuurde hem weg.

'Sam McGrath.'

Hoewel ze niet om de kennismaking had gevraagd, knikte ze heel beleefd. 'Finch Buchanan.'

Hij boog zich voorover, pakte de bloemen op en gaf ze haar. Het waren een soort crèmewitte bloemen die geurden, met glimmend groen bij elkaar gehouden. Conventioneel, wat eigenlijk niet bij haar paste. En ze droeg geen ring.

'Tussen haakjes, gefeliciteerd. Mevrouw Buchanan, neem ik aan?'

Nu lachte ze, een uitbundige uitbarsting van vrolijkheid die haar tanden en haar tong liet zien. Hemel, dacht hij weer.

'Inderdaad. Maar ik ben alleen om zijn geld met hem getrouwd. Ik heb hem neergeschoten bij de receptie.'

'Verstandige zet.'

'Dank je.'

'Dus nu ben je op zoek naar een vervanger?'

Op het moment dat hij het zei, besefte hij dat hij nu iets te ver ging. Finch haalde eventjes haar schouders op. Het jack zat haar in de weg en ze trok ongeduldig aan het klittenband om het uit te doen. Helaas droeg ze er nog wat onder: een blauw pakje, dichtgeknoopt tot aan de hals, waardoor ze jammer genoeg op Ally McBeal ging lijken. Ze rolde het jack op en propte het in haar tas.

'Tot kijk.' Ze glimlachte en liep weg naar de telefoons aan het eind van de hal.

Zodra ze haar aandacht helemaal bij het telefoongesprek had, liep Sam rechtstreeks naar de balie van Air Canada en ruilde zijn kaartje in. Toen Finch haar geanimeerde gesprek had beëindigd, vond ze een eind verderop een plaatsje, naast een groep Mexicaanse nonnen, haalde een boek uit haar tas en verdiepte zich erin.

Langzaam verplaatste de sneeuwstorm zich naar het zuidwesten. De Vancouver-vlucht vertrok bijna drie uur over tijd, maar het was wel een van de weinige die überhaupt nog die avond gingen. Hij was vol. Sam zag haar zodra hij aan boord kwam, bij een raampje, halverwege de hoofdcabine. Hij liep het gangpad door naar de, wonderbaarlijk genoeg, nog vrije zitplaats naast haar.

'Wel heb je ooit!' Hij glimlachte en ging zitten. Het boek lag open op haar schoot.

'De wetten van waarschijnlijkheid zijn me niet geheel onbekend,' antwoordde ze koel en ging weer lezen. Sam zag dat een man die eruitzag als John Belushi met gefronste wenkbrauwen in hun richting kwam. Hij leunde voorover, pakte Finch' bloemen op die ze onder de stoel vóór haar had geduwd en hield ze op de armleuning tussen hen. En hij wrong zich nog dichterbij, zodat hun hoofden elkaar bijna raakten.

'Is dit...?' begon Belushi geïrriteerd.

Sam liet zijn instapkaart zien. 'Het spijt me. Het is uw plaats, ik weet het. Maar kijk, het is onze huwelijksnacht. Vindt u het erg om van plaats te ruilen, zodat ik naast mijn vrouw kan zitten? Ze heeft vliegangst.'

'Nou, oké,' bromde de man en liep door.

Nu lachte ze niet. Ze keek niet verschrikt of verward of boos – alleen maar streng. Ze nam de bloemen terug en duwde ze met de teen van haar elegante schoentje weer onder de stoel. 'Wat heeft dit allemaal te betekenen?'

'Je denkt dat ik geschift ben, hè?'

'Ja.'

'Dat ben ik niet. Ik wilde hier gewoon zitten.'

'Blijf dan maar zitten waar je zit,' zei ze kordaat. Hij deed wat hem werd gezegd. Hij zat toen het vliegtuig ging taxiën, opsteeg en de piloot aankondigde dat er in de nasleep van de storm veel turbulentie kon worden verwacht en dat ze hun veiligheidsriemen om moesten houden. Al slingerend en schuddend steeg het vliegtuig op door de wolkenlagen, en de motoren loeiden en veranderden van geluid. Plotseling liet Finch haar boek vallen en duwde haar hoofd tegen de hoofdsteun. Sam zag de bleekheid van haar hals.

'Eigenlijk zit er een greintje waarheid in al die onzin die je zat uit te kramen.'

'Wat dan?' vroeg hij.

'Ik heb vliegangst.'

'Wil je mijn hand vasthouden?'

'Ik wil iets drinken.'

Hij keek langs de stoelen heen naar voren. Voorzover hij kon zien, zat de bemanning nog in de riemen. 'Nog niet. Wil je in plaats daarvan wat praten?'

Ze zuchtte en deed haar ogen dicht. De romp kraakte en begon duizelingwekkend te schudden. 'Als je wilt.'

'Toen ik nog een klein jongetje was, heb ik mij de toekomst laten voorspellen door een oude indiaanse vrouw. Tot op de dag van vandaag staat het me nog levendig voor de geest dat ze tegen me zei: 'Je gaat niet dood in een Air Canada 737, ergens boven de westkust. Tussen haakjes, ben je misselijk?'

'Als ik moet overgeven, red ik mezelf wel, dank je. Ik ben arts.'

'Dokter Buchanan. Gespecialiseerd in het afwimpelen van opdringerige mannen en overgeven.'

Het vliegtuig viel in een luchtzak. Het leek wel tien seconden lang in het vacuüm omlaag te storten voordat het weer in vaste lucht belandde. Er begon een kind te huilen en aan de andere kant van het middenpad klonk gekreun van een oude vrouw. Finch greep Sams hand en drukte haar nagels erin. Ze was lijkbleek geworden.

'Niets aan de hand,' suste hij. Haar hand was klammig, en zachtjes wreef hij met zijn duim over de huid ervan. 'Het is alleen maar stormturbulentie. Er zal ons niets overkomen. Je bent veilig.' Hij haalde de papieren zak te voorschijn en legde die op haar schoot, voor het geval dat, boven op het boek. Hij zag dat het *Touching the Void* heette, een klassiek verslag van een bergbeklimmingsramp en de nasleep ervan.

Hij knikte vergenoegd. 'Ik heb het gelezen. Wat een verhaal!'

Ze schudde haar hoofd. 'Ik denk dat ik liever onder in een bergspleet zit dan hierboven.'

'Bedankt.'

'Luister, verwacht niet van me dat ik beleefd en vriendelijk ben. Praat tegen me. Vertel me wat over jezelf, als je wilt.'

'Een uitnodiging die geen man kan afslaan. Waar moet ik beginnen?'

Hij vertelde haar waarom hij zijn vader een bezoek had gebracht, over het hardlopen en zijn werk en de daarmee gepaard gaande problemen, en probeerde het eens zo interessant te laten klinken als het in werkelijkheid was. Hij vermeed het om Frannie te noemen, hoewel hij zichzelf erop betrapte dat hij een- of tweemaal *wij* zei, en hij wist dat ze het had opgemerkt. Het schudden en stoten van het vliegtuig werd langzamerhand minder en de catering begon. Tegen de tijd dat hij een grote wodka en tomatensap in haar hand duwde, was Finch' gelaatskleur weer aanmerkelijk bijgetrokken. Ze dronk het halfvolle glas in één teug leeg.

'Nogmaals bedankt.'

'Kalmpjes aan.'

Enkele minuten geleden had ze zijn hand al losgelaten. Nu pakte ze het boek van Joe Simpson weer op. 'Ik denk dat ik hier nog wat in ga lezen.'

Pas toen ze gingen dalen voor de landing in Vancouver probeerde hij het nog een keer. 'Je weet nu alles over me, maar ik weet niets over jou. Vind je dat een faire regeling?'

Ze glimlachte even. 'Ik denk het niet. Wat wil je weten?'

Uit antwoorden op een serie directe vragen maakte hij op dat ze in Oregon was geweest voor het huwelijk van haar beste vriendin. Ze oefende samen met een partner haar praktijk uit in de stad, ze had vier broers, die allen ouder waren dan zij, haar vader was architect, over wie hij vaag had gehoord, en haar moeder was een moeder. Ze woonde alleen in een flat in de stad. En ja, ze had momenteel een relatie. Hoewel ze hem een waarschuwende blik toewierp toen hij haar hiernaar vroeg.

Ze waren geland en taxieden naar de standplaats, toen hij de laatste, onvermijdelijke en shockerende vraag stelde: 'Kan ik je eens bellen? Misschien kunnen we samen ergens gaan eten.'

Finch zuchtte. Ze had de bloemen weer opgepakt en zag eruit alsof ze op weg was naar het altaar. 'Laten we dat maar níét doen, Sam.'

'Waarom niet? Ik ben ongevaarlijk, misschien zelfs heel amusant. Wat heb je te verliezen?'

'Niets.' Ze waren ten slotte tot stilstand gekomen. Achter haar schouder glinsterden regendruppels op het raam. 'Ik zal hier niet zijn. Ik ga voor een tijdje weg.'

'Wanneer?' vroeg hij hardnekkig. Op de een of andere manier moest hij haar weer zien, wát het ook zou kosten.

'Binnen een paar weken. En daarvóór heb ik het erg druk, om alles in orde te maken.'

'Waar ga je heen?'

Ze aarzelde. Toen krulde zich een glimlachje van 'wat kan het me ook schelen' om de hoeken van haar mond. 'Naar Nepal. Kathmandu. Dan naar de Everest. Ik ga als arts mee met een expeditie om die te beklimmen.'

'Klim je? Dat is fantastisch!' Zijn hoofd schuddend, ging hij in gedachten naar alle gordijnen van ontkenning waarmee hij zijn puberteit had verhuld en trok ze met één joviaal zinnetje open. 'Omdat ik ook klim. Ik ben er gek op, al van kindsbeen af.'

Haar ogen venauwden zich. 'Ik dacht dat je zei dat je een marathonloper was. Een mislukte olympische.'

'Dat ook. Waar logeer je in Kathmandu?'

'Waarom wil je dat weten?'

'Ik ben er geweest. Sommige hotels daar zijn vrij armoedig, althans in mijn ervaring. Ik wil gewoon weten of je een behoorlijk hotel hebt uitgekozen.'

De werkelijkheid was dat hij nooit verder was gekomen dan Hongkong. Hij probeerde zich uit alle macht alles te herinneren wat hij ooit over de Nepalese hoofdstad had gelezen. Oud. Heel oud en ernstig vervuild. Zou dat voldoende zijn?

Finch zuchtte. 'Het is de Buddha's Garden. Ik ben niet van plan om dat te veranderen. En die informatie heeft voor jou geen enkel denkbaar nut.'

De voorste deuren gingen open. De passagiers voor hen schuifelden naar buiten en Finch stond al en boog haar hoofd voor de bagageruimte boven haar.

'Elke informatie is nuttig,' zei Sam. 'Zal ik je helpen met je tas, of tenminste het boeket voor je dragen?'

'Ik red me wel.'

Ze stonden in de kille corridors. Ze zou hem ontglippen, maar het deed er niet toe. Hij kon het wel aan.

De douane zou hen van elkaar scheiden. Sam beschouwde zich-zelf nog steeds als een gelukkig man omdat hij zijn paspoort bij zich had.

'Dag,' zei Finch ernstig. 'Iemand komt me ophalen, anders had ik je een lift aangeboden. Bedankt voor je gezelschap.'

'Tot ziens, Finch.'

Toen was ze weg. Sam stond alleen in de aankomsthal op het vliegveld van Vancouver om één uur 's ochtends, terwijl in Seattle zijn auto, zijn vriendin en zijn op stal gezette leven wachtten. Vanaf de taxistandplaats stond John Belushi hem verwijtend aan te staren.

2

Ook in het noorden van Wales sneeuwde het. Het was een ander stukje van het mondiale weerbeeld, maar de plaatselijke effecten waren dezelfde als in Vancouver of Oregon.

Alyn Hood schonk geen aandacht aan de venijnige wind of de vlagen sneeuwvlokken die in zijn gezicht waaiden en zijn oogleden zwaar maakten. Hij bleef op de drempel van zijn voordeur staan en staarde nadenkend in de duisternis alsof het een zonnige zomermiddag was. Toen draaide hij zich om, deed de deur van de cottage op slot en liet de zware sleutel in zijn zak glijden. Blootshoofds en met loshangende jas liep hij het pad af, met een vaste tred die geen haast of enig besef van de weersomstandigheden deed vermoeden.

Het was een lange afdaling, over een pad met diepe sporen, waar de kuilen al bedrieglijk waren uitgewist door de zich nestelende sneeuw, maar de man bleef met dezelfde vaste tred lopen. Het pad kwam uit op een laan bij een hek met een oud bord, waarop de plastic letters met hun gebarsten bochten en dwarsstreepjes, die een wenkbrauw van sneeuw hadden gekregen, aankondigden dat de uit twee verdiepingen bestaande en uit lei en stenen opgebouwde cottage Tyn-y-Caeau heette. Hij ging linksaf, de gedempte stilte van de laan in, en bleef de heuvel afdalen. Zijn voetafdrukken trokken een eenzaam eenrichtingsspoor. Ruim achthonderd meter verder doemde tussen met zilver beklede stenen muren flauwtjes een klein aantal gele lichtjes op. Er stond hier misschien een dozijn huizen, en de nadrukkelijke witheid veranderde een witgekalkte pub in grijs. Er stonden geen auto's op het parkeerterrein, maar een regiment houten banken met tafeltjes in de bevroren tuin aan de zijkant wees erop dat het hier, in gunstiger weersomstandigheden wel eens een drukbezochte plek kon zijn.

Alyn Hood stevende recht op de lage deur af en duwde deze open. Een zwaar tochtgordijn, dat aan een rail aan de achterkant van de deur was bevestigd, zwaaide mee. Er was een bar, omlijst door glazen en flessen, waarachter zich een man had verschanst die een bierkroes een poetsbeurt gaf, en er waren twee klanten. De drie keerden zich om naar de nieuwe binnenkomer.

'Al,' begroette de barman hem. De andere twee mannen knikten. De ene was heel oud, met een platte tweedpet op die versmolt met zijn hoofd, de jongere had een herdershond bij zich die aan zijn voeten lag.

'Pint, Glyn,' zei Alyn Hood.

'Gelijk heb je.' De barman tapte er een.

'Een beetje doods vanavond,' zei de man met de hond verwonderd, alsof er in deze ruimte, met haar tikkende klok en rokerige vuur, meestal mensen joelend bovenop tafels stonden te dansen.

'Verrekt slecht weer,' was Glyns mening. 'Je zou in deze tijd van het jaar de eerste tekenen van de lente verwachten.'

'Het is pas maart,' zei Alyn Hood mild. Hij nam zijn glas bier mee naar een rond tafeltje bij het vuur en ging zitten.

'Wanneer ga je deze keer weg?' ging Glyn onverdroten verder.

'Over een paar dagen.'

'Het is hier ook niks,' zei de man met de herdershond.

Alyn glimlachte en het werd weer stil. Hij zat misschien zo'n twintig minuten met zijn biertje in de gloeiende kolen te staren toen er een stel binnenkwam dat in een hoekje ging zitten en fluisterend elkaars hand vasthield.

Vijf minuten later zwaaide de deur weer open en liet een vlaag koude lucht en een jonge vrouw binnen, die energiek met haar voeten stampte om zich te ontdoen van een laag sneeuw. Ze keek rond en zag Al. 'Ik dacht wel dat ik je hier zou vinden.'

'Molly! Wat doe jij hier?'

'Nou, misschien op zoek naar jou? Ben bij je huis geweest, wel een auto, maar jij niet. Waar anders zou je kunnen zijn dan hier? Krijg ik wat te drinken?'

'Cola?'

'Ehh.' Molly hield haar hoofd scheef. Haar weerbarstige haar was bezaaid met gesmolten sneeuwvlokjes. 'Ik wil graag een whisky en ginger ale.' Uitdagend keek ze haar vader aan.

'Daar ben je nog te jong voor. Ben je met de auto?'

'Maak 'em nou! Ik ben achttien. Bijna. En hoe zou ik hier anders zijn gekomen vanuit Betws? Ik mocht de auto van mam.'

Al zuchtte. Zijn enig kind was nu een volwassen vrouw, bijna althans. Omdat hij zoveel vitale, minuscule groeiprocessen had gemist, die haar van een schattige baby naar dit punt hadden gebracht, wist hij dat hij niet het recht had haar te zeggen dat ze te jong was om whisky te drinken, of iets anders.

'Een heel klein beetje scotch en veel ginger, Glyn. En geef mij maar een halfje.'

Ze namen hun drankjes mee en gingen tegenover elkaar aan de tafel zitten. Vader en dochter leken opvallend veel op elkaar. Hun hoofd en handen hadden dezelfde vorm en ze zaten in dezelfde houding, met hun benen uitgestrekt naar het vuur en hun enkels lui over elkaar geslagen.

'Hoe gaat het met je moeder?'

Molly keek hem aan. 'Hetzelfde.'

'Heeft zij je gestuurd?'

'Nee. Nou ja. In zekere zin, denk ik. Ik zei dat ik zou gaan en ze bood me de auto aan.'

Ze hieven hun glas op hetzelfde moment en namen bedachtzaam een slok.

De man met de tweedpet verhief zich van de kruk en liep richting deur. 'Avond allemaal. Alyn, tot ziens, hoop ik. Het allerbeste.'

Molly's gezicht vertrok. Door het samentrekken van haar mond en ogen zag ze er boos uit. Toen de deur weer dicht was en de dwarrelingen van koude lucht zich hadden opgelost, zei ze: 'Ga daar niet weer heen. Doe het niet. Ik wil het niet.'

Er verscheen een flikkering in haar vaders ogen, een verandering in zijn blik die haar eis tegelijkertijd onderkende en ontweek. Molly zag het en Al wist dat ze het zag. 'Ik moet, Molly. Daar bestaat mijn leven uit.'

'Je hóeft niet. Dat is een leugen.'

'Ik lieg niet tegen je, Moll. Ik probeer het niet te doen. Heeft je moeder je gezegd hierheen te gaan en dit tegen me te zeggen?'

Het was voor Alyn oud, bekend terrein. En de omzichtige neutraliteit waarmee Molly antwoordde, herinnerde hem eraan dat ze al te lang had moeten bemiddelen in de ruzies tussen haar vader en moeder.

'Nee,' herhaalde ze. 'Ik ben gekomen om het zelf te zeggen. Pap, alsjeblieft, ga niet. Ik heb er deze keer een slecht gevoel over.'

Hij glimlachte, even maar, en legde zijn handen over de hare. 'Je hebt er altijd een slecht gevoel over. Dat weet je toch? En ik kom toch altijd weer thuis?'

Ze wilde hem niet aankijken. Hij draaide haar handen om, keek naar de zachte palmen en bedacht hoe deze handen waren toen ze nog de afmeting hadden van babyhandjes en hoe ze zich om zijn volwassen wijsvinger heen krulden. Hem stevig vasthielden, toen al.

'Luister, ik moet deze tocht maken.' Hij werd om allerlei redenen teruggetrokken naar de bergen. Het waren, zo moest hij bekennen, geen redenen die hij graag met zijn dochter wilde analyseren. 'Ik moet dit doen, en als ik dit heb gedaan, zal ik mijn bergschoenen aan de wilgen hangen.'

'Meen je dat?'

Van haar moeder had Molly in al die jaren meer dan genoeg over haar vaders fouten gehoord. Ze wist heel goed wat zijn zwakke punten waren en waarin hij tekortschoot, en vanuit haar eigen gevoel voor fair play had ze voor zichzelf zijn sterke punten op een rijtje gezet. Als compensatie.

Een van deze was – en misschien wel de belangrijkste – dat hij zo sterk was. Niet alleen fysiek, hoewel dat ook, als ijzer, of als een van zijn eigen soepele trossen touw, dat was beter uitgedrukt. IJzer was te onbuigzaam, terwijl Al soepel was. Een feit was dat hij nooit toegaf, compromissen sloot of een stap opzij deed. Je wist altijd zeker wat hij zou doen en hoe hij het zou doen, en dat gaf hem iets... sereens, als dat het goede woord was. Als een rots. Het weer bleef altijd veranderlijk, maar de rots bleef op zijn plek, massief als altijd.

Ze kon zich niemand anders voor de geest halen die zich zo standvastig hield aan datgene waarin hij geloofde en wilde als Al. In zekere zin kon je het egoïsme noemen, dat zou haar moeder zeggen. Maar als je er op een andere manier naar keek, was het helderheid en doelgerichtheid. Waarin hij geloofde daar hield hij zich aan, en hij ging door tot hij was waar hij wilde zijn. Ongeacht de obstakels. Daarom was hij ook een goede bergbeklimmer. En daarom verspilde ze nu ook haar woorden.

Vanbinnen voelde ze zich zwaar van liefde, bijna misselijkmakend door angst voor zijn veiligheid. Het was een hulpeloos gevoel waaraan Molly wel gewend was. 'Meen je dat?' herhaalde ze.

'Ja.'

Het was waar. Hij was van plan van deze tocht zijn laatste te maken. Of een gedeelte van hem wenste dit. Een ander gedeelte van hem verwierp dit verlangen volkomen. Het was het oude, onoplosbare dilemma van de bergbeklimmer. Wanneer je bezig was, stroomde de adrenaline door je aderen. Dit, dit evenwicht van doelgerichtheid en angst, was de concretisering van de realiteit. Het toppunt van waarneming, lef en concentratie gaf je het gevoel dat je linea recta kon overgaan in een andere dimensie. En de reactie van de geest op deze intensiteit was als een verdovend serum, dat de gekte van het klimgif neutraliseerde, om je als tegenwicht te laten verlangen naar comfort, loomheid en veiligheid.

Al keek rond in de doodstille ruimte en luisterde naar het gestage tikken van de klok. Bij hetgeen hij had gezien en gedaan, viel dit alles in het niet. Zelfs het neerhangende hoofd van zijn dochter. Haast op het moment dat je weer thuiskwam, werd veiligheid kleurloos en verstikkend. Het deed je terugkeren naar de bergen. Nog één keer en nóg een keer.

Maar hij was nu vijfenveertig. Als hij reëel was, kon hij niet verwachten nog al te veel grote commerciële expedities als deze te leiden.

Alyn besefte dat Molly wachtte tot hij nog iets zou zeggen. 'Oké. Je weet dat ik voor een Amerikaans bedrijf, de Mountain People geheten, met een groep cliënten de Everest zal gaan beklimmen. Dit zijn rijke mensen met grote ideeën, en ze betalen heel veel geld voor de kans om dit te doen. De eigenaar van het bedrijf, George Heywood, denkt dat ik een goede gids ben en hij betaalt me er goed voor. En ik heb het geld beslist nodig, wat jij ook wel weet. Zelf krijg ik dus ook weer een kans om de top te bereiken. Ik heb de grote E nog nooit beklommen en wil dat heel graag. De meeste andere toppen heb ik al gedaan.'

'De K2,' zei Molly somber.

Na wat er vijf jaar geleden op de K2 was gebeurd, had Jen Hood besloten dat ze er genoeg van had. Of Alyn hield op met klimmen, of zij wilde niet meer getrouwd zijn. Tweeënhalf jaar later waren ze gescheiden.

Al knikte begrijpend en zette voorlopig de daarmee gepaard gaande herinneringen uit zijn hoofd. 'Ja.'

'Is het zó belangrijk?'

Na even te hebben gezwegen, zei Al afwezig, bijna alsof hij niet naar de vraag had geluisterd: 'Ja, dat is het.'

Glyn zette zijn gepoetste kroes neer en luidde kordaat een koperen bel achter de bar. 'Laatste rondje.'

'Ik neem nog een whisky met ginger.'

'Nee, die neem je níét. Je kunt meegaan naar huis en een kop thee met me drinken, als je wilt.'

'O, cheers.'

Maar ze gingen samen naar buiten en zagen dat het sneeuwen was opgehouden. De stapelmuurtjes waren bedekt met een glimmende deken, de bomen waren wit getekend en de rotsen waren zwarte, met parels omrande gaten.

'Mooi,' was het commentaar van Molly. Ze opende de deuren van haar moeders roestende Metro en knikte dat Al kon instappen. Vanbinnen rook het naar plastic en Obsession, Jens lievelingsparfum. De rit omhoog naar Tyn-y-Caeau was lastig, met achterwielen die geen greep hadden op de losse sneeuw.

'Ik red het best,' zei Molly geërgerd, toen haar vader zich ermee wilde bemoeien, en ze reed de auto tot vlak voor de voordeur.

De enige woonkamer in de cottage rook naar vocht en houtrook. Terwijl haar vader het keukentje inging om thee te zetten, gooide Molly haar jas op een stoel en neusde wat rond in zijn schaarse bezittingen. Op een rommelig bureau stonden een laptop en een fax waaruit een paar faxen staken. Ze las de bovenste; hij was van de Mountain People. De boodschap was niet erg interessant en had te maken met dragers en voorraden zuurstofflessen. De tweede was een getypte lijst met namen en vraagtekens, en commentaar dat er met de hand naast was gekrabbeld. *Hugh Rix*, las ze. *Engels. Leeftijd 54, ervaren. Maar een ouwehoer. Mark Mason, Engels, schrijver, 36. Enige ervaring. Dokter Finch Buchanan. Canadese, ???* De boodschap eindigde met: *De tijd zal alles leren, makker. Tot ziens in Kathmandu. Ken.* Dit was zo mogelijk nog minder interessant.

De rest van Als meubelen bestond uit een versleten sofa en een niet-bijpassende leunstoel, een kleine boekenplank, waarop grotendeels biografieën en moderne geschiedenis stonden, een ronde tafel met stoelen en een paar lampen, waarvan er een een lelijke schroeiplek had. Er was geen televisie, geen schilderij aan de lege wanden. Het was de kamer van een man die niets gaf om comfort en blijkbaar ongevoelig was voor de geruststelling die er van materiële bezittingen kon uitgaan. Het was er kil. Molly knielde neer voor de stenen kachel en probeerde wat leven in het vuur te porren. Uit het asbed kringelde een vlammetje omhoog.

'Bedankt, Mol,' zei Al toen hij terugkwam met twee mokken en een bord met toast en Marmite.

'Heb je niet warm gegeten?' vroeg Molly toen ze samen op de sofa zaten en ze toekeek hoe hij het eten naar binnen werkte.

'Nee. Ik moest een paar andere dingen doen.'

'Maar pap,' wierp ze tegen. Als antwoord pakte hij haar voet die ze onder zich had opgetrokken en trok die naar zich toe. Met genegenheid begon hij hem te masseren, kneedde de wreef en strekte de tenen. Ze moesten beiden denken aan al die jaren van gescheiden zijn, de momenten waarop Molly hem had gesmeekt bij haar te blijven en Al had geprotesteerd en haar wilde wijsmaken dat het gevaar en de afstand niets voorstelden. Het leek alsof er altijd weer een berg was die hij moest veroveren, of een expeditie die hij moest leiden. Hij ging, en zo nu en dan kwam er een nauwelijks te verstaan telefoontje of een krabbeltje, en de weken gingen voorbij en ten slotte kwam hij dan weer terug. Uitgemergeld en verweerd, en ogenschijnlijk blij om weer thuis te zijn. Dan duurde het nauwelijks een week of hij stond weer voor het raam naar de lucht te kijken, bezig met plannen voor het volgende vertrek.

Als kind was Molly dol op hem geweest. Al betekende allemaal ijsjes, ballonnen, feestjes. Jen betekende brood en boter, elke dag weer.

Ze zuchtte en trok haar voet terug. De scheiding was naar geweest, maar ze was nu oud genoeg om haar moeders motivatie te begrijpen. Haar gedachten gingen weer terug naar de kamer, ze keek naar de titels van de boeken en het briefhoofd van de Mountain People, dat uit de fax stak, en iets wat ze nog niet eerder had gezien, een foto van haarzelf, die met een plakbandje op de muur naast het bureau was bevestigd. Ze zat op een strand naast een overhellend zandkasteel, misschien vier of vijf jaar oud, naakt, en haar haren verward in zoute krullen.

Ze kwam hier niet vaak om haar vader te bezoeken. Tyn-y-Caeau lag ruim dertig kilometer verwijderd van Betws-y-Coed, waar zij met Jen woonde en Molly had nog maar pas leren autorijden. Maar vanavond had ze willen komen, om Alyn te zien en haar zinloze verzoek te doen. Voordat hij wegging, zou hij wel afscheid hebben genomen van haar en Jen, maar die bezoekjes waren nooit prettig. Niemand zei ooit wat hij of zij dacht, omdat – daar waren ze nu inmiddels allemaal wel achter – de dingen uitspreken niets aan de feiten veranderde.

'Ik houd van je, pap,' zei ze plotseling. Gewoon rechttoe rechtaan, alsof ze de tijd aankondigde, zonder het in het belachelijke te trekken door een sausje van sentimentaliteit of melodrama om zichzelf van de uitspraak te distantiëren.

Hij keek haar aan en ze zag twee dingen. Het ene was zoals hij als man op anderen moest overkomen, vrouwen of cliënten, of wat dan ook. Als iemand aan wie je je leven zou toevertrouwen, omdat dit de verantwoordelijkheid was die hij op zich nam. En het andere was zoals hij op haar overkwam, uniek, omdat hij haar vader was. Dit waren twee tegengestelde feiten, omdat de man aan wie je je leven zou toevertrouwen niet paste bij alle plichten en kleine opofferingen die hoorden bij vaders en gezinnen.

Het was de eerste keer dat Molly dit helder genoeg inzag om het zelf onder woorden te kunnen brengen.

'Ik houd van jou,' zei hij.

Het was natuurlijk de waarheid, dat wist ze. Het was tegelijkertijd te veel en niet genoeg voor haar. Ze moest haar hoofd voorover-buigen om de tranen in haar ogen te verbergen. Al zag het niet. Hij leek naar het vuur te kijken.

'En ik wil niet dat je op dit uur van de dag helemaal terug naar huis rijdt. Bel je moeder en zeg haar dat je vannacht hier blijft.'

Na een minuutje pakte Molly de mobiele telefoon die hij haar aanreikte en toetste het nummer in. Jen nam meteen op en gaf antwoord. Met haar wijsvinger drukte Molly de kleine antenne van de telefoon weer terug.

'Ze wil morgen om negen uur de auto terug.'

'Nog meer?'

'Nee.'

Ze dronk haar kopje thee leeg, dat nu koud was geworden.

'Ik ga hier wel slapen,' zei Al, op het sofakussen slaand. 'Jij kunt beter het bed nemen.'

Toen ze net in bed lag, kwam hij nog even bij haar. Ze lag opge-kruld op haar zij, met één hand onder haar wang, net zoals ze deed toen ze nog klein was. Hij trok de dekens over haar schouder en raakte haar haar aan.

Ik stop haar in, dacht hij. Net als... Alleen, toen was dat niet zo vaak voorgekomen. Hij was altijd weg geweest.

'Welterusten, Al.'

Ze noemde hem niet vaak bij zijn naam.

'Welterusten, liefje.'

Zo noemde hij haar ook niet zo vaak. Ze was ook nooit zo'n lief, aanhalig kind geweest.

Daarna stond hij bij de kachel, met zijn ellebogen op de schoor-steenmantel geleund en zijn hoofd in zijn handen. Mijn dochter is achttien, dacht hij, bijna. Volwassen. Klaar om wat dan ook voor leven in te gaan.

De stilte leek zich uit te dijen, in een grote bocht. De stilte breidde zich uit tot dit huis en de heuvel, en de afstand die hij moest rei-zen en de dimensies ervan.

Hij dacht aan Spider; de herinnering overviel hem zonder dat hij er iets aan kon doen, zoals zo vaak, en schokte hem door de le-vendigheid ervan. Zijn stem helderder ditmaal dan zijn gezicht, vóór de laatste tocht naar de K2, in al die jaren van expedities uitbundig door succes of somber door mislukking, en het vluchten in drank en het totaal van elkaar afhankelijk zijn. Zijn afwezigheid nog steeds een even grote straf als vanaf de eerste dag. En dan kwam onvermijdelijk de gedachte aan Finch Buchanan. Hij zag haar gezicht voor zich.

Canadese, ??? had Ken Kennedy geschreven. Hetgeen betekende dat hij niets over haar wist. Wat betekende: daar zullen we gauw genoeg achter komen. Voor Ken was ze slechts een naam op een expeditielijst, terwijl ze voor Al een realiteit was, verweven met Spider in het verleden en zelfs met Jen. Maar niemand anders ter wereld, behalve Finch zelf wist dat, en Al vroeg zich af of ze zich na al die tijd nog herinnerde wat er zich tussen hen had afgespeeld.

De sneeuwdeken maakte de stilte dik toen de wind eenmaal was gaan liggen. Het kostte Al inspanning om in beweging te komen en kastjes open te maken op zoek naar een deken, en zo de immensiteit ervan te doorbreken.

Jens huis was vierkant, opgetrokken uit grijze steen met een purperkleurig leien dak. Het stond een stukje van de grote weg af, met een kort pad van Victoriaanse, gebrandschilderde tegels dat naar de voordeur leidde. De volgende morgen parkeerde Al zijn oude Audi buiten het hek en volgde Molly door de ijzeren spijlen. De sneeuw was 's nachts gesmolten en voorbijgaand verkeer spatte grijze modder in de goot.

Molly stak haar sleutel in het slot. 'We zijn terug,' riep ze.

'Keuken,' antwoordde Jen. Ze troffen haar aan achter in het washok naast de keuken. Ze droeg gele rubberhandschoenen en leegde een plastic wasmand met stapels lakens in een grote wasmachine. Na de scheiding had Jen met een lening van haar vader dit te grote huis gekocht en was begonnen met bed-and-breakfast. Er kwamen meer dan genoeg bergbeklimmers, wandelaars en vissers in Betws-y-Coed, zelfs in maart.

'Kan ik iets doen?' vroeg Al.

Haar mond krulde zich heel even. 'Nee. Ik hoef alleen dit er even in te doen.'

'Hoe gaan de zaken?'

'Niet slecht voor de tijd van het jaar. Vorige nacht drie. In het weekend helemaal bezet.'

Jen kon goed koken, en ze zorgde er ook altijd voor dat de slaapkamers lekker warm waren en er voldoende warm water was voor de gasten. Al had bewondering voor haar succes met deze onderneming. Toen ze nog getrouwd waren, had ze kleiner en minder besluitvaardig geleken. Zijn activiteiten hadden haar ingeperkt.

Hij bedacht, niet voor de eerste keer, dat ze beter af was zonder hem, en ergens voelde hij een klein beetje spijt.

Molly was naar boven gegaan. Jen sloeg het deurtje van de wasmachine dicht, stroopte haar handschoenen af en drukte met een vastberaden gebaar de knop in. Ze droeg nog steeds haar trouwring en het diamantje, het enige dat hij twintig jaar geleden had kunnen bekostigen. 'Wil je koffie?'

Ze gingen naar de keuken. De voorkamer werd meestal door de gasten gebruikt; de keuken was het domein van Molly en Jen. Er stonden een sofa met een Welsh tapestry eroverheen gedrapeerd, een grote televisie, een Rayburn, omrand met drogende sokken en een rij potten met planten; aan de wanden hingen stropoppetjes en uit hout gesneden lepels en aquarellen van de omgeving. En overal waar ruimte was, stonden en lagen dingetjes: schelpen, kannen, ingelijste foto's en schalen met gedroogde bloemblaadjes en kruiden. Ze leefde haar natuurlijke aard weer uit. Toen ze nog samenwoonden, had Al gedacht dat ze beiden van soberheid hielden. Ze hadden gekozen voor lege, witte muren, kale houten vloeren, houten balken.

Hij omzeilde drie schaaltjes met kattenvoer op een stuk krant bij de achterdeur en ging op de sofa zitten, naast de gemberpot. Jen zette de koffie op en gaf hem die in een mok waarop 'Croeso i Cymru' stond. Al fronste ernaar. Jen was geboren in Aberystwyth. Als familie kwam uit Liverpool, en ook al was hij op twaalfjarige leeftijd tijdens een schoolreisje verliefd geworden op de bergen en had hij vijfentwintig jaar in Noord-Wales gewoond, toch voelde hij zich nog steeds een buitenstaander.

'Bedankt dat je haar gisteravond bij je hebt gehouden. Ik wilde niet dat ze ging met dat weer, maar ze zou en ze moest.'

'Je hoeft me niet te bedanken voor het feit dat ik op haar heb gepast.'

'O nee? Maar je wilt toch niet zeggen dat dit iets vanzelfsprekends is?'

Daar had je het weer. De oude wrok, nog even vers als de ochtendmelk.

'Ik houd van haar, Jen.'

En van jou, hoewel dat allemaal voorbij is.

'*In absentia*,' zei Jen koel.

Zijn vrouw: kort haar, fragiel gebouwd, jongensachtig; met een van boosheid vertrokken mond, net als die van Molly. Nu iemand met een eigen leven, druk met ontbijten klaarmaken en de BTW, en – voorzover hij wist – een andere man.

'Niet nog eens, alsjeblieft.'

'O nee, laten we dat niet doen. Je zou er eens een vervelend gevoel van kunnen krijgen.'

Haar vingers waren om haar koffiemok heen geslagen, alsof ze zich eraan moest warmen. Ze luisterden ieder in hun eigen stilte naar de onuitgesproken woorden. Hij was te vaak weg geweest, en te lang. Hij had te veel risico's genomen.

Ze had nooit begrepen wat hem trok. Om terug te gaan, naar een nieuwe top of een nieuwe tocht. Nog één keer.

'En,' zei Jen ten slotte, 'wanneer vertrek je nu?'

'Morgen, waarschijnlijk. Ik moet nog een paar dingen in Londen doen.'

'Aha.'

'Heb je al een beslissing genomen over de uitbreiding?'

'Ik denk dat ik de stap nu maar neem.'

Ze praatten over Jens plannen om op zolder nog twee slaapkamers te maken en over Molly's tentamen, en Al vroeg of ze meer geld nodig had.

'Nee. Ik kan me goed redden. Ik heb verder niets nodig.'

Al was het wel zo, dan zou ze het nog niet van hem aannemen.

Ze praatten niet over de Everest. Hij dronk zijn koffie op en leunde voorover om de lege mok op het hoekje van de Rayburn te zetten. De grote sofa met alle kussens, de stapels vrouwenbladen op een kruk en alle prulletjes gaven hem het gevoel dat hij iets omver zou stoten.

Jen liep naar de deur en riep: 'Molly? Je vader gaat weg.' Hij stond meteen op en schopte tegen de kruk, zodat de tijdschriften op de vloer gleden.

'Ik moet naar de cash & carry,' zei ze, de tijdschriften weer opstapelend.

Molly kwam de trap af. Ze liep recht op Al af en klampte zich aan hem vast, met haar armen om zijn middel en haar hoofd tegen zijn borst.

Hij tilde een springerig krulletje op en wond het om zijn pink. 'Oké,' mompelde hij.

'Ik zal je missen.'

'Ik ben gauw weer terug, dat weet je.'

Hij kuste haar op het topje van haar hoofd en hield haar tegen zich aan.

'Beloofd?'

'In juni.'

Met tegenzin maakte ze zich los, wat hem deed denken aan toen ze veel jonger was. 'Bel me.'

'Natuurlijk.'

Het was Jen die met hem naar de voordeur liep. Molly was altijd zo tactvol geweest om hen alleen te laten wanneer ze afscheid namen. Jen hief haar wang op, liet zich door hem kussen en opende toen de deur. Ze vermeed hem in de ogen te kijken. 'Succes,' zei ze. Hij knikte en liep vlug weg naar zijn auto.

Jen stond in de lege gang. Ze liep vijf stappen naar de keuken en bleef toen staan, met de rug van haar hand tegen haar mond gedrukt. Toen draaide ze zich om en rende terug, morrelde aan het slot en trok de deur zó hard open dat hij in zijn scharnieren kraakte.

De stoep was glibberig. Al had het tuinhek netjes achter zich dichtgetrokken. Toen ze bij het hek kwam, zag ze dat de Audi al twintig meter verder was. Met haar handen op de ijzeren pennen van het hek riep ze zijn naam, maar hij zou het nooit meer horen. In vijf seconden was hij de hoek om en uit het zicht.

Jen maakte haar handen los van het hek. Ze veegde haar natte handpalmen af aan haar jeans en liep langzaam terug naar de keuken. Molly zat op de sofa, haar armen beschermend om haar knieën en met grote, gealarmeerde ogen.

'Ik heb altijd zitten wachten,' riep Jen tegen haar. 'Het enige wat ik ooit heb gedaan, was op hem wachten.'

Alyn reed naar het westen, naar Tyn-y-Caeau en naar de paar laatste akkevietjes die nog moesten worden gedaan voordat hij naar Nepal zou vliegen. De eerste vijftien kilometer reed hij met gespannen schouders en stijve armen, toen zag hij de kale top van Glyder Fawr tegen de metaalgrijze lucht. Hij ontspande zijn schouders en vlijde zijn wervelkolom tegen de stoel om de pijn in zijn rug te verzachten.

Hij kende deze bergen zo goed. Tryfan, Crib Goch en Snowdon. De Devil's Kitchen en de Buttress, grillig zwart rotsgesteente en puinhellingen. Wanneer hij ze zag en eraan dacht, hing er altijd de belofte van bevrijding in de lucht. Al begon te fluiten. Een laag, melodieloos toontje van verwachting. Hij zou de Everest gaan beklimmen. Wanneer dit eenmaal was gedaan, zou het tijdstip aanbreken om te beslissen of het wel of niet de laatste berg zou worden. Intussen had hij een karwei te klaren, andere mensen naar boven brengen en weer veilig naar beneden. Als Al had mogen kiezen, zou hij dat het allerliefst met Spider hebben willen doen. Snel, licht en vrij.

'Ja, we kunnen het,' hoorde hij Spider in gedachten roepen. 'We kunnen deze kleinkrijgen, het is de Everest maar.'

Maar Spider was hier niet, en dit was werk waarvan de verantwoordelijkheid in een delicaat evenwicht moest worden gebracht met zijn eigen ambities. Hij had het geld nodig, zoals hij Molly net had verteld. Iedereen moest leven, en hij was te oud om nog van de hand in de tand te leven, zoals vroeger. En toen hij erover nadacht en het vergeleek met de andere mogelijkheden, of het nu ging om plattegronden te verkopen aan toeristen of Jen te helpen in haar zaak of ergens op kantoor te zitten, wist Al dat het werk was dat hij met veel plezier deed. Hij was er zelfs trots op.

Al fluitend reed hij verder.

3

De Bell A-Star-helikopter ratelde tussen de dennen door over het rivierdal en landde, met de precisie van een voet die in een schoen past, dansend op de landingsplaats achter de blokhutten. Finch' oudere broer, James, stond voor het raam van de grootste blokhut en keek hoe de rotorbladen van een zwarte vlek veranderden in rondtollende schroeven en toen helemaal tot stilstand kwamen.
'Ze zijn terug, Kitty,' zei hij tegen zijn vrouw. Ze legde haar boek opzij, stond op en strompelde naar het raam. Een van haar knieën zat stevig in het verband. De deur van de chopper ging open en de piloot, met zijn helm nog op, sprong op de grond.
'Ralf heeft gevlogen.'
De man stak zijn hand uit en lachend kwam Finch te voorschijn, pakte zijn uitgestoken hand en belandde naast hem. Een tweede man, gekleed in een pilotenoverall, volgde haar. Hij tilde twee paar ski's uit de korf die aan de romp was vastgemaakt en ruilde die in voor de helm van de piloot. Toen klom hij terug in de machine. Toen het paar ver genoeg weg was, begonnen de rotors weer tot leven te komen en de helikopter steeg op en vloog weg.
Finch en Ralf liepen naar de blokhut. Zijn vrije arm lag om haar schouders en ze keek op naar zijn gezicht en lachte weer.
'Ze zien er heel gelukkig uit,' zei Kitty lachend tegen James en trok haar wenkbrauwen op.
'Ze zijn verliefd, hè?' antwoordde James.
Een minuutje later zwaaide de deur open en Finch en Ralf kwamen binnen, een geur van buitenlucht met zich meenemend. Met glinsterende ogen en rozig van de opwinding van een dag skiën hinkten ze, zich aan elkaar vasthoudend, in kringetjes rond om hun skischoenen uit te trekken en hun skipak los te ritsen.

'De thee is hier,' riep James, die bij de open haard stond.

Finch liep meteen naar Kitty. 'Hoe is het met de knie? Heb je er ijs op gedaan, zoals ik heb gezegd?'

Kitty was de vorige dag gevallen en had een gewrichtsband verrekt. James was thuisgebleven om haar gezelschap te houden, en Finch en Ralf hadden de helikopter met zijn piloot en de blauwwitte hellingen van de Monashee-bergen en de hele dag voor zichzelf gehad. Kitty vertrok even haar gezicht toen ze ging zitten en hees haar been op de sofakussens, zodat Finch de gezwollen knie kon bekijken.

'Met een zak bevroren erwten, precies zoals ik je heb gezegd. Twintig minuten per keer. Het ziet er al veel beter uit.'

'Goed, mmm. Ik denk niet dat er iets is gescheurd. Maar het is misschien toch beter om een MRI-scan te laten maken.'

Ralf Hahn stond bij Finch' schouder. De heli-ski-organisatie was van hem, en hij had er een succesvolle business van gemaakt voor rijke skiërs uit de hele wereld. Hij was een Oostenrijker, een grote, verweerde, blonde man uit Zell am See, die al skiede vanaf hij had leren lopen. Hij en Finch hadden nu bijna twee jaar een relatie.

'Weet je zeker dat het goed met je gaat, Kitty? Bevroren erwten zijn prima, maar ik kan je naar het ziekenhuis vliegen, het is maar twintig minuten...'

Kitty lachte, genietend van hun bezorgdheid. 'Waarvoor? De beste arts is hier vlak bij ons.'

'Waar?' vroeg Finch, die rondkeek en haar best deed om oprechte bescheidenheid voor te wenden.

James legde nog een houtblok op het vuur en ze gingen eromheen zitten. Er was een mandje met versgebakken brood en drie verschillende soorten cake; Ralfs chef was zeer bekwaam en het eten was van topklasse.

Finch rekte zich genietend uit en legde haar voeten in skisokken op de stenen haard. 'Het beste moment van de dag,' zuchtte ze.

'Is dat zo?' plaagde Ralf haar.

'Nou, bijna,' verbeterde ze na een seconde. Kitty keek van de een naar de ander.

Toen ze thee hadden gedronken, zei Ralf dat hij een uurtje in zijn kantoor moest werken. Finch liep tussen de blokhutten door naar zijn huis. Het werd schemerig en de dennen waren zwarte gaten die nu zwanger waren van de lente. De laatste helikopter, een grote twaalfpersoons, had net een aantal skiërs met hun gidsen binnengebracht. Roepend naar elkaar en naar Finch liepen ze naar hun kamers en het hoofdgebouw. Achter de ramen van de gezellige blokhutten brandden gele lichten.

In Ralfs woning kleedde Finch zich uit en liet het bad vollopen. De plek was haar bijna even vertrouwd als haar eigen flat in Vancouver; zo vaak ze kon, ging ze hierheen om met Ralf te skiën, maar dit zou haar laatste weekend van het seizoen zijn. Over drie dagen zou ze naar Kathmandu vliegen.

Ze ging languit in het warme water liggen en met een knoop van een nerveus voorgevoel onder haar middenrif dacht ze erover na. Ze was nog nooit in de Himalaya geweest. Vrienden en bergbeklimmers die daar wel waren geweest, waarschuwden haar dat ze misschien zou worden overweldigd door de uitgestrektheid en de woestheid van de bergen. Ze waren bezorgd om haar, maar omdat ze haar kenden, waren ze nauwelijks verrast dat ze uitgerekend met de Everest wilde beginnen. Wat haarzelf betrof, maakte Finch zich minder ongerust over het klimmen en de omstandigheden dan over haar werk als expeditiearts. Als ze maar gewoon bleef klimmen zover ze kon, zo redeneerde ze, zou het wel goed komen. Ze dacht enig inzicht te hebben in het delicate, fascinerende evenwicht tussen onverholen risico en zorgvuldige berekening, waar het echte bergbeklimmen in de kern om ging. En ze zou nooit het gevoel van triomf vergeten toen ze de top van de McKinley bereikte, of een van de andere pieken die ze had overmeesterd. Met de McKinley-expeditie was ze ook als arts meegegaan en zich pijnlijk bewust geweest van de verantwoordelijkheid, al was een ontstoken kies toen de ergste noodsituatie geweest waarmee ze te maken kreeg. Maar op de Everest zouden ze hoger zitten, verder verwijderd van hulp en met minder middelen, en de risico's waren oneindig veel groter.

Als er iemand viel. Als er een lawine ontstond. Als er zich een geval voordeed van het plotseling ontstaan van hersenoedeem vanwege de grote hoogte, coma en dood... haar verantwoordelijkheid om het te hanteren, snel en correct. Met de beperkte medische hulpmiddelen die haar ter beschikking stonden.

Finch staarde naar de zilveren condens op de badkranen. Ze wist dat ze een bekwame arts was. Ze was geïnteresseerd in hoogteziekteverschijnselen en had zich er jaren in verdiept. Achttien maanden geleden had ze de aankondiging gelezen van de kostbare Everestexpeditie van de Mountain People en de daarbijgaande advertentie waarin een bekwame arts werd gevraagd, die hen zou kunnen begeleiden. Toen ze naar Seattle vloog voor een gesprek met de expeditiemanager, die de vaderlijke, laconieke George Heywood bleek te zijn, had hij haar tot slot gevraagd: 'Denk je dat je het kunt?'

'Ja,' had ze geantwoord, op dat moment naar waarheid, waarmee ze zowel het werk als het klimmen had bedoeld.

'Dat denk ik ook,' stemde hij in.

Ze had de baan gekregen, en haar naam verscheen op de expeditielijst en de klimvergunning, onder die van de gidsen Alyn Hood en Ken Kennedy.

Nu keek ze met kritische aandacht naar zichzelf. Haar buik was plat en strak en haar kuiten en dijen waren stevig door het maanden hardlopen en straffe skiën. Vier uur per week deed ze klimoefeningen, zodat haar armen en schouders ook sterk waren. Ze was tenminste fit genoeg voor wat er ook voor haar lag. Daar had ze voor gezorgd.

En deze gedetailleerde inspectie van haar lichaam bracht haar indirect naar het laatste stukje van de puzzel: Alyn Hood.

Finch ging zó abrupt rechtop zitten dat er een plens water over de zijkant van het bad spoelde. Ze stapte er snel uit en dweilde het nat op, blij dat ze hierop haar aandacht kon richten. Toen het karweitje was geklaard, wikkelde ze zich in een baddoek, bond een tweede om haar hoofd en liep naar de woonkamer om bij het raam te gaan staan en in de schemering te kijken. Ze stond daar nog steeds, verzonken in haar gedachten, toen Ralf binnenkwam. 'Je staat in het donker,' zei hij, deed een lamp aan en zag haar blote schouders en de bleke huid van haar hals.

'Ik stond te denken.'

Hij kwam naar haar toe en maakte de baddoek los die haar haren bedekte. Hij haalde zijn vingers door de natte slierten en kuste de druppels water van haar schouders. 'Over de Everest?'

'Ja.'

Hij zou niet zeggen dat hij niet wilde dat ze zou gaan, omdat Ralf daar te voorzichtig en ruimhartig voor was. Maar ze hoorde de woorden toch. Ga niet. Blijf hier bij mij en laat mij voor je zorgen. Logisch en voorspelbaar, veilig.

In plaats daarvan zei hij: 'Kom mee naar bed.' Hij trok de gordijnen dicht om de duisternis, de bomen en de glinsterende sneeuw buiten te sluiten en maakte de tweede baddoek los.

Liggend in zijn armen sloot Finch haar ogen en concentreerde zich op de reacties van haar lichaam, zodat deze het zouden winnen van die van haar gedachten. Ralf was een goede minnaar en een goed mens. Ze wist dat hij ambitieus was, hardwerkend en nuchter. Op de ski's volgde ze zijn leiding zonder enige aarzeling en voor de rest stelde ze zijn advies en meningen op prijs wanneer hij deze gaf. Hij sprak vier talen en maakte haar aan het lachen in de twee talen die ze verstond. Op de intiemste momenten, zoals deze, fluisterde hij in het Duits tedere, lieve woordjes, die ze niet kon thuisbrengen, maar die de fijne haartjes in haar nek overeind deden staan. Ralf hield van haar, dat wist ze ook.

Eventjes, gedurende een lichte, ongrijpbare huivering van de tijd, hielden denken en niet-denken elkaar in evenwicht. En toen sloeg de balans door naar het lichaam. Ze ademde diep en lang uit, wat eindigde in een zucht. Ralfs mond sloot zich op de hare en toen het moment kwam, opende ze haar ogen en keek in het wazige blauw van de zijne, en hoewel ze hem zo goed kende, was het alsof ze haar lichaam deelde met een vreemde.

Daarna lag ze met haar hoofd op zijn schouder, en zijn hand lag over haar heup gespreid. 'We hebben een fijne dag gehad, hè?' mompelde hij.

'Ja.'

Finch was een goede skister, maar ze zou nooit zo goed zijn als Ralf. Hij had haar meegenomen naar een ravijn waarin een rij bomen een schuilplaats had gezocht. Terwijl ze tussen de donkere boomstammen een pad kerfden, veranderden de kleuren van de wereld van verblindend wit en zilver in zwart, grafiet en paarle-moer. Er kraakten twijgen en beladen takken schudden ruisend de sneeuw van zich af wanneer ze eronderdoor doken en ertus-sendoor zigzagden. Toen kwam het ravijn uit op een brede, zon-overgoten richel, een weidse kom, vol met maagdelijke, glinste-rende sneeuw. Verderop, beneden hen, waar de helling ophield, stond de helikopter al te wachten.

Op de rand van de helling stopten ze even en er klonk een zacht *sssscchhh* toen Ralf weggleed. Finch keek naar de volmaakt ver-bonden S-en van zijn spoor. Ralf skiede altijd alsof het hem geen enkele fysieke inspanning kostte. Lachend liet Finch zich door haar knieën zakken, boog zich lichtjes naar voren om haar stok in de sneeuw te planten en liet zich door de rand van haar ski in een draai brengen. Haar sporen kruisten steeds opnieuw die van Ralf, zodat de vloeiende bogen zich ineenvlochten tot een ketting van achten.

Terwijl de toenemende snelheid tegen haar wangen sloeg, had ze zich overgegeven aan het heerlijke gevoel en het ritme. Poeder-kristallen stoven sprankelend omhoog en vingen het licht als vlie-gende diamanten. Ze was gewichtsloos, gedachteloos, zich van niets anders bewust dan de sneeuw en de helling. Op dat moment. Met in hun kielzog twee identieke sneeuwpluimen bereikten ze de helikopter. Ralf plantte zijn skistokken in de sneeuw en gleed naar haar toe om haar te kussen, terwijl ze nog steeds lachten door de opwinding van de snelheid.

'We zijn een goed stel,' zei hij nu, terwijl hij haar tegen zich aan hield. Ze hoorde de vibratie van zijn stem in zijn ribbenkast en lag stil te luisteren. Ze zei niets, hoewel hij wachtte op haar instemming. Ralf gleed van haar weg en liep naakt naar de keuken. Hij kwam terug met een fles en twee glazen, en met haar hoofd op de kus-sens keek ze toe hoe hij de fles ontkurkte en schuim en toen champagne inschonk.

'Hiermee doe ik je uitgeleide.' Ze glimlachte. Morgenochtend zou ze naar Vancouver vertrekken.

Ralf gaf haar een glas en hief het zijne. 'Kom veilig terug. En als je terugkomt, wil je dan met me trouwen?'

Finch begreep waar het vandaag om was gegaan. Hij had haar

meegenomen om haar de schoonheid van het achterland te laten zien en het volmaakte skiën, en de helikopter, die als een speelgoedje in de holte van de bergen stond te wachten. Nu was er het gesmeerd lopende vakantieoord met laaiende vuren, blokhutten en champagne en een heerlijk diner dat nog stond te wachten.

Al deze dingen kon hij haar bieden, al deze vrijheid, met daarin verpakt – als een voetboei onder de sneeuw – een huwelijk, trouw en voorspelbaarheid.

De schaamte over de onrechtvaardigheid van het antwoord deed haar sneller spreken. 'Ralf, dank je. Ik ben... ik kan alleen geen ja zeggen.'

'Betekent dit dat je nee zegt?'

'Nee. Ja... nee, dat betekent het niet.'

'Is het vanwege de reis die je gaat maken, naar de Everest? Als dat zo is, zeg het me dan. Ik weet dat het moeilijker moet zijn om een beslissing te nemen als je zo ver weg gaat.'

In de korte stilte die daarop volgde, hieven ze hun glas en dronken, waarbij ze onbewust elkaars bewegingen nabootsten.

Voorzichtig begon Finch: 'Het is me mijn hele leven voor de wind gegaan. Dat weet je.'

Natuurlijk wist hij dat. Ralf kende en mocht alle drie broers van Finch en hun vrouw en kinderen, en hij had gelogeerd bij en was onder de indruk van de Buchanan-ouders en hun prachtige huis in Vancouver. Finch' familie was opmerkelijk, ambitieus en welgesteld – niet alleen bij elkaar gehouden door een sterke genegenheid, maar ook door trots op hun persoonlijke en gezamenlijke prestaties. Zijn eigen achtergrond had er niet meer van kunnen verschillen, en het feit dat Finch vraagtekens zette bij deze solidariteit was juist een van de dingen die hij aantrekkelijk vond in haar.

'Het klinkt ondankbaar, verwend, om te zeggen dat het te makkelijk kan zijn. Maar zo voel ik het. Ik heb het makkelijk gehad in de wereld, maar het beklimmen van bergen schraapt alle lagen van verwachting en vooronderstellingen weg. Het is een uitdaging die losstaat van de rest van mijn leven.'

'En van mij.'

'Ja, dat is waar.' Ze wist dat ze hem de waarheid verschuldigd was.

Althans een stukje ervan, het stukje dat ze zichzelf ruiterlijk bekende. 'Ik weet dat het egoïstisch is, maar het is iets wat ik moet doen. In niets anders vind ik dezelfde doelgerichte vastbeslotenheid of absolute bevrediging.'

Ralf boog zijn hoofd, en ze bestudeerde de scherpe door zon en wind verweerde lijnen van zijn jukbeenderen. Ze hadden dit alles al eerder besproken. Finch was nooit in staat geweest hem begrip bij te brengen voor de kracht die haar dwong om te klimmen, en vanavond had ze, door de urgentie ervan, haar woorden te veel kracht bijgezet. Ze wist dat ze hem had gekwetst en voelde zich bedroefd en beschaamd.

'Ik begrijp het,' zei hij ten slotte. Hij pakte de champagnefles en vulde opnieuw hun glazen. 'Kom veilig terug,' zei hij, terwijl hij weer een slok nam.

'Dat doe ik,' beloofde Finch, ervan uitgaande dat ze dat zou doen en tevens voorvoelend waar ze allemaal doorheen moest voordat dit kon gebeuren. De knoop van voorgevoelens trok zich weer samen in haar borst.

Terwijl ze zich kleedden voor het eten dronken ze de champagne op en gingen naar de eetkamer, waarbij Ralf langs de tafeltjes ging en met de gasten praatte. Na het diner ging hij naar zijn dagelijkse vergadering met de skigidsen en piloten, en Finch liep terug naar hun blokhut met James en met Kitty, die op een stok leunde. James was moe en ging direct naar bed, terwijl de vrouwen nog even naar de veranda gingen. Het was een heldere avond, met een flonkerende sterrenhemel.

Met het uiteinde van haar stok stootte Kitty een houten deksel opzij en in een zuil van stoom keek een turkooizen oog naar de lucht. 'Een heet bad?' vroeg ze.

'Ja, reken maar,' stemde Finch in.

Kitty drukte op de knop en het water begon heet te borrelen. Zonder al te veel commentaar over de vrieslucht op hun huid ontdeden ze zich van hun kleren en lieten zich in de hitte van de dennengeur glijden. Ze leunden achterover, tot aan hun kin in het water, en zuchtten van genoegen.

Na een minuut vroeg Kitty veelbetekenend: 'En?'

'Wat bedoel je?'

'Je weet wel wat ik bedoel.' Kitty was het nieuwsblad van de familie en de luitenant van Finch' moeder in de strijd om Finch ertoe over te halen zich te binden.

'Oké. Ralf heeft me gevraagd met hem te trouwen, maar ik heb nee gezegd.'

Kitty kreunde. 'Finch! Waarom niet?'

'Ik ben niet verliefd op hem.'

'Je maakte anders wel de indruk. Ik dacht dat je stapel op hem was.'

'Nee. Niet stapel genoeg, blijkbaar.'

Kitty draaide een sliert natte haren in een knoetje boven op haar hoofd. 'Je zou dit allemaal kunnen hebben. Alles waar je zo van houdt, met een vent die je aanbidt.'

'Pervers van mij, hè?'

Ze vroeg zich af of James en Kitty in het huwelijksbootje waren gestapt omdat ze de ander zagen als iemand die hun de dingen bood waaraan ze de meeste waarde hechtten. Er lag ook geen toon van afgunst in Kitty's *dit allemaal*. James was een succesvolle investeringsadviseur en heel goed in staat voor zijn gezin te zorgen. Ze hadden zelfs een meisjestweeling van twee jaar oud, die nu het weekend bij een van de twee liefhebbende grootouders waren. Alledrie de jongens waren zeer succesvol. Marcus, de oudste, was architect, evenals zijn beroemde vader, en Caleb, de jongste, was marine-ecoloog en filmmaker. Zijn laatste film, over het zeepaardje, draaide overal in de wereld. Alledrie waren ze met een knappe vrouw getrouwd en hadden aantrekkelijke kinderen. Finch stak een knie boven de bobbels uit. De lucht was bitter koud en haastig trok ze hem weer terug.

Geen wonder dat haar familie vond dat ze anders was, moeilijk. Maar het was toch zeker niet zo'n tegenstelling als het leek om *alles waaraan je de meeste waarde hechtte* af te wijzen? Waarmee Kitty volgens haar bergen en onbeperkt skiën bedoelde en waarschijnlijk financiële onafhankelijkheid, en een man die van haar hield en niet bedreigend voor haar was. Omdat het zich settelen voor hen betekende dat je koos voor een gewoon leven.

Ze was bang voor wat haar in Nepal te wachten kon staan. Maar voor haar had de smaak van angst tevens een aroma van verwachting.

Kitty rolde met haar hoofd tegen de dennenhouten rand van de tobbe. 'Arme Ralf. Was hij kapot?'

Finch dacht na. Ralf was er de man niet naar om kapot te zijn. 'Nee.'

'Maar hij houdt van je!'

'Ja.'

Finch was in haar leven nog maar één keer verliefd geweest, en dat was niet op Ralf.

'Hoe gaat het met je knie?'

'Probeer niet van onderwerp te veranderen door te gaan dokteren.'

'Ik zou niet durven.'

Kitty lachte en gaf haar een klopje op haar arm.

'We willen je allemaal gelukkig zien. De hele Buchanan-clan.'

'Ik ben gelukkig,' zei Finch zachtjes.

Toen Kitty uit de tobbe was geklommen, bleef ze er nog eventjes alleen in zitten en keek door het drijvend stoomgordijn omhoog, op zoek naar de sterren.

De volgende middag vloog Ralf hen drieën met de helikopter naar Kamloops voor hun vlucht terug naar Vancouver. Hij liep met Finch naar de gate, en toen de passagiers aan boord gingen, liepen James en Kitty tactvol vooruit.

'Je weet waar ik ben.'

Finch aarzelde, met schaamte beseffend dat ze op dit laatste moment de verleiding voelde om alles wat ze had gezegd terug te trekken, in ruil voor de belofte van comfort en zekerheid. Ralf was groot en sterk en, bij nader inzien, geruststellend. Ze deed haar best de opwelling te onderdrukken. 'Natuurlijk weet ik dat.'

Hij kuste haar – niet op haar mond, maar op de wang, met evenveel liefde als James dat zou hebben gedaan. 'En bel me, wanneer je kunt.'

'Natuurlijk doe ik dat.'

Het was voorbij, beiden wisten het.

Dit wilde je toch? vroeg Finch' innerlijk stemmetje ongeduldig.

Hij deed een stap terug om haar te laten weggaan. Ze draaide zich nog eenmaal om en keek naar hem, liep toen met grote stappen verder.

Ze ging op haar plaats zitten, vóór Kitty en James. Kitty's gezicht stond sip, met de mondhoeken naar beneden, en James knikte rustig. De plaats naast Finch was leeg, en toen het kleine vliegtuig door de wolkenlagen opsteeg en verontrustend schommelde, moest ze aan de man denken die zichzelf op de vlucht uit Oregon tot haar buurman had gebombardeerd. Mijn vrouw heeft vliegangst, had hij arrogant gezegd. Ze was zijn naam vergeten.

Zo regelmatig mogelijk ademend, liet Finch haar hoofd tegen de hoofdsteun rusten. Overmorgen om deze tijd zou ze weer in de lucht zijn. Haar hele expeditie-uitrusting was tweemaal gecontroleerd en stond ingepakt en gelabeld te wachten in haar keurige flat. De geneesmiddelen die ze met George Heywoods goedkeuring had besteld, waren al bij de expeditievoorraden in Kathmandu. Er restten haar nog maar twee dagen en een etentje met haar familie.

'Alles ziet er goed uit,' zei Finch tegen haar laatste patiënte van de dag, toen ze haar handschoenen afstroopte. Ze praatten nog wat na, terwijl de vrouw zich aankleedde, en kwamen overeen dat ze de hormoonvervangende therapie nog eens twaalf maanden zouden voortzetten. Bij de deur vroeg de vrouw haar: 'Wanneer bent u weer terug?'

'Over drie maanden ongeveer,' glimlachte Finch. De knoop onder haar middenrif was zó strak dat hij haar ademhaling dreigde te verstikken. 'In de tussentijd kunt u natuurlijk voor alles bij dokter Frame terecht.'

'Het beste,' zei haar patiënte, en Finch bedankte haar hartelijk.

Ze ging naar de badkamer, nam een snelle douche en trok een donkerblauwe jurk met een diepe v-hals aan. Ze deed haar oorbellen in en maakte zich op. Het was tijd voor haar afscheidsdineetje met de familie. Marcus en Tanya zouden er zijn, en James en Kitty, en om het feestje compleet te maken kwamen Caleb en Jessica helemaal uit San Diego overvliegen, waar Caleb met een film over walvissen met jongen bezig was.

Finch sloot de spreekkamer af en reed naar de kust van North Vancouver, naar het huis waarin Angus en Clare Buchanan hun kinderen hadden grootgebracht. Ze parkeerde haar Honda op de oprit achter de Lexus van Marcus en ging via de achterdeur naar binnen. Er was geen voordeur als zodanig. Het lange, uit twee verdiepingen bestaande huis was door Angus zelf ontworpen. De slaap- en badkamers en Angus' studeerkamer lagen op de begane grond, en een indrukwekkende open trap leidde naar de bovenverdieping. Deze ruimte werd bijna geheel in beslag genomen door een enorme kamer met een wand van glas die uitkeek op een rotsachtige inham en op de zuidkant een groots uitzicht bood over water en lucht, richting Victoria. Op deze vroege avond leek de kamer samen te vloeien met een uitspansel van ragdunne wolken en zeenevel.

Finch' ouders en James en Marcus en hun vrouwen zaten met hun drankjes op een eilandje van moderne meubelen, dicht bij het midden van de kamer. Angus en Clare verzamelden primitieve kunst, en vergeleken met hun indiaanse sculpturen van menselijke figuren en enorme beschilderde maskers uit Papoea-Nieuw-Guinea leken de levende aanwezigen in de kamer in het niet te vallen. Toen Finch klein was, verschenen de maskers regelmatig in haar dromen.

'Lieverd,' zei Clare verrukt. 'Wat zie je er mooi uit! Vind je niet, Angus?'

Dit was altijd haar manier geweest om zichzelf steeds weer voor te houden hoe mooi haar dochter was. Toen ze nog jong genoeg was om gehoorzaam te doen wat haar werd gezegd, had Clare haar gekleed in bloemetjesbloesjes en geplooide overgooiertjes, totdat Finch had gerebelleerd en jeans en geruite bloezen wilde, net als haar broers.

'Maar jij was mijn enige meisje, lieverd, na drie grote jongens,' zei Clare altijd protesterend tegen haar beschuldigende, groter wordende dochter.

'Kun je het me kwalijk nemen dat ik je zo graag in roze linten zie?' Clare was niets kwalijk te nemen. Ze was een toegewijde en loyale moeder geweest, kon lekker koken en hield van tuinieren, schilderde in haar vrije tijd en was een levende reclame voor het bedrijf van haar man. Ze was tenger gebouwd, had een porseleinen huid en was uiterst eigenzinnig.

'Ja, ze ziet er mooi uit,' stemde haar man in. Hij kuste Finch op haar hoofd. 'Hallo, Bunny.' Hij noemde haar altijd Bunny.

Bunny Wunnikins, zou Suzy met rollende ogen van afkeer hebben gegrijnsd. Grote hemel, jouw familie is meer dan ik kan verdragen.

Angus was heel lang en voor een man van begin zeventig nog steeds aantrekkelijk. Al zijn zonen leken op hem. Finch had het donkere uiterlijk van haar moeder geërfd, maar niet haar kleine lichaamsbouw. Ze deed nu de ronde en kuste haar broers en hun vrouwen en nam het glas met Chardonnay dat haar vader voor haar inschonk.

'Succes, en Gods zegen,' begon Angus, maar Clare onderbrak hem. 'O schat, wacht met de speech tot Caleb en Jessica hier zijn, wil je? Ik wil zo graag dat vanavond alles op rolletjes loopt. Het is de laatste keer dat we allemaal samen zijn voor... voor...' Er kwam een floers van tranen in haar ogen.

Suzy zou hebben gekreund – verrekte speeches. We houden allemaal heel veel van je! En Finch zou hebben geantwoord: Dat is alles goed en wel. Jij komt uit een gebroken gezin.

Hardop zei ze: 'Ik ga weg – om iets te doen wat ik écht wil – voor drie maanden, prima. Er is geen enkele reden om bedroefd te zijn.' Tanya trok de zoom van haar rok naar beneden om iets meer van haar benen te bedekken. Iedereen hoorde dat Caleb eraan kwam en de deur beneden dichtsloeg.

'Daar zijn ze.'

'Wat heerlijk om de hele familie bij elkaar te hebben.'

'Ik pak de glazen wel.'

'Zo Finch-vogeltje. Klaar om te vertrekken?'

De jongste broer en zijn vrouw verschenen, rechtstreeks van het vliegveld. Hun zes jaar oude dochtertje was bij Jessica's zuster, en Jessica droeg het slaperige tweejarige zoontje in haar armen. Jessica was de knapste van de drie vrouwen. In haar jongere jaren was ze mannequin geweest, en voordat ze moeder werd, had ze een korte filmcarrière gehad, nu even in de kast, zoals ze altijd zei.

'Eindelijk.'

'Sorry, jongens, dat we laat zijn. Het vliegtuig kon niet landen. Hai mam. Je ziet er geweldig uit.'

'Kan ik voor hem wat te drinken klaarmaken, Clare? Als ik hem een verhaaltje voorlees, valt hij misschien in slaap. In het vliegtuig wou hij niet slapen.'

'Geef me een kus.'

'Wil je hem hier neerleggen, met zijn hoofdje op dit kussen, lieverd? Of direct naar bed, beneden? Hallo, schatje. Ben jij oma's jongen?'

Ze hebben de moeite genomen vanavond te komen om me uit te wuiven, bedacht Finch. Het is belangrijk voor onze familie, verjaardagen en Kerstmis. Zij kunnen er niets aan doen dat ik er liever rustig tussenuit was geknepen en ná die tijd bij elkaar was gekomen, in plaats van er van tevoren te veel over te praten.

Aan de andere kant van de sofa was Angus van wal gestoken met zijn speech. '...en God zegene je, Finch, en moge Hij je weer veilig thuisbrengen,' besloot hij vastberaden.

Iedereen hief zijn glas en mompelde iets toepasselijks.

'Ik wou dat ík ging,' grinnikte Caleb.

Caleb, die haar het meest na stond en nu het verst verwijderd woonde, was altijd haar lievelingsbroer geweest. Ze sloeg haar arm om hem heen en trok hem plagerig aan zijn haar. 'Jij gaat al naar genoeg exotische plaatsen. Nu ben ik aan de beurt.'

Later, losser geworden door de wijn, gingen ze eten. De eiken tafel vormde een tweede eilandje in de grote ruimte. Er was Scandinavisch bestek, Italiaans glaswerk en Frans porselein, en buiten werd de donkere ruimte van wind en water gebroken door de lichten die zich langs de kustlijn aaneenregen. Als klein meisje was Finch zich altijd bewust geweest van het contrast tussen de orde en de luxe binnen en de wildernis, een paar centimeter aan de andere kant van het glas. Het huis had, ondanks alle comfort, nooit behaaglijk aangevoeld. Ook was ze zich ervan bewust dat geen van de anderen hetzelfde voelde als zij. Allen hielden van het ouderlijk huis. Marcus had zelfs een soortgelijk huis voor zichzelf gebouwd, een eindje verderop aan de kust.

Bij de compote van winterfruit vroeg Marcus zich af wanneer het volgende familiefeestje zou plaatsvinden. 'Wanneer zullen we weer met ons negenen bij elkaar zijn?' vroeg hij joviaal.

'Het verlovingsfeestje van Finch, hoop ik,' zei Clare.

Finch legde abrupt haar lepel neer. Het maakte een kletterend geluid, dat ze niet had bedoeld. 'O, alsjeblieft.'

'Ik mag toch wel wensen om mijn meisje veilig getrouwd te zien?'

Een blik op hun gezichten deed Finch beseffen dat Kitty aan Clare had verteld dat ze Ralf had afgewezen. En Clare glimlachte om haar teleurstelling te verbergen, maar kon het niet laten om er een zijdelingse opmerking over te maken. Het gesprek aan de andere kant van de tafel verstomde en iedereen luisterde ongerust.

'Dat is niet wat ik wil,' bitste Finch.

In de daaropvolgende stilte had ze haar tong wel willen afbijten vanwege haar lichtgeraaktheid, juist vanavond. Ze had gewoon kunnen glimlachen en het voorbij laten gaan.

Suzy zou hebben gezegd: Zeg niets, sufferd. Dat is heel wat makkelijker. Zul je het dan nooit leren?

Caleb legde zijn hand over die van zijn zus. 'Hé, lach eens!'

Finch beheerste zich. 'Het spijt me. Echt, het spijt me. Ik weet wat jullie me toewensen en waarom. Ik ben zo blij dat we vanavond allemaal bij elkaar zijn. En nu ik jullie allemaal zie... denk ik dat het misschien tijd wordt om me te gaan binden.'

Er volgden wat uitroepen van ongeloof. Nadat Finch was afgestudeerd, had ze een jaar in Azië gewerkt en een nomadenleven geleid. En toen ze weer in Vancouver ging wonen, was ze regelmatig met bergexpedities meegegaan. Behalve Clare accepteerden ze het feit dat dit de manier was waarop Finch leefde.

Angus zei: 'We mochten Ralf. We zouden het fijn hebben gevonden als je hem had gekozen, maar je hebt het niet gedaan – nou, dat is ook prima.'

Vanaf de andere kant van de tafel verontschuldigde Kitty zich stilzwijgend voor het feit dat ze dit alles had ontketend.

'Je hebt nog zeeën van tijd, lieverd,' zei Clare. 'Ga jij maar de Everest beklimmen...'

'Ik ga niet helemaal mee naar boven. Ik ondersteun alleen maar de bergbeklimmers.'

'En dat moeten wij geloven?' lachte Caleb.

'...en dan kom je weer thuis. Daarna ben je er misschien klaar voor.'

Suzy: Voor het serieuze leven.

En Finch dacht dat ze haar vriendin dit duidelijk hoorde zeggen.

Misschien, dacht ze stilletjes. Misschien kan ik daar alleen achterkomen door te gaan. Per slot van rekening voelde ze ergens, diep vanbinnen, een instinct in zich roeren, waardoor ze op het diepste niveau droomde over iets dat door de rest van haar leven werd ontkend. Als dat er niet was geweest, zou ze er niet voor hebben gekozen om met deze expeditie mee te gaan, juist deze en geen andere.

'Wie brengt je morgen naar het vliegveld?' vroeg Angus. 'Je moeder en ik zouden dat namelijk graag willen doen.'
'Dennis,' zei Finch beslist. 'We moeten nog wat regelen. Patiënten, management, wat zakelijke dingen.'
Dennis Frame was Finch' partner. Ze kende hem al vanaf de middelbare school, en na Suzy was hij haar beste vriend.
'Ik was het allerlaatste kind op de wereld dat Dennis zou worden genoemd,' zei hij, en hij weigerde te reageren op Den of Denny. Hij was tolerant, een beetje naar binnen gekeerd en homo. Finch had veel bewondering voor hem. Met de hulp van twee andere artsen zou hij tijdens Finch' afwezigheid haar patiënten overnemen.
Het einde van de avond was aangebroken. Het zoontje van Caleb en Jessy had tijdens het eten doorgeslapen, maar nu was hij wakker geworden en begon te huilen. Tanya zei dat ze morgen weer vroeg moest beginnen en James moest nog terugvliegen naar Toronto. Ze stonden op en liepen door de ruimte van de kamer om elkaar te omhelzen en de familiecommunicaties in telegramstijl uit te wisselen. Schrijf. Bel. Mail me.
Dit was Finch' bindmiddel. Ze voelde zich erdoor bekneld wanneer het te strak om haar heen werd getrokken, zoals vanavond, maar ze wist dat ze, wanneer ze aan de zijlijn ging staan, zijn stevig gevlochten koorden zag en het in theorie waardeerde.
Met z'n achten stonden ze op de oprit om haar uit te wuiven. De lucht rook naar regen en zout.
'Ik had niets moeten zeggen. Wil je het me vergeven?' fluisterde Kitty.
'Ik ben blij dat je het hebt gedaan. Nu hoefde ik het zelf niet ter sprake te brengen.'
Ieder van de jongens omhelsde haar en waarschuwde haar voorzichtig te zijn. Hun bezorgdheid gaf haar het gevoel weer het kleine meisje te zijn, dat probeerde te laten zien dat ze even hard kon lopen en even hoog kon springen als zij.

Tanya en Jessica kusten haar en wensten haar succes, duidelijk niet begrijpend waarom ze überhaupt wilde gaan.

Clare en Angus namen haar hand, sloten haar in hun armen en probeerden niet alles te herhalen wat ze al hadden gezegd.

Ten slotte stapte Finch in haar auto. Haar familie stond als één blok tegen de gele lichten van het huis om haar uit te zwaaien. Ze reed terug naar de stad, naar de flat die al zielloos en verlaten leek te zijn. Er waren een paar boeken, wat kussens en kaarsen, voor het merendeel cadeautjes van anderen, maar voor de rest waren de kamers bijna karakterloos, alsof ze maar een paar nachtjes bleef, op weg naar elders. Finch wilde de grootse architectonische effecten van haar ouderlijk huis niet imiteren, en als ze haar eigen smaak de vrije teugel had gegeven, had ze haar kamers waarschijnlijk gezellig gemaakt met Afghaanse tapijten en potten met planten en patchwork quilts. Voor het gemak liet zij ze helemaal sober.

Het was na middernacht. Ze stapte langs de keurige piramide van haar expeditiebagage en bleef met haar rug naar de gang gekeerd staan. Haar schouders hingen neer en met een lange, katachtige rekbeweging van opluchting en verlatenheid stak ze haar samengebalde vuist uit. De boten achter haar waren verbrand, volkomen verast, en nu ging ze dan echt.

Ze moest een klus klaren, ze moest zich aanpassen aan een team en er wachtte haar de grootste uitdaging van haar leven. Nu het stond te gebeuren, voelde ze zich opgelucht en startklaar. Laat maar komen wat komt. Ze deed de lichten uit en ging haar slaapkamer in.

Sam zat achter zijn computer in zijn flat in Seattle. Het was laat, al na middernacht, en de kleine lichtcirkel van zijn bureaulamp en de weidse duisternis daarachter maakten zijn gevoel van isolement alleen maar groter. Vanachter het raam kon hij de nachtelijke stadsgeluiden horen – een verre politie- of ambulancesirene en het gestage ritme van de regen. Een saaie avond in maart, die zijn hele leven in zijn eentonige grenzen leek te omvatten.

Hij tikte op de toetsen en snoof van voldoening toen de verbindingen hem naar de site brachten waarnaar hij op zoek was. Hij drukte opnieuw op een toets en leunde achterover om te wachten op het verschijnen van de informatie. Het krioelende netwerk van gegevens uit een andere wereld boeide hem niet zo hevig meer als voorheen. En terwijl hij naar het scherm zat te staren, vroeg hij zichzelf somber af: waarin ben je werkelijk en wezenlijk geïnteresseerd? Noem één ding. Was het waarnaar hij nu op zoek was op het internet?

Een uur geleden was Frannie naar hem komen kijken, staande in de deuropening in haar kimono, met haar vingers om een kop kruidenthee heen. 'Kom je in bed?'

Over de monitor heen had hij naar haar gekeken. 'Nog niet.'

Ze had haar schouders opgehaald en was weer weggegaan.

De website homepage was getiteld: 'De Mountain People', het logo tekende zich af tegen een besneeuwde bergtop en een heldere blauwe hemel. Heel goed ontworpen, merkte hij werktuigelijk op en drukte een van de opties in: 'Everest en Himalaya'. En toen, binnen een minuut, kwam het. Bijzonderheden van de op handen zijnde Everest-expeditie. Sam liep nu wat ongeduldiger door de tekst. Er waren beelden van teams van vorige jaren, lachende gezichten en sherpa's in gewatteerde jacks. Toen afzonderlijke portretten van de expeditieleider en de leider van het basiskamp, en twee stoer uitziende mannen die, omgord met klimgerei en een ijsbijl in hun hand, op bergen poseerden. De gidsen van dit jaar, las hij, vergezeld door indrukwekkende verslagen van hun vorige ervaringen, die hij echter niet las.

Hier. Hier was het wat hij zocht.

Dokter Finch Buchanan, ambtenaar van de gezondheidsdienst en bergbeklimmer.

Haar foto was genomen tegen een eenvoudige blauwe achtergrond, niet tegen een overmeesterde bergtop. Ze droeg een wit shirt dat een v-vormige gebruinde hals liet zien, en ze keek ietsje weg van de camera, met een uitgestreken gezicht en nadenkend. Ze was tweeëndertig, een geroutineerde skister en ervaren bergbeklimster. Ze had haar opleiding aan de UBC genoten, had voor UNESCO in Baluchistan gewerkt en woonde nu in Vancouver, waar ze huisarts was. Vorige ervaringen waren onder meer de beklimming van de Aconcagua in Argentinië en de McKinley, waaraan ze ook als arts had deelgenomen. In de loop van haar klimcarrière had ze veel belangstelling ontwikkeld voor hoogteziekteverschijnselen.

Dat was alles. Sam las en herlas de beknopte details, alsof de extra aandacht nog meer subtiele en bevredigende informatie zou opleveren. Hij raakte met zijn vingertop zelfs het scherm aan, de lokken donker haar, maar voelde alleen het glas, dat een beetje zanderig was van de stof. De gegevens van de tocht keken hem aan, met de uitnodiging om via dagelijkse verslagen en regelmatige, recente informatie vanuit het basiskamp de voortgang van de tocht in de volgende weken te volgen. Ze moest al onderweg zijn naar Nepal, berekende Sam.

Het had in totaal misschien vijf uur geduurd, vanaf het moment dat ze met de storm het ene vliegveld was binnengeblazen en toen weer in het gedrang van een andere luchthaven was verdwenen. Daarna had hij nog vijftig uur aan haar gedacht. Sam draaide rond in zijn stoel, keek naar de al te vertrouwde warboel op zijn bureau en probeerde erachter te komen waarom. Niet alleen om hoe ze eruitzag, om haar koele manier van doen of het glimpje van haar kwetsbaarheid in haar vliegangst, hoewel deze dingen wel hun rol hadden gespeeld. Het was meer dat ze iets doelgerichts over zich had. Hij zag het en benijdde het. Ze keek door hem heen naar een groter perspectief, en wat ze zag maakte haar gezicht licht en spanden de snaren aan die haar lichaam bij elkaar hielden. Het resultaat had niet alleen met seks te maken, hoewel het ook de meest sexy ontmoeting was die hij ooit met een volslagen vreemde had gehad.

Sam zuchtte. Alles aan Finch Buchanan was het tegenovergestelde van wat hij van zichzelf vond. Zijn leven leek zich te hebben verengd en zijn kracht te hebben verloren en droogde uiteindelijk op als een beekje in een droogte. Om hem heen gaapte het werk, waarin hij steeds minder bevrediging vond. Zijn vader was in hem teleurgesteld en vice versa. De energie en inspanning die hij in het hardlopen had gestoken, leken nu vergeefs. En de vrouw met wie hij zijn leven deelde, lag te slapen in een andere kamer, zonder hem, en hij kon het niet eens opbrengen zich daarom te bekommeren.

Ik wou dat ik ook naar de Everest ging, dacht hij.

De wildheid van het idee deed hem zelfs glimlachen.

En toen was het zó ondenkbaar dat hij zichzelf toestond erover na te denken.

Het bergbeklimmen dat hij als kind met Michael had gedaan, had hem angst bezorgd. Hij wist dat zijn vader hem te hard had aangepakt; soms kwam de paniek nog steeds boven in zijn dromen. En toch deed deze vrouw het en dit – of iets wat ermee te maken had – gaf haar een krachtveld dat hem naar haar toe trok. Hij werd er dichter naartoe getrokken, en nu was de angst van hemzelf op Finch overgebracht. Al voordat ze op het vliegveld van Vancouver was verdwenen, al op het moment dat hij naast haar ging zitten in het vliegtuig, had hij geweten dat hij haar weer zou vinden. Hij had zich voorgesteld dat hij zou wachten tot ze terug zou komen, haar dan in Vancouver zou opsporen. Maar uit de dorheid van zijn leven schoot plotseling een woestijnbloem van een idee omhoog en barstte in zijn brein in een regenboog van kleuren open. Hij hoefde niet te wachten tot ze terugkwam. Hij was zo vooruitziend geweest om te vragen waar ze logeerde.

Hij kon daarheen gaan. Door dicht in haar buurt te zijn, kon hij er misschien voor zorgen dat haar niets zou overkomen. De eeuwige optimist, McGrath, dacht hij. Die vrouw is een serieuze bergbeklimster en jij hebt op de leeftijd van veertien het bijltje erbij neergegooid. En je denkt nog steeds dat je op haar kunt passen? Ze zal alleen maar denken dat je een idiote stalker bent.

Hij moest hier iets mee doen. Optimisme was iets goeds; het was lang geleden dat hij zich zo had gevoeld. Pluk het moment. Sam zat nog een paar minuten voor zijn scherm en las de rest van het verleidelijke verkooppraatje van de Mountain People.

Toen hij hun slaapkamer binnenglipte, merkte hij tot zijn verbazing dat Frannie nog wakker was; ze lag met een stapel kussens in haar rug een boek over tuinieren te lezen. Het hoekje van de nooduitgang aan de buitenkant van een stadsflat was te klein om als tuintje te dienen. Ze wilde een huis met een echte tuin voor haar planten, en Sam kon haar dat niet kwalijk nemen. Hij ging naast haar zitten op de rand van het bed en ze liet het boek zakken om naar hem te kijken.

'Aan het werk geweest?'

'Ja.' Hij maakte de veters van zijn schoenen los en trok ze uit; toen maakte hij de manchetknopen van zijn overhemd los. Frannie ging achterover liggen en wachtte tot hij naast haar zou komen liggen. Ze hadden drie jaar samengewoond, en het bezinksel van hun gezamenlijke bestaan lag verspreid op de planken om hen heen. Een deken uit Mexico, hun laatste vakantie samen, lag over het bed. Op de toilettafel lagen uitnodigingen met de naam van hen beiden erop. Zelfs in zakvoeringen en broekomslagen zouden de bewijzen te vinden zijn van hun verbonden leven: zand van wandelingen over het strand; stof van bioscopen; tapijtvezels van de huizen van gezamenlijke vrienden. De draagwijdte van hun scheiding kwam Sam té duidelijk voor de geest te staan.

'Doe het licht uit,' mompelde Frannie toen hij ging liggen. Ze draaide zich op haar zij om hem aan te kijken, en haar adem verwarmde zijn gezicht toen ze dichterbij schoof. 'Mm?'

Sam lag stil, de maskerade van verraad overwegend.

'Wat is er?' fluisterde ze.

Hij bracht zijn zware hand omhoog en legde die op de naakte ronding van haar heup, waar het T-shirt dat ze in bed droeg omhoog was geschoven.

'Ik weet het niet,' loog hij. Zou je kunnen zeggen dat ik me een gevangene voel in dit leven, dat ik hier niet wil blijven, dat jij een man verdient die beter voor je is dan ik? Hoe deed je dat, in plaats van de liefde te bedrijven zoals hij nu deed, met een opwelling van schuldig optimisme?

Daarna viel Frannie met haar rug tegen zijn buik in slaap, en Sam lag te bedenken hoe hij zijn volgende stappen moest zetten en probeerde de minst kwetsende woorden te vinden waarmee hij het haar kon vertellen.

Frannie was onderwijzeres en stond altijd vroeg op om zich goed te kunnen voorbereiden op de schooldag. Toen haar wekker om tien voor zeven afliep, stapte ze meteen uit bed en liep bedrijvig rond tussen bed en badkamer, terwijl Sam met de dekens over zijn hoofd bleef liggen. Hij hoorde haar een douche nemen, rommelen met kleren, in de spiegel kijken om een likje mascara op te doen. Toen ze naar de keuken ging om koffie te zetten, stond hij abrupt op en volgde haar.

'Toast?' vroeg ze, met een mes in de lucht snijdend. Meestal ontbeten ze niet samen. De avonden waren van hen, wanneer ze wijn dronken en praatten en samen kookten.

'Alleen koffie.'

Hij ging aan de tafel zitten en keek in het kopje. 'Fran. Ik wil een tijdje weg.'

Zodra de woorden eruit waren, wist hij dat ze die had verwacht, er waarschijnlijk bang voor was geweest. Hun spanning had tussen hen in de lucht gehangen. Er kwamen nu rimpels in haar gezicht en haar mond werd een scherpe lijn. 'Waarheen?'

'Ik wil naar... naar Nepal. Misschien naar de Everest.'

Ze staarde hem aan. 'O, natuurlijk. Wanneer?'

'Nu, denk ik.'

Fran schudde haar hoofd. Op beide jukbeenderen verschenen rode plekken, als duimafdrukken. 'Waarom?'

Omdat ik hier weg moet? Omdat ik geen voldoening vind in mijn werk en omdat ik niet zo hard kan lopen als ik wil, en omdat jij en ik elkaar niet gelukkig maken? Omdat ik net bij mijn vader ben geweest en we niet met elkaar kunnen praten, en ik weet hoe ik hem heb teleurgesteld? Of alleen omdat ik op het vliegveld een vrouw heb gezien en dacht: Ik wil haar hebben?

Sam prevelde: 'Ik kan je niet zeggen waarom. Ik wil weg omdat de gedachte in me opkwam.' Dit was laf. Maar zou de waarheid aardiger zijn geweest?

Er stonden tranen in Frannies ogen, maar ze stond op en draaide zich om. Ze waste haar ontbijtbordje af en vanuit de gootsteen spatten boze spetters water op. 'Jij doet altíjd wat je wilt.'

Dit verbaasde hem. Sam had meestal het gevoel dat hij zijn leven min of meer aanpaste aan wat andere mensen wilden – cliënten, vrienden, Frannie. Misschien als een machteloze compensatie voor het feit dat hij het voor Michael niet deed. Hij had zich te lang machteloos gevoeld. 'Is dat zo?'

'Ja.' Ze begon tegen hem te schreeuwen. 'Je doet het stilletjes, maar je doet het. En je vermijdt alles wat je niet wílt doen. Je bent er nooit helemaal bij. Het is alsof je altijd uit het raam kijkt naar een vergezicht dat de rest van ons niet kan zien. Ik haat het.'

'Het spijt me, Fran.' Zijn onmacht om haar te behagen was slechts een onderdeel van de irritante wanorde die zijn leven was geworden. Hij had er meer dan genoeg van, dat was tenminste iets wat hij wél wist. Zijn beslissing verhardde zich.

Ze gooide wat bestek in de gootsteen. 'Wat gebeurt er als ik er niet ben wanneer je terugkomt?'

Hun ogen ontmoetten elkaar.

'Dat zal ik moeten oplossen wanneer het gebeurt.'

Er volgde een stilte. Door de muur heen zoemde de radio van de buren.

Met een bruuske beweging maakte Fran zich los van het aanrecht. 'Ik moet naar school. We zullen later moeten praten.'

'Het is geen bevlieging,' zei hij rustig.

'Het kan me niet schelen wat het is,' schreeuwde Frannie.

Toen ze weg was, liep Sam terug naar zijn bureau. Zijn jasje hing gekreukt op de leuning van zijn stoel, waar hij het de vorige avond van zijn schouders had laten glijden. Hij pakte het op en streek afwezig de revers glad. Hij moest ook naar zijn werk, naar een vergadering met een reisagent die een website wilde om last-minute skitochten te verkopen.

Ga, raadde Sam zichzelf aan. Misschien waren de motieven zwakjes, maar hij kon er niet een bedenken om níét te gaan.

4

'Kom je?' vroeg Adam Vries aan Finch.

Buiten de eetzaal van Buddha's Garden Hotel stond een groepje van zeven mannen. In hun geruite hemden, legerbroeken en T-shirts met vrolijke slogans hadden ze een willekeurig groepje toeristen kunnen zijn, hoewel een wat nauwkeuriger inspectie zou hebben onthuld dat ze zichtbaar fitter waren. Ze hadden een uitstekend diner achter de rug en in hun blik lag de rooskleurige verte van mensen die zich hadden voorgenomen het voor de rest van de avond ervan te nemen.

'Kom op. We gaan naar Rumdoodle.'

'Wat is dat in 's hemelsnaam?' grinnikte Finch.

'Zij is een nieuwkomer, hè?' plaagde een grote, vergrijsde man met een zwaar Yorkshire-accent. Zijn naam was Hugh Rix; op de voorkant van zijn T-shirt stond 'Rix Trucking. Vandaag hier, morgen daar'.

'Een bar,' zei Ken Kennedy kort. Hij was begin veertig, kort, maar breedgeschouderd. Zijn kleurloze haar was gemillimeterd en zijn opgerolde mouwen lieten op zijn linkerbiceps een schorpioenatoeage zien.

'Eh, ik denk niet dat ik ga,' zei Finch bezadigd. 'Ik ga slapen. In een bed. Nu kan het nog.'

'Lafaard.'

'Laat haar, Rix. Ze zal nog meer dan genoeg van je zien voordat de tocht voorbij is,' zei Ken.

'Welterusten,' zeiden ze allemaal tegen haar en bewogen zich en masse naar de deur. Van het tien man sterke westerse contingent waaruit de Mountain People-expeditie bestond, had George Heywood snel even gegeten en was naar een bespreking met de sherpa's gegaan, en Alyn Hood was er nog niet. Men zei dat hij onderweg twee dagen in Karachi was gebleven.

Finch ging naar boven, naar haar kleine eenpersoonskamer, en zette haar laptop aan om een e-mail naar Suzy te zenden.

Hallo, getrouwde vrouw.
Een goede huwelijksreis gehad?
Hier ben ik dan. De vluchten waren niet al te erg, hotel eenvoudig maar redelijk schoon (zoals mijn moeder zou zeggen). Vanavond gegeten met de rest van de groep, behalve de hoofdgids, die er nog niet is. Ze zijn oké! George Heywood kende ik al, Adam Vries is communicatiemanager, aardig gezicht (maar jouw type, niet het mijne), een beetje pretentieus. Ken Kennedy is de tweede gids, doet stoer, heeft een tatoeage, waarschijnlijk een hart van goud. Cliënten zijn Hugh Rix en Mark Mason, beiden Engels, kennen elkaar al. Rix (zoals hij zichzelf noemt) is het type van een selfmade man, zal waarschijnlijk niet in zijn voor flauwekul, tenzij het van hemzelf komt. Mark is rustiger en gevoeliger. Er is een langharige Australische rocker, die Sandy Jackson heet, en er zijn twee vastberaden Amerikanen, Vern Ecker en Ted Koplicki, die hier vorig jaar ook waren en bij kamp iv zijn teruggegaan. Nu zijn ze allemaal een biertje gaan drinken.
Ik ga naar bed. Als ik door de opwinding kan slapen.
Ik zou nergens anders willen zijn, of iets anders willen doen. Dat weet je. Geef grote J een kus van me. xxx

Voordat ze in bed stapte, ging Finch bij het raam staan. Ze opende de luiken en keek uit over de bomen van de tuin en een houten sculptuur van de boeddha op een hoek van de drukke straat, net zichtbaar achter het hek. Het verkeer reed en toeterde door de sluier van vervuiling. Kathmandu lag in een uitholling die werd omringd door hoge heuvels, en de rook en uitlaatgassen hingen als een grijze nevel in de lucht. Terwijl ze afwezig stond te kijken, liep er een man in de duisternis over het gras en door het hek de weg op. Hij stak zijn hand op naar een riksja-man, die hoopvol bij de hotelingang rondhing, en stapte in het overdekte karretje. De oude man ging op de pedalen staan, waarbij zijn magere benen zich spanden, en de riksja reed weg. Finch bleef nog even staan, met haar schouder tegen het raamkozijn en ademde de geuren in van houtrook, wierook en kerrie, die naar haar toe dreven. Toen sloot ze het luik en maakte zich klaar voor de nacht.

Het was verbazingwekkend behaaglijk in de riksja, met de over-kapping die uitzicht bood op lukrake straten en oude, houten hui-zen die over de bestrating heen hingen. Van de hopen rottend af-val die nonchalant in de hoeken van muren waren geveegd, kwam een indringende, plantaardige geur. Sam leunde voorover naar de bestuurder. 'Is het erg ver?'
Over de gebogen schouder heen liet zich even een gebruind ge-zicht zien. 'Nee, meneer. Vlakbij.'
Sam was zes uur geleden in Kathmandu geland. Hij had een ac-ceptabel hotel gevonden, dicht bij de Buddha's Garden, had zich verkleed, iets gegeten dat hij niet had geproefd en zich niet meer kon herinneren en had zich met zorgvuldige aandacht geschoren en gedoucht. Het onbekende gevoel in zijn buik had niets te maken met de soepachtige *dal bhaat* die hij had gegeten – het was gespannen verwachting. Het was lang geleden dat hij dit gevoel had gehad. Zelfs hardlopen kon hem dit niet meer verschaffen. Hij had geprobeerd het op te roepen voordat hij deelnam aan de race in Pittsburgh, maar het was hem niet gelukt. Ergens in hem hoorde hij een waarschuwend stemmetje dat het een lange weg was om vanuit Seattle te proberen een vrouw in te halen met wie hij nauwelijks vijf uur samen was geweest. Maar Sam zei tegen zichzelf dat het niet alleen met Finch te maken had. Hij was in Kathmandu, hij deed iets anders dan thuis wegkwijnen.
Toen hij bij Finch' hotel was aangekomen, vertelde de behulpzame receptionist hem dat Miss Buchanan hier inderdaad logeerde. Maar hij dacht dat alle bergbeklimmers waren weggegaan – net vijf minuten geleden, meneer – naar een bar in het Thamel-district.
Gewapend met de naam en hoe hij er moest komen, ging Sam weer op weg. De snelste manier door dit stomende verkeer leek deze door een fiets aangedreven kinderwagen te zijn. Hij ging nog ietsje meer naar voren zitten, alsof hij de bestuurder kon aanzet-

ten nog sneller te fietsen. Zijn ogen waren zanderig van het reizen, en met een geeuw die hij achter in zijn keel de weg afsneed, knipperde hij naar de golven van mensen en auto's. Misschien had hij naar bed moeten gaan en tot morgen moeten wachten. Maar de gedachte dat hij zo dichtbij was en de angst dat ze op de een of andere manier in de bergen zou verdwijnen voordat hij haar kon bereiken, waren hem te veel.

Eindelijk zakte de oude man terug op zijn zadel en de riksja kwam wankelend tot stilstand. Ze waren bij een deuropening gekomen, die bekneld zat in een rij open winkels, waar veelkleurige T-shirts en katoenen broeken als vlaggen overheen hingen en een menigte van winkelende mensen zich door nauwe steegjes worstelde. Er hing een dikke lucht van gekruid voedsel, en patchoeli en marihuana. Op een rommelige stoep lagen twee honden te slapen.

De bar bevond zich aan het eind van een houten trap. Sam kwam in een grote ruimte terecht, met veel lawaai van eentonige muziek en luid gepraat. De meeste klanten waren zeer jonge westerlingen, met de door de zon gebruinde huid, het gebleekte haar en de rafelige korte broeken van trekkers, hoewel er een paar Thailanders en Japanners tussen zaten. Door het gebabbel van Amerikanen, Engelsen en ondefinieerbare accenten baande hij zich een weg naar de bar en installeerde zich daar. Met zijn ogen zocht hij de menigte af, op zoek naar haar.

Finch was er niet. Binnen een minuut wist hij het zeker, maar hij bleef toch met een nog grotere zorgvuldigheid elke groep bekijken, dronk wat slap bier en wachtte, voor het geval ze voor vijf minuten naar buiten was gegaan. In minder dan vijf minuten wist hij welke groep de Everest-beklimmers waren. Ze waren ouder dan de meeste andere drinkers en zaten dicht bij elkaar, rondom twee gammele tafeltjes. Een van hen had een sik en droeg zijn lange haar in een paardenstaart, een andere had een rafelige blonde pony, het haar van de rest was meedogenloos kort geknipt. Allen hadden een meer getraind, sterk lichaam dan dat ze gespierd waren. Dit was voor Sam niets nieuws: jaren geleden had hij mannen gezien met dezelfde lichamen, hoog op de rotsen van de Yosemite, of bier drinkend met zijn vader en pratend over de mysterieuze details van routes en afgelegen pieken.

Aan de andere kant van hun groep, naast de blonde man, stond een lege stoel. Sam liep achteloos door de ruimte en bleef er aarzelend naast staan. 'Is het goed als ik deze neem?'

'Natuurlijk. Ga je gang.'

Hij ging zitten en zette voorzichtig zijn glas op het tafeltje. Hij ontspande zich, keek doelloos rond en liet hun gesprek over zich heen gaan.

'De man is een klootzak. Vergeet de heuvels maar. Ik zou met hem als leider nog niet eens naar de Bronx gaan...'

'... in een hoop rotzooi. Ik zeg dus tegen de vent, het is hier een latrine...'

'Een splinternieuwe camera, een Nikon AX.'

'Ik ben er klaar voor. Maar als ik het dit jaar niet haal, kom ik terug. En ik blíjf komen tot het me lukt.'

'Je kunt het man. George Heywood heeft er al vijfendertig cliënten naartoe gebracht. Waarom jou niet? En Al Hood is een prima leider.'

'Hij heeft hem nog nooit beklommen.'

'Hij heeft verdomme alle andere van de wereld beklommen.'

Peinzend dronk Sam zijn glas leeg. Deze mannen zouden twee maanden lang Finch' metgezellen zijn. 'U gaat wat klimwerk doen?' vroeg hij de blonde op vriendelijke toon.

'Ja, man.'

'Wat zijn jullie van plan?'

'De grote. De Everest.'

Sam liet een toonloos, bewonderend fluitje horen. 'Werkelijk?' Ik benijd jullie. Gaan jullie allemaal?'

'Het is een commerciële expeditie. Zes cliënten, of vijf, als je het doktertje niet meerekent. Twee gidsen, Ken hier en nog iemand. De baas is op deze tocht de manager van het basiskamp. Hij heeft de berg tweemaal beklommen. Ik werk voor het bedrijf, voorraad- en communicatiemanager, maar ik hoop toch nog een foto van de top te kunnen maken. Moet maar afwachten hoe alles loopt.'

'Aha. Klinkt goed.'

'Klim jij ook? Tussen haakjes, ik ben Adam Vries.'

'Sam McGrath. Deze keer niet,' zei Sam voorzichtig. Hij wilde zich niet uitsluiten van het gezelschap waartoe Finch behoorde.

'Jammer. Wil je wat?' Hij hield een kan bier omhoog en Sam schoof zijn glas bij. Adam vulde het.

'Bedankt. En, waar kom jij vandaan?'

Adam noemde een dorpje in Connecticut, maar zei dat hij het grootste gedeelte van zijn tienertijd in Genève had doorgebracht. Onder de behoedzame druk van Sams vragen zette hij zijn bergschoenen op de sport van een stoel, vouwde zijn handen achter zijn hoofd en begon over het klimmen in de Alpen te praten. Zijn fijne, enigszins meisjesachtige gelaatstrekken lichtten op van passie toen hij herinneringen ophaalde over de grote wanden van de Eiger en de Mont Blanc, en Sam voelde zijn aanvankelijke antipathie wegsmelten. Al had hij Finch 'het doktertje' genoemd, toch was het een aardige kerel. Voor een bergbeklimmer was het een bijzonder aardige kerel.

Op zijn beurt wist Adam Sam de details van zijn eigen bergsportgeschiedenis te ontfutselen. Misnoegd schudde hij zijn hoofd.

'Man, dat is hard. Maar je kunt toch nog wel klimmen? Zonder je ouweheer, bedoel ik.'

'Ik denk het wel.'

Hij was nu in de groep opgenomen. De twee Engelse expeditieleden hadden zichzelf voorgesteld als Mark Mason en Hugh Rix – 'Noem me maar Rix,' drong de man met het botte gezicht aan – en Ken Kennedy stak een hand uit en schudde die van Sam. Zijn greep was als die van een vruchtenpers.

De kan met bier werd gevuld en opnieuw gevuld, en de geluidssterkte en het gelach namen toe.

'Wat doe je in Kathmandu?' vroeg Rix met zijn luide stem.

'Wat reizen. Er even uit.'

'Klinkt mij als het voorbij laten gaan van een prachtkans om te gaan klimmen.'

Sam lachte. 'Zou kunnen. Denk je dat je de top zult bereiken?' Met Finch om bevriezingsverschijnselen en je constipatie te behandelen en je onderweg te onderzoeken op oedeem, jij met je ronde kop?

Rix leunde naar voren. Zijn gezicht was rood aangelopen van het bier en de drank maakte zijn Yorkshire-accent nog geprononceerder. Hij legde zijn grote, vlezige handen plat op de tafel. 'Luister.

Ik weet wat de mensen zeggen. De oude brigade van professionele klimmers, voor wie die berg een droom was, die zich klauwend een weg omhoog naar de top hebben gebaand of onderweg zijn gestorven. Ik weet dat ze zeggen dat de zuidcolroute een jakken-spoor is en dat iedere vetzak die vijftigduizend dollar over heeft zichzelf daarheen kan laten hijsen, als hij zich de moeite getroost om een paar maanden van tevoren tweemaal per week te gym-nastieken. Ze beweren dat de Everest door de commerciële bedrij-ven is veranderd in een avontuurlijk speelterrein voor software-handelaren, die iedereen meeslepen die het kan betalen. En dat kan allemaal best waar zijn, makker. Het enige wat ik weet, is dat ik er als snotaap in Halifax van heb gedroomd om boven op die piek te staan. Ik heb de Makalu, de Cho Oyu en de Aconcagua be-klommen, en heel wat bergtoppen in de Alpen, en mijn honger naar de Everest is nog even groot als toen ik een jochie was. Ik ben er vorig jaar op geweest en werd door het weer op een hoogte van 7500 meter teruggestuurd. Maar ik heb het geld, en dit is de ma-nier waarop ik het wil besteden, en ik laat me door niemand te-genhouden. Ik zal de berg beklimmen. Dat is een ding dat zeker is.'

'Ja,' zei Sam bedachtzaam.

Adam was nu voor driekwart dronken. Hij steunde zijn hoofd tegen de muur. 'Rix heeft gelijk, ik weet het. Ik ken dat gevoel. Vanaf het moment dat ik begon met de eerste beklimming is het mijn droom geweest. Het is het doel van mijn leven geworden. Telkens wanneer ik de top van een nieuwe berg bereik, weet ik dat niemand me dat kan afnemen. Het is concreet. Zo van: hier is het. Van mij. En weet je' – hij wuifde met zijn hand langs de groep om de twee tafels – 'dit is een familie. Als je een yankee-kind bent dat op een Zwitserse school is geloosd, waar je zelfs niet met de verliezers van de klas kunt praten, laat staan met de winnaars, en je ouweheer is altijd op reis en je ma doet niets anders dan win-kelen, dan kun je gaan klimmen en je vindt mensen die met je meegaan. Je bent in de bergen en niet meer alleen. Het is...' Zijn hoofd rolde om en zijn ogen vielen dicht. 'Hé, ik ben dronken... het is het enige wat je nodig hebt op de wereld.'

Er viel een korte stilte, toen gingen Adams ogen weer open. 'Je weet waar ik het over heb, kerel. Je klimt zelf ook.'

Zeven paar ogen keken naar de nieuwkomer.

'Ja,' zei Sam.

Veel later, tegen de tijd dat de bar dichtging, was iedereen dronken, met uitzondering van Ken Kennedy. 'Kom op, jullie allemaal. Naar je bed,' beval hij.

Adam en Sam stommelden samen onvast de trap af; Adams arm hing over Sams schouder.

Toen de zwaar riekende lucht hen tegen het gezicht sloeg, wankelden ze even op hun benen en Adam begon te hoesten van het lachen. 'Heb een scotch nodig om mijn maag op orde te brengen na al dat bier. Ga je mee naar het hotel om er nog eentje te nemen?'

Zelfs met zijn tollende hoofd en zijn oren en tong volgepropt met de verdovende watten van de jetlag was Sam nog net in staat om te bedenken dat het niet slim zou zijn om zichzelf in deze toestand in de Buddha's Garden te presenteren, met het risico om Finch tegen het lijf te lopen.

'Nee hoor. Maar ik kom je morgen opzoeken.'

'Maak het niet te vroeg,' kreunde Adam.

Het was na twaalven toen hij weer door de lommerrijke tuin liep. Het sterke zonlicht wierp wigvormige schaduwen van indigoblauw onder de bomen. Sam had tien uur geslapen en had zich toen in een schoon, wit overhemd en een geperste kakibroek gestoken. Hij ging nergens heen of niets anders doen voordat hij Finch Buchanan had gevonden en haar had laten beloven met hem uit eten te gaan.

In de lobby zat Ken Kenndy onder een plafondventilator met een kalende man die Sam niet kende. Ze zaten met gefronste voorhoofden over een stapel papieren gebogen en Sam liep hen voorbij zonder hen te storen. De receptionist gaf Sam het nummer van Adams kamer en wees naar de trap. Sam liep twee trapjes op en vond het nummer dat hij zocht. Hij klopte op de deur en werd begroet door een woordenloos gemompel dat hij beschouwde als een uitnodiging om binnen te komen.

Adam lag op een wanordelijk bed; naakt, afgezien van een korte broek. Eén lamme arm hing over de rand van de matras en met de andere schermde hij zijn ogen af voor het gedempte licht dat door de gesloten luiken drong. 'O, jij bent het.'

'Wat is er?'

'God mag het weten. Nog nooit in mijn leven heb ik zoveel gekotst of gescheten. Dat kan niet alleen het bier zijn.'

'Dat is akelig. Kan ik iets voor je halen?'

'Wat zou je zeggen van een pistool om op mijn kop te richten? Godsamme.'

Adam hees zich half overeind en braakte een paar groenachtige monden vol in een geëmailleerde kom. Sam grimaste en probeerde de andere kant op te kijken, terwijl Adam spuugde en toen terugzonk in het kussen. 'Je zou naar de bar kunnen gaan om een paar flessen water te halen. Room-service stelt hier niet zoveel voor.'

'Natuurlijk,' zei Sam.

Het kostte tien minuten om een barman te vinden, het mineraalwater te betalen en terug te gaan naar Adams kamer. Ditmaal opende hij de deur zonder kloppen.

Finch stond met de rug naar hem toe op haar horloge te kijken en hield Adams pols losjes in haar hand. Na nog vijf seconden hield ze op met tellen en draaide haar hoofd om teneinde naar de indringer te kijken. Ze droeg een mouwloos kaki-jasje met zakken en een wit T-shirt met voorop het logo van de Mountain People. Ze zag er minder gespannen uit en daarom jonger dan tijdens de Vancouver-vlucht.

'Ik kom hem wat mineraalwater brengen,' lachte Sam. 'Het is niets ernstigs, hoop ik?'

'Dit is de dokter,' zei Adam.

Ze keek naar Sam, de volslagen verrassing op haar gezicht werd duidelijk overschaduwd door irritatie.

'Wat doe jíj hier?' vroeg Finch koel.

'Dat heb ik je gezegd. Ik kom de zieke wat water brengen.'

'Zou je ons misschien alleen willen laten terwijl ik mijn patiënt onderzoek?'

'Het is oké. Van mij hoeft hij niet weg te gaan. Kennen jullie elkaar?'

'Ja.'

'Nee. En, wanneer is het overgeven begonnen?'

'Twaalf uur geleden.'

'Juist.' Finch haalde een medicijnflesje uit haar tas en schudde er een grote capsule uit. 'Ik ga je wat geven om het te laten stoppen.'

Adam stak zijn hand uit en gebaarde naar de fles met water.

'Niet oraal, dan braak je hem meteen weer uit. Het is een zetpil. Die wordt in je rectum gebracht. Ik kan het voor je doen, of je kunt het zelf doen, wat je maar wilt.'

'Ik red me wel.'

'Goed. Probeer de volgende paar uur wat water te drinken, niets eten.'

Alleen het woord eten was aanleiding tot een volgende aanval van kokhalzen. In Adams donkere haar stonden donkere zweetstrepen. Met haar vingers lichtjes op zijn schouder stond Finch naar hem te kijken, toen pakte ze de kom en maakte hem schoon in de badkamer.

Ze is een engel, dacht Sam. Als ik ziek was, zou ze dan ook zo voor míj zorgen? Haar hand op mijn schouder leggen?

'Oké, Adam. Het is voedselvergiftiging. Je zult je nu gauw wat beter gaan voelen. Probeer wat te rusten; ik kom tegen zessen weer naar je kijken. Je vriend zal je gezelschap houden, nietwaar?'

Finch lachte liefjes.

'Eigenlijk hoopte ik...' probeerde Sam.

Ze klikte het slot van haar tas dicht. 'Tot straks, Adam. Dag... eeeh.'

'Kom nou, je weet hoe ik heet.'

Finch was al half de deur uit.

'Wacht even. Luister, ik ben zó terug,' riep hij over zijn schouder naar de bleke man in het bed.

Adam had zijn ogen bedekt met een arm. 'Maak je geen zorgen om mij,' mompelde hij.

Sam rende de gang door, Finch achterna. Toen ze besefte dat ze niet zo makkelijk van hem af kwam, draaide ze zich met een vleugje woede om en ging voor hem staan. 'Goed. Dus hier ben je, in Kathmandu. Wat wil je nu eigenlijk? Ik heb het druk en ik moet mijn werk doen.'

'Ik wil je mee uit eten nemen. Is dat te veel gevraagd?'

'Ben je me helemaal hierheen achternagekomen?'

'Ja. Ik ben hier vierentwintig uur geleden aangekomen.'

'Waarom?'

'Omdat de vliegverbindingen zo uitkwamen.'

'Probeer niet een nog grotere hufter te zijn dan je al bent. Waarom ben je me gevolgd?'

Sam aarzelde. 'Kijk, ik weet dat het geschift lijkt. Ik heb je ontmoet, we hebben gepraat, ik wilde je weer zien. Maar het is niet zo vreemd als het klinkt. Je had het over de Everest, en de manier waarop je erover praatte, vond ik geweldig. Mijn leven is op een soort statisch punt aangekomen, en daarom leek het me een goed idee om eruit te breken, en ik dacht: waarom niet hier? Ik heb Kathmandu nog nooit eerder gezien.'

'Je hebt me iets heel anders verteld.' Ze keek nu ietsje minder streng. 'Waarom zou je me hebben verteld waar je logeerde als ik niet had gezegd dat ik daar een beetje bekend was?' Eerlijkheid, dacht hij, was waarschijnlijk de beste verdediging.

Ze stonden in een hoek van de hoofdtrap. Rix, Mark Mason en Sandy Jackson kwamen de trap op en ieder van hen groette Sam vriendelijk in het voorbijgaan.

'Hé, dokter, hoe is het met de patiënt?' vroeg Sandy over zijn schouder.

'Hij blijft leven.' Ze richtte haar volle aandacht weer op Sam. 'Je kent iedereen.'

Hij haalde zijn schouders op. 'Nou, zo'n beetje. Wat zeg je van vanavond?'

Finch zuchtte. Haar haar was samengebonden met iets wat op een laarsveter leek, en hij wilde zijn vinger eronder laten glijden en hem eraf trekken.

'Luister...'

'Sam.'

'Ja. Ik herinner het me. Luister goed, Sam, en bespaar jezelf elke moeite die met mij te maken heeft. Ten eerste ben ik verantwoordelijk voor de gezondheidszorg van in totaal twintig mensen op deze expeditie. Ten tweede ben ik hier om zo hoog mogelijk de Everest te beklimmen. Ik verwacht niet per se de top te halen, maar wil mezelf wel recht doen. Ik kan het me niet permitteren, maar ik heb geld gespaard om dit te betalen. Ik heb heel wat fysieke en mentale voorbereidingen getroffen. Op dit moment is er in mijn leven geen ruimte voor iets anders.'

Ze zegt dezelfde dingen als die kerels gisteravond, dacht Sam. Berg-beklimmers. Piekgekken. Geobsedeerde bergimbecielen. Maar des-alniettemin wankelde zijn verlangen geen moment om haar laars-veter los te maken, zijn vinger op de hoek van haar mond te leggen, haar stem in zijn oor te horen. Haar onwrikbaarheid maakte alleen maar indruk op hem en deed hem nog meer verlangen om bij haar te zijn. Hij stak zijn handen omhoog en glimlachte. 'Het gaat alleen maar om een etentje. Twee glazen wijn en een kerrieschotel, des-sert naar keuze. Het is geen vermeerdering van je werkdruk en ver-plicht je emotioneel tot niets.'

Ze bestudeerde hem een tijdje om erachter te komen of hij bedrei-gend was of ongevaarlijk en legde toen even haar hand op zijn arm. 'Nee. Nee, dank je, Sam.'

Ze lachte, als teken dat ze het gesprek als beëindigd beschouwde en trok haar hand weer terug. Sam was niet bepaald ingenomen met de manier waarop hij met vrouwen omging, maar hij bedacht zich dat hij, zelfs in omstandigheden die zo ongewoon waren als deze, nooit met zo'n koele zekerheid was afgewezen. Hier zat meer achter dan met het blote oog kon worden waargenomen, dacht hij.

'Wacht. Wil je iets doen waarmee je me echt kunt helpen?' voeg-de ze eraan toe.

'Ja.'

'Ga dan een tijdje bij Adam Vries zitten. Ik moet mijn voorraden controleren, omdat ze net zijn aangekomen.'

'Ik zal ervoor zorgen dat alles goed gaat.'

'Dank je.' Ze wendde haar blik van hem af en liep de trap af. Sam volgde haar met zijn ogen en dacht aan haar lange benen onder het ski-jack.

Adam was van houding veranderd. 'Hmm, ik heb het ding in mijn achterste geschoven. Hoe weet zij dat ik niet ga poepen voordat ik kots?'

'Briljante medische diagnose.'

'Mm. Ik was niet van plan om haar daarin haar wijsvinger te laten steken.'

'Nee. Hoewel, ik weet niet...'

Adam speelde het klaar om de schim van een lach te produceren.

'Jij ook? Vergeet het maar. Ik heb een genadeloze medische studente gekend. De koelkast, noemden we haar.'

'Is het heus?'

Sam ging in een stoel zitten en liet zijn voeten op elkaar rusten. Door een spleet in de luiken kon hij de top van een boom zien en de zijmuren van een paar huizen. Op balkonhoogte zat een oude vrouw groenten schoon te maken boven een plastic schaal. Een dikke baby speelde aan haar voeten, tot een jonge vrouw, bijna nog een meisje, te voorschijn kwam en hem in haar armen nam. De duim van de baby ging onmiddellijk zijn mond in en zijn hoofdje lag tegen haar schouder. De moeder steunde het met haar hand en aaide zijn haar. Sam bleef kijken tot ze het kind naar binnen had gebracht, bleef toen nog even zitten zonder ergens naar te kijken en vroeg zich af hoe Finch eruit zou zien met een baby. Wát Adam ook mocht denken, ze was geen koelkast. Iets in haar ogen, de ronding van haar hoofd en heupen, deed hem dit zeker weten.

Toen hij weer keek, zag hij dat Adam was ingedommeld. Hij had er graag tussenuit willen knijpen en misschien met Rix en de anderen een biertje gaan drinken, maar hij was bang hem wakker te maken als hij zich zou bewegen. Hij leunde met zijn hoofd tegen de rugleuning van de stoel en liet zijn ogen dichtvallen.

Gisteravond had hem aan zijn vader doen denken.

Michael praatte op dezelfde manier over bergen, gebruikte precies dezelfde woorden. Hij herinnerde zich gesprekken. Michael en Mary buiten voor de tent op zomeravonden, wanneer hij werd verondersteld te slapen, en het timbre van zijn vaders stem, in antwoord op Mary's 'waarom' en 'waarvoor' – en de altijd onuitgesproken maar even aanwezige woorden in zijn eigen gedachten: 'gevaar', 'vallen' en 'dood'.

'Ik heb die werkelijkheid nodig. Als ik niet klim, verlies ik mijn greep op de werkelijkheid en heb dan het gevoel dat er niets bestaat.'

'Ik niet? Of je zoon?'

'Natuurlijk. Maar niet op dezelfde manier, Mary. Niets is hetzelfde als het gevoel dat je hebt wanneer je daarboven bent met de rots en de ruimte. Ik kan me niet zo goed uitdrukken, dat weet je. Ik kan de noodzaak ervan niet uitleggen, het meer levend zijn dan levend. Maar als je het eenmaal hebt geproefd, gaat het nooit meer weg.'

'Ik ga ook niet weg, en Sammy evenmin. We willen niet dat je iets overkomt.'

Sam herinnerde zich dat hij zich dan in bochten lag te wringen in zijn slaapzak, zijn hoofd probeerde te bedekken, zijn schouders over zijn oren wilde trekken, zodat hij niets meer kon horen. Maar de stemmen kwamen toch, zowel vanuit zijn hoofd als van buiten.

Michael liet dan zijn warme, geruststellende lach horen. 'Er zal niets gebeuren. Het is een kwestie van concentratie. Als je je gedachten erbij houdt, maak je geen fouten.'

Sam dacht aan Michael zoals hij nu was, zich pijnlijk door het oude huis bewegend, helemaal alleen, met alleen de televisie-shows als gezelschap. Wanneer ik terug ben, beloofde hij de schemerige kamer, zal ik vaker naar hem toe gaan. Misschien is het tijd om de zaak wat dichter bij huis te brengen.

Als er na deze bokkensprong nog een zaak is.

Een uur later werd Adam weer wakker. 'Ik heb een dorst als een woestijn,' fluisterde hij.

Sam gaf hem het water, maar hield het zo dat hij maar een of twee slokjes tegelijk kon nemen. 'Anders komt het er direct weer uit.'

'Bedankt, zuster.' Met de rug van zijn hand veegde hij zijn gebarsten mond af.

Sam ging naar de badkamer en vond Adams doek, spoelde hem uit in koud water en gaf hem.

'Fijn. Maar ik heb toch liever dat de dokter mijn hand vasthoudt.'

'Donder op.'

'Je moet me eens zien wanneer ik op m'n best ben.'

'Ze zei me een beetje op je te letten.'

'Aha. Ik begrijp het.' Adam ging weer liggen. 'Ik waardeer het. Ik denk dat ik weer ga slapen. Je hoeft niet meer op me te passen. Echt niet.'

Sam stond op. 'Ik kom straks nog even terug.'

'Ja, ja.'

Beneden was niemand te zien. Sam bleef een paar minuten rondhangen, in de hoop dat Finch weer te voorschijn zou komen, maar ten slotte gaf hij het op. Ongeveer honderd meter van de hotelhekken verwijderd vond hij een bar en ging aan een gammel tafeltje zitten onder een bamboeluifel om de wacht te houden. Hij had eigenlijk geen idee wat hij verder zou doen.

Al had bij het vliegveld een taxi genomen. Hij was tientallen keren eerder in Kathmandu geweest en had dus niet veel aandacht voor de propvolle straten met de miezerige betonnen huizen. Hij zat roerloos achterin de versleten Mercedes, zijn ogen ogenschijnlijk op de groezelige kraag van het blauwe overhemd van de chauffeur gericht.

Hij had nog even Karachi aangedaan, om een oude klimmakker te bezoeken. Ze hadden te lang achter te veel glazen whisky gezeten en hadden niet veel gepraat, alleen hun wederzijdse herinneringen opgehaald. Toen het voor Al tijd was om weer te vertrekken, had Stuart hem weggebracht.

'Kom op weg terug weer langs, wanneer je de grote berg in je zak hebt.'

'Dat doe ik misschien wel.'

Stuart stond naar Als rug te kijken toen hij tussen de gesluierde vrouwen en de mannen in hun ruime *shalwar kameez* naar de controle liep. Hij was een hoofd langer dan alle anderen en zag er fit en ontspannen uit. Vlak voordat hij verdween, keek Al om en knikte een laatste gedag. Stuart stak zijn hand op en hield die nog in de lucht toen Al allang verdwenen was. Ze kenden elkaar al vele jaren en waren tientallen malen bij elkaar binnengewipt voordat een van hen op expeditie ging. En deze keer was het niet anders. Het verleden deed er niet toe. Voor bergbeklimmers waren het de tegenwoordige en toekomende tijd die telden.

Toen zijn taxi de Buddha's Garden naderde, moest Al zichzelf bekennen dat de reisonderbreking om Stuart te zien een vertragingstactiek was geweest. Hij had pas op het laatste moment in Kathmandu willen aankomen om zich bij deze groep aan te sluiten. Maar nu hij er was, richtte hij zijn aandacht op hetgeen er gedaan moest worden. Het was een baan zoals elke andere, en tegelijkertijd een bergbeklimming.

Toen hij zich bij de receptie meldde, met zijn verweerde bepakking naast zich opgestapeld, kwam George Heywood uit de bar. Hij pakte Als hand en drukte deze hartelijk. George was kaal, met een doorgroefd gezicht en scherpe, grijze ogen.

'Leuk je te zien, Al. Ik dacht dat je op het laatste moment zou deserteren.'

'Waarom?'

George lachte. 'Nu ik je zie, besef ik dat ik me zorgen maakte om niets. Je ziet er goed uit.'

'Is iedereen er?'

'Ja. Jij bent de laatste.'

'Goed.'

'Ken is in de bar, met Pemba en Mingma. Wil je je eerst omkleden of zo, of kom je meteen bij ons zitten?'

'Ik kom,' zei Al.

De drie mannen stonden op toen ze Als lange gestalte achter George naar de tafel zagen toekomen. Pemba Chhotta en Mingma Nawang waren de sirdars – ervaren sherpa-bergbeklimmers die de leidinggevende taken zouden delen met Al en Ken. Ze hadden al eerder met Al samengewerkt, en met breeduit lachende begroetingen gaven ze blijk van hun sympathie voor hem.

'*Namaste*, Alyn,' zei Pemba formeel.

Ken was laconieker. Heel even pakte hij Als hand beet.

'Hai, makker. Het is zover.'

'Ken. Ik heb Stu in Karachi gezien. Hij wenst je het beste.'

Voor even ontmoetten hun ogen elkaar. Iedereen ging zitten en George bestelde nog wat drankjes. Er moest worden gepraat over de voorraden, de logistiek en dragers en jakken; daarna gaf George een korte omschrijving van hun zes cliënten, merendeels ter wille van de twee sherpa's die als tweede gids voor Ken en Al zouden optreden. De twee Engelsen waren het jaar ervoor op de Everest geweest, maar met een andere organisatie, die hen, zo dachten zij, had laten zitten. Nu waren ze bij George en zijn Mountain People gekomen om een tweede poging te wagen. Ook de twee Amerikanen waren ervaren bergbeklimmers; over de Australiër was minder bekend, maar hij was aanbevolen door vorige cliënten. De Canadese arts, zo legde George uit, had de McKinley beklommen, met een groep die werd geleid door Ed Vansittart. Iedereen aan de tafel knikte. Ed had hem een brief geschreven waarin stond dat dokter Buchanan een uitstekende arts was, die echt wist wat er op grote hoogten kon worden verwacht. Daarbij was ze ook prettig gezelschap, voegde hij eraan toe.

'Ik denk dat we boffen dat we haar bij ons hebben,' concludeerde George.

Al was het met hem eens.

'Alles lijkt me in orde,' zei Ken.

Al luisterde onbewogen naar dit alles, terwijl hij met de rand van zijn duimnagel omstandig de hoek van zijn mond zat te bewerken.

George vouwde zijn lijsten op. 'En Adam Vries is ziek.'

Ken klakte met zijn tong.

'Wat is het probleem?' vroeg Al.

'Z'n darmen. Een dag of twee, zegt de dokter. We vertrekken overmorgen, zoals gepland.'

Toen de laatste uitrustingsonderdelen en partijen voedselvoorraad waren verzameld, restte de expeditieleden niets anders meer dan genieten van wat bijna zeker hun laatste warme bad en schone lakens voor twee maanden zou zijn.

'Nog een biertje?' vroeg George aan hen allen, bij wijze van afsluiting.

Ken keek op. 'Als je over de duvel spreekt,' zei hij op een warmere toon dan waarmee hij daarvoor had gesproken. De rest van het gezelschap keek in dezelfde richting.

Finch stond aarzelend in de deuropening. De wand achter het groepje werd grotendeels gevuld door een enorme kleurenfoto. Tegen een superechte blauwe lucht stonden de reusachtige bergkam en de top van de Nuptse. De Everest stond links ervan, een beetje verder naar achteren, en ogenschijnlijk kleiner dan zijn buurman, en op de voorgrond waren de monstrueuze ijsmassa en het smerige, grijze puin van de Khumbu-gletsjer te zien.

Opgewekt riep George, terwijl zijn heen en weer gaande hoofd de zuidcol uitwiste: 'Daar is onze dokter. Kom bij ons zitten, Finch.'

Ze stond aan de rand van de groep. Ken hees zich op uit zijn rieten stoel en bood haar die aan, maar ze lachte alleen maar naar hem. 'Ik ben net weer even bij Adam geweest.'

'En?'

'Het ziet er niet zo goed uit. Maar vóór de geplande vertrekdatum zal hij wel weer beter zijn.'

'Finch, dit zijn Pemba en Mingma.' Ze gaf hun ieder een hand. 'En Alyn Hood.'

Al was gaan staan. Hij was veel langer dan Finch, maar toen hun ogen elkaar ontmoetten, leken ze op dezelfde hoogte te zijn.

'Hallo,' zei Finch rustig.

Al zei helemaal niets. Hij hield haar hand een secondelang vast en liet hem toen weer voorzichtig los. In de verwarring van de kennismakingen merkte niemand hoe hun ogen zich even vast op elkaar richtten en er een flits van erkenning tussen hen was. Niemand kon hebben vermoed dat ze elkaar al kenden of kon uit de manier waarop ze ieder weer rustig hun eigen weg gingen ook maar iets van hun verleden vermoeden.

5

De vlucht in de helikopter had in de verste verte niets gemeen met het vliegen in de A-Star met Ralf over de serene, zilverachtige uitspansels van de Canadese bergen. De Asian Airlines-vlucht van Kathmandu naar Lukla werd afgelegd in een afgedankte ex-Russische machine, die abrupt opsteeg vanaf de startbaan, zonder enige formaliteiten vooraf, en zich schuddend over de grijze nevel van de vallei richting bergen begaf.

Finch zat in haar metalen stoel en trok de geweven band strak over haar schoot; ze probeerde niet te denken aan neerstorten in de velden onder hen. Haar knieën zaten bekneld tegen een berg van expeditiebagage, die was vastgemaakt onder een net dat het midden van de cabine vulde. Ze had ze aan boord al gecontroleerd, maar met haar ogen zocht ze naar de vaten waarin haar geneesmiddelenvoorraad zat en hield ze angstvallig in de gaten, alsof ze zouden kunnen opspringen en wegrollen. Alles was beter dan uit het raampje achter haar hoofd kijken, hetzij naar het uitzicht beneden van steile richels, gestreept door verschillende kleuren gewassen, hetzij omhoog naar de deken van mist die de pieken bedekte. Naast haar zat een dik ingepakte Adam Vries, met de kin op de borst. De herrie van de motoren maakte een gesprek haast onmogelijk, maar ze stootte hem aan en trok haar wenkbrauwen op: 'Gaat het?'

Hij knikte vermoeid. Twee dagen onwel zijn hadden hem somber en lusteloos gemaakt.

De helikopter helde over en veranderde al stijgend van richting. Finch sloot haar ogen en slikte hard om de druk in haar oren te verminderen. Toen ze opkeek, zag ze dat Sam McGrath vanaf zijn stoel aan de andere kant van het net zat te grinniken. Ze probeerde hem een boze blik toe te werpen. Tijdens de vlucht naar Vancouver had hij haar ellendige angst gezien, en het beviel haar niets dat hij weer getuige was van deze nieuwe beproeving.

Ze was er niet helemaal zeker van hoe hij zich had weten binnen te dringen, maar hij zat hier in de helikopter en ging misschien nog een paar dagen mee met de expeditie naar het basiskamp aan de voet van de Everest-ijswand. De laatste dag in Kathmandu had ze hem helemaal niet meer gezien en was tot de conclusie gekomen dat hij zich toch makkelijk liet afschepen. Haar opluchting hierover vertoonde, daar was ze zeker van, geen greintje spijt. Maar nu, in dit nevelige ochtendgloren op het vliegveld, was hij er weer. Grappend met Rix en Mark Jason bij de incheckbalie voor Lukla en uittorenend boven de drommen Japanse toeristen, die stonden te wachten op beter weer, zodat ze sightseeing-vluchtjes rondom het Everest-massief konden gaan maken.

'Wat doet hij hier?' mompelde ze tegen George.

'Ze gingen weer een biertje drinken en Rix en Sandy vroegen me of hij een gedeelte van de tocht kon meemaken. Alle mannen lijken hem te mogen.' George haalde zijn schouders op. 'Maakt mij niet uit, zolang hij ervoor betaalt. Hij kan misschien nog een hulp zijn. Hij lijkt een goede conditie te hebben. Je kent hem toch, geloof ik?'

'Nee. Ik heb hem maar één keer ontmoet, op een vlucht naar Vancouver.'

'Ook toevallig!'

Finch merkte dat Sam heel goed in de groep paste. Hij droeg veelgebruikte wandelschoenen en dezelfde kleren als de andere mannen en zag er even fit en zelfverzekerd uit. Maar natuurlijk, herinnerde ze zich nu, hij was een bijna-olympische marathonloper. Waarschijnlijk was hij sterker dan zij.

'Goedemorgen,' zei hij opgewekt tegen haar. En toen: 'Je bent hier niet gelukkig mee, hè?'

'Is mijn gelukkig zijn of anderszins van enig belang?'

'Natuurlijk.' Hij had beweeglijke wenkbrauwen, en die vormden nu een rechte, eerlijke lijn. Ze hadden iets verwaands, wat haar irriteerde.

Ze probeerde onverschillig te praten. 'Het maakt me helemaal niets uit of je wel of niet meegaat. Het is slechts een paar dagen trekken.'

Hij lachte haar toe. 'Ik verheug me erop. Prachtig landschap, denk ik.'

Dunne sluiers van mist belemmerden het blauwe uitzicht door de raampjes, en de helikopter schommelde door de roerige lucht. De mist verdunde zich tot slierten en boven en verderop dampten grote torens stapelwolken. Vanuit de valleien werd warme, vochtige lucht omhoog gezogen. Het weer hier was meestal veranderlijk, vaak dreigend, altijd onvoorspelbaar.

Ze keek langs de rij gezichten. Mingma en Pemba werden geflankeerd door twee andere sherpa's, en achter hen zat Al. Zijn hoofd was een beetje achterovergezakt en zijn ogen waren gesloten. Blijkbaar sliep hij, zich niet bewust van de witte-knokkels-vlucht. Langs de hoeken van zijn mond liepen twee diepe lijnen. Ze keek weer een andere kant op, bang dat hij plotseling zijn ogen zou openen en haar erop zou betrappen dat ze naar hem keek. Gisteravond, tijdens het eten aan de gezamenlijke tafel, had hij naar haar zitten kijken. Onder zijn blik had ze zich verlegen gevoeld. Over Vern Eckers schouder heen had hij gevraagd hoe het met haar ging en of ze zich klaar voelde voor de beklimming. Ja, had ze hem verzekerd. Ze was blij hier te zijn, en ze was klaar voor de uitdaging. Het geroezemoes van het gepraat van de anderen kwam tussen hen in te hangen.

'Hé, Al. Vertel Ted eens over de tijd toen je met Vansittart op de Lhotse was.'

Hij had zich afgekeerd en Finch had naar haar bord zitten staren, naar een warboel van gestold voedsel.

De landingsstrook bij het bergdorpje Lukla was heel kort, liep over de heuvel naar boven en hield onder een rotsachtige klip abrupt op. Toen de helikopter daalde, was Finch blij dat ze tenminste niet in een vliegtuig met vleugels zat. De randen van het kleine vliegveld stonden vol met mensen en ruige, bruine ruggen van jakken. Toen ze dankbaar uitstapten, zei Sam tegen haar: 'Beter dan de laatste vlucht die we hadden.'

Al hoorde hem en keek scherp van Sam naar Finch. Hij fronste lichtjes en merkte Sam blijkbaar voor de eerste keer op.

De expeditiebagage werd met handkracht uit de helikopter gehaald. Een andere zending was de dag tevoren hiernaartoe gevlogen en stond, voorzien van Mountain People-labels, op hen te wachten. De dragers die hierheen waren gekomen, liepen, op aanwijzingen van George en Pemba, tussen de bepakkingen en rugzakken heen te banjeren. Het was een herrie van heen en weer geschreeuw en gedrang van mensen. Met een wit vertrokken gezicht probeerde Adam een handje te helpen en de orde te herstellen. Finch, die besefte dat ze de verwarring alleen maar groter zou maken, liep langzaam weg. Ze ging op een laag, stenen muurtje zitten en keek de vallei in. De hellingen van de steile heuvels waren bedekt met bomen en de hoogten daarachter waren in wolken gehuld. De koude lucht geurde naar rook en jakmest. Lukla was een lappendeken van witgekalkte huizen, omzoomd door modderige weggetjes.

Twee kleine kinderen schuifelden langs de muur en bleven vlak voor haar staan. De oudste, een meisje, droeg een lange rok van bedrukte katoen en groezelige roze sokken in veel te grote schoenen. De hoofddoek die ze over haar gitzwarte haar had geknoopt gaf haar iets van een oud dametje in het klein. Met haar ene hand hield ze de pols van haar veel kleinere broertje stevig vast. Zijn gezicht was een stralende knoeiboel van opgedroogd slijm.

'*Namaste*,' zei Finch zachtjes.

Ze staarden haar aan en beantwoordden haar begroeting zo mogelijk nog zachter, waarbij hun mond het woord alleen maar leek te spellen.

Het duurde bijna twee uur voordat de stoet van dragers en jakken opgeladen en startklaar was. Met z'n tweeën of drieën gingen de klimmers op weg en volgden een pad dat langzaam Lukla achter zich liet. Ze bevonden zich al op vrij grote hoogte, op bijna 3000 meter, en er waren goede redenen om niet al te snel te gaan. Finch strekte haar benen om haar ritme te vinden en ontspande haar schouders onder het gewicht van haar rugzak. Er ontstond iets van een nerveuze spanning in haar maag en ontspande zich weer toen haar spieren warm werden. Het grijs-witte water van een door een gletsjer gevoede rivier stroomde in een spleet van een rots, en van tijd tot tijd werd het pad er door slingerende bruggen, gemaakt van touw en planken, hoog overheen gedragen. De zwaarbepakte jakken sjouwden eroverheen en een paar bleven loeiend staan, tot de dragers hun achterste met stokken gingen bewerken.

Het was prettig lopen over de vaste, goed begaanbare grond. De bomen waren aan het uitbotten, en onder hun knoppende takken lagen de dikke lagen dode bladeren, die zich in de loop van vele seizoenen hadden opgehoopt. De lucht was vochtig en aangenaam koel. Voor zich uit kon Finch het grote, grijze hoofd van Rix en de gemillimeterde schedel van Mark Mason samen op en neer zien gaan. Zo nu en dan barstte Rix in lachen uit, maar door het geraas van het water werd het geluid gedempt en opgeslokt. Finch keek omhoog om te zien hoe het met de rest van de expeditie was. Ted en Vern, de twee bekwame Amerikanen, bewogen zich snel en gemakkelijk.

Ze was bang geweest dat Sam McGrath zich aan haar zou vastklampen, maar nadat hij beleefd had gevraagd of ze ook hulp nodig had, was hij met Sandy Jackson opgelopen. Sandy's paardenstaart hing als een dood diertje over de bovenkant van zijn rugzak. Een eindje voor hen uit liep Ken Kennedy met Pemba en George. Al liep alleen, ogenschijnlijk zonder enige moeite, maar desalniettemin met een lange, soepele tred, die hem steeds meer voorsprong op de groep gaf.

Na een tijdje keek Finch om en zag dat Adam helemaal achteraan liep, nog achter Mingma, die als hekkensluiter zou fungeren. Adam liep heel langzaam, met zijn hoofd omlaag. Ze ging op een rots aan de kant van het pad zitten, alsof ze even wilde rusten, en wachtte tot hij bij haar was.

'Hoe gaat het?'

'Zo zo,' mompelde hij.

Ze bood hem haar waterfles aan, maar hij schudde zijn hoofd.

'Ik heb al genoeg gehad. En je wilt toch niet dat ik er bacillen in spuug?'

'Voel je je nog steeds beroerd?'

'Een beetje.'

Finch hees haar rugzak weer op en liep met hem mee. Ze gingen door twee of drie nederzettingen, kleine groepen van lage, stenen of witgekalkte huizen met daken van lei of golfplaat. Kinderen renden naar buiten om hen voorbij te zien gaan en de vrouwen knikten groetend: *Namaste, namaste.*

Op het midden van de tweede dag liepen ze over een brug van planken en touw die zo'n honderd meter boven de kloof hing. Meteen daarna lieten ze de vallei en de rivier achter zich en begonnen nu echt te klimmen. Toen Finch omhoogkeek, kon ze het gezigzag van een pad zien dat over een steile, beboste klip liep. Dit was de weg naar Namche Bazaar, de oude hoofdstad van het sherpavolk. De route was drukbezet met rijen trekkers en jakken en groepjes dorpsbewoners met zware manden, die met banden aan hun voorhoofd hingen, op weg naar de zaterdagse markt in Namche.

Het was een lange beklimming. Finch zwoegde in het kielzog van hun zwaarbeladen jakken en bleef herhaaldelijk even staan om weer op adem te komen. Dit was de eerste serieuze beproeving om zich aan te passen aan hoogteverschillen, en ze voelde een waarschuwende duimafdruk van pijn voor op haar schedel. Onder in de vallei werd de rivier smaller en het pad ging nog steeds omhoog. Het was schaduwrijk onder de overhangende bomen, met hun met mos begroeide takken en heel stil, en ze concentreerde zich op de fysieke inspanning en liet haar gedachten de vrije loop. De druk in haar hoofd werd langzaam minder. Bloeiende rododendrons maakten meren van roze en geel in kraters van zonlicht.

Toen ze omkeek, zag ze dat Adam, lager op de berg, een bocht nam met Mingma naast zich. Zijn pas was nu steviger. Niemand anders had melding gemaakt van fysieke ongemakken.

Mark Mason hoestte, ze had het gehoord toen ze gistervavond wakker werd, maar toen ze hem er 's morgens naar vroeg, had hij haar vraag met een schouderophalen afgewimpeld. 'Het is de vuile lucht in Kathmandu. Straks is het weer over.'

In vergelijking met Rix' uitbundigheid en agressie leek zijn metgezel vrij rustig, maar Finch wist dat elke lijn van Marks gespannen houding en zijn vlakke, gelijkmatige stem vastbeslotenheid verrieden.

Het was laat in de middag toen de colonne klimmers en dragers het stadje Namche binnenslingerde, dat als een amfitheater in een hoefijzer op een richel lag, boven de steile kloof. De huizen en herbergen waren vierkant, plat van voren met kleine ramen en helblauwe kozijnen en lage blauwe of groene daken. De steile straten waren modderig, aan weerszijden zo hier en daar omzoomd met wat winkeltjes, die hippe kleren, voedsel en tweedehandsklimgerei verkochten. De hoogte was nog net geen 3000 meter, en zodra de zon onderging, werd de lucht koud. Finch zette haar rugzak neer en haalde er een fleece jack en een muts met oorkleppen uit, terwijl ze de trap naar het pension van de expeditie opsjouwde. De eerste aankomers van de expeditie zaten al onderuitgezakt op een balkon dat uitkeek over de straat.

'Een biertje?' riep Sandy Jackson haar toe.

'Thee,' riep ze terug.

Vern Ecker en Sandy maakten plaats aan de houten tafel en een jeugdige 'sherpani' zette een glas zwarte thee voor haar neer. Finch dronk het dorstig op. Vanaf hier zouden ze allemaal vier liter vocht per dag proberen te drinken, om uitdroging te voorkomen. Mark hoestte weer.

'Iedereen oké?' vroeg ze aan de groep. Al Hood zat een beetje afzijdig. Hij had zijn bergschoenen uitgetrokken en zijn voeten in dikke sokken lagen op een andere stoel.

'Ja, vrij goed. Is Adam hier?' vroeg Vern. Zijn gezicht was al gestoppeld door de groei van een peper-en-zoutkleurige baard.

'Hij en Mingma kwamen vlak achter mij aan,' antwoordde Finch. 'Ze moeten zó komen.'

Sam kwam op de tafel af. Hij had de kraag van een rood jack om zijn kin geritst; hij zag er enthousiast uit en zijn ogen glinsterden. Finch zuchtte inwendig.

'Mag ik erbij komen zitten?'

De andere klimmers schuifelden met hun stoelen, maar de enige vrije stoel op het drukke balkon was die onder Als voeten. Hij haalde ze er langzaam en met tegenzin af.

'We kennen elkaar nog niet,' zei Sam lachend en ging zitten. 'Ik ben Sam McGrath.'

'Wie ben je?' vroeg Al.

'Sam McGrath.'

'Ik heb je naam gehoord, Sam. Ik vroeg wie je bent.'

'Dat is een moeilijke vraag. Wie is iemand?'

Er viel een korte stilte.

Sandy zat met zijn wijsvinger zijn paardenstaart te aaien alsof het een knuffeldier was, terwijl hij met een vertrokken glimlachje naar de kleine gedachtenwisseling luisterde.

Als gelaatsuitdrukking veranderde niet. Hij wachtte tot Sam een ander toontje ging zingen en hem antwoord gaf.

'Ik heb deze mannen in Kat in een bar ontmoet en we konden het goed met elkaar vinden. Ik reis alleen en ze hebben me uitgenodigd een eindje met hen mee te lopen. Ik ben hier nog nooit geweest.'

'Ben je een bergbeklimmer?'

Er klonk een geklos van zware schoenen die een houten trap ergens dichtbij opklommen, het getinkel van bierglazen op een blad en een klap, gevolgd door het rollen en klikken van ballen, toen iemand een stoot gaf op de biljarttafel in de bar.

Finch had hem hetzelfde gevraagd, tijdens de vlucht naar Vancouver. Hij was zich ervan bewust dat zij aan de ene kant van hem zat, half verscholen achter Ted Koplicki, en dat Alyn Hoods blik hem uitdaagde – hem tartte – om zichzelf te bewijzen. En opeens moest hij aan zijn vader denken, thuis in Wilding, die de hele dag naar praatshows zat te kijken en wachtte op niets.

'Ehhh.'

Al had zijn aandacht al ergens anders op gericht. George Heywood stond in de deuropening van het balkon en de jeugdige sherpani nam een bestelling op voor meer bier. Er waren wolken komen opzetten die de bergen uitwisten, en het eind van de straat was aan het gezicht onttrokken door een dunne, kille mist. Ted stond op en liep de bar in, waarmee hij tussen Sam en Finch een lege stoel achterliet. Tot zijn verrassing lachte ze tegen hem, een flikkering van vriendelijk medeleven.

'Daar zitten we dan,' zei hij, en vervloekte inwendig zijn eigen banaliteit.

'Moet je dit alles eens zien!' Haar gebaar ging naar de straat, met zijn verkeer van sherpa's en Tibetaanse straatverkopers, met bladen vol met turkooizen, koralen en zilveren sieraden, en de geur van appels en kaneel uit de bakkerij beneden; een berghelling, met daar ergens boven en achter de onzichtbare, gedroomde Himalaya's, die dicht genoeg bij waren om hen te beroepen en zich bewust te maken van hun stoutmoedige voornemens. Beiden dachten ze aan de mondaine drukte van het vliegveld, waar ze elkaar voor het eerst hadden ontmoet en de reis naar Vancouver, en het bekende en routinematige dat ze achter zich hadden gelaten. De onuitgesproken herinnering was de eerste gemeenschappelijke band die er tussen hen werd geslagen.

Sam zag hoe haar huid zich in de koude lucht over haar jukbeenderen spande en haar ogen schitterden van enthousiasme voor de plek en het avontuur. 'Wat doe je vanavond?' vroeg hij.

'Hetzelfde als iedereen. Eten en dan slapen. Hoop ik.'

'Ga met me eten.'

Finch begon te lachen. 'In Namche? Zullen we Italiaans of Frans gaan eten, of misschien heb je liever sushi?'

'Onderweg naar boven heb ik een restaurantje gezien waar je kerrieschotels kunt krijgen.'

Hij zag haar aarzelen.

Ze was bezig bakzeil te halen. Ze zou een uurtje of zo met hem als gezelschap achter een schaal met jak korma gaan zitten in plaats van met Rix en Sandy en de anderen.

Hij kreeg zin om een roffel van triomf op de tafel te slaan. Seattle of Vancouver zou veel makkelijker zijn geweest, maar Namche Bazaar gaf deze eerste smaak van overwinning een speciaal aroma.

Mingma baande zich een weg achter de stoelen langs. Hij had zijn jas uitgetrokken en er was een roze Lacoste-poloshirt te voorschijn gekomen. De meeste sherpa's droegen met trots de kleren die ze van westerse bergbeklimmers en trekkers hadden geërfd.

'Mevrouw dokter? U moet bij meneer Adam komen. Hij is ziek.'

Finch stond onmiddellijk op. 'Waar is hij?'

'Binnen.'

'Sorry, Sam.'

Hij keek hoe ze wegliep en staarde toen naar beneden, naar de modderige afgrond van de straat.

Adam lag op het onderste bed, het dichtst bij de deur van een kamer met drie tweepersoonsslaapbanken. Hij was grauw en uitgeput en beschermde met één hand zijn ogen. Finch bekeek hem en maakte het slot van haar koffertje open.

De zesde slaapplaats in de kamer was die van Sam, en toen hij, na een half uur alleen op het kille balkon te hebben gewacht, de enge ruimte binnenschoof, stonden George, Al en Finch met hun drieën om de patiënt heen. Adams ogen waren open en zijn knieën waren opgetrokken onder een hoopje slaapzak. Het was duidelijk dat er een ernstig gesprek aan de gang was.

'Hallo, kerel,' zei Sam zachtjes.

'Ze willen me terugsturen,' zei Adam meteen. 'Ik wil niet. Ik heb haar gezegd tot morgen te wachten en het dan nog eens te bekijken.'

Finch gebaarde hem om rustig te blijven liggen. 'Je moet wat hoogte verliezen,' zei ze vriendelijk. 'Rust een paar dagen uit in Phakding. Dan kun je weer terugkomen om te proberen te acclimatiseren.'

'Nergens voor nodig,' hield Adam vol. 'Ik heb nooit hoogteproblemen gehad. Morgen voel ik me weer prima.'

'Ik stuur vanavond Mingma en een van de dragers met je mee naar Phakding,' zei George. 'Ze maken zich al klaar.'

'Nee.' Het was nu botweg een weigering.

George trok een wenkbrauw op naar Finch, die haar hoofd schudde. Sam zag de wanhoop en het verzet in Adams vertrokken gezicht, en de uitdrukking was hem zeer bekend, hoewel ze in de uithoeken van zijn geheugen lag opgeslagen en met andere omstandigheden te maken had. Hij begreep hoe graag de andere man deze kans wilde benutten om de berg te beklimmen. Het was wreed om zo'n kans te worden ontnomen voordat de piek zelfs maar in zicht was. 'Geef hem een kans,' kwam hij tussenbeide.

Als hoofd had zich omgedraaid en hij keek Sam met kille ogen aan, alsof hij hem voor de eerste keer zag. 'Ik heb een man zien sterven aan hersenoedeem. Het was geen lolletje.'

Finch keek hem even aan, en toen Als aandacht op Sam gericht bleef, draaide ze haar stethoscoop in een lus en legde hem terug in haar koffer. 'Ik zeg niet dat hij oedeem heeft. Hoofdpijn, vermoeidheid, misselijkheid en duizeligheid wijzen alle op acute bergziekte, en we zijn op een hoogte waar dat volgens mij het probleem kan zijn. Maar het punt waarop hoogteziekte zich ontwikkelt tot hersen- of longoedeem is vaak moeilijk te bepalen, en bij twijfel is afdalen het beste medicijn.'

Sam zei: 'Kan hij zelf niet beslissen of hij wil gaan of blijven?'

'Niet zolang ik ben ingehuurd om deze expeditie te leiden. Hij doet wat ik zeg op grond van het advies van de arts,' zei Al.

Adam protesteerde nog steeds, maar nu wat zwakker. 'Luister, ik heb hier een klus te klaren. Sorry, George.'

De rand van Georges grijze haar stond als een groezelige halo rondom het ei van zijn hoofd. Hij was ongeschoren en zijn vriendelijke gezicht was gefronst van bezorgdheid. Zijn snel aangetrokken geruite flanellen overhemd hing aan één kant halverwege zijn bovenlijf. 'Ik ben het met Al en de dokter eens. Maak je geen zorgen. We redden het wel tot je weer geacclimatiseerd bent. Je kunt later weer bij ons komen.'

Mingma verscheen in de deuropening, met een drager schuin achter hem. De drager was zo knokig en geribbeld als een boomstam, en zelfs nog wat erger. Heel zijn leven besteedde hij aan het dragen van bepakkingen over de paden naar de Everest en weer terug, voor een paar roepies per dag. Weer een klimmer veilig naar dikkere lucht terugbrengen behoorde ook tot zijn dagelijkse bezigheden.

'Klaar voor vertrek,' zei Mingma. Het was stil toen Finch en Sam Adam overeind hielpen en zijn parka dichtmaakten.

Het kleine konvooi schuifelde naar buiten de straat op. Mingma ging voorop met een bepakking op zijn rug en Adam werd ondersteund door de drager, die tot aan zijn schouder kwam. 'Godallemachtig, mijn hoofd,' mompelde Adam toen hij begon te lopen. De drie mannen droegen allen een koplampje, hoewel de sherpa's de weg blindelings kenden.

'Ik kom terug. Dat is een ding dat zeker is,' kon Adam nog over zijn schouder zeggen. Allen voelden zijn teleurstelling en de dreiging van persoonlijk falen om zich heen hangen, klammig als de bergmist. Ieder van hen, behalve Sam, was hierheen gekomen met de bedoeling zo ver en zo hoog mogelijk te komen. Dat een van hen nu al moest afhaken was een onwelkome herinnering aan hun feilbaarheid.

'Natuurlijk kom je terug. Tot over een paar dagen.' Het was Sam die dit zei.

De lichtstralen van de lampen zwaaiden over de voorgevels van de huizen.

De andere leden van de expeditie stonden op een kluitje de aftocht gade te slaan.

Toen ze weg waren, draaide Al zich om en zei tegen Sam: 'Jij. Bemoei je niet met zaken die deze expeditie aangaan. Oké?'

Sam was weer een jongetje van tien, die in het openbaar een afstraffing van zijn vader kreeg. Hij vocht tegen een misselijkmakende mengeling van kinderlijke verontwaardiging, vernedering en volwassen boosheid. 'Val dood,' snauwde hij.

Het enige wat Al deed, was weglopen, terug naar het pension. De andere klimmers bleven niet zolang rondhangen tot ze zeker wisten dat er niet zoiets interessants als een gevecht in het verschiet lag. Uiteindelijk waren Sam en Finch de enigen die nog overbleven.

'Al is niet wat hij lijkt,' zei Finch.

'Hoe weet jij dat? Waarom verontschuldig je hem?'

'Doet er niet toe. Ik waardeer het dat je het voor Adam opnam.'

'Maar je hebt hem wél terug laten gaan.'

'Ik moet hier ook mijn werk doen, Sam. Dit betekent niet dat ik het niet vervelend vind voor Adam, of zijn teleurstelling niet begrijp, omdat ik net zo graag als hij de berg wil beklimmen. Maar medisch gezien was het de juiste beslissing, en dat is wat George van mij verwacht en waarop Al rekent. Oké, misschien was hij vanmorgen wel in orde, of misschien was hij ernstig ziek. Boven op de berg is het niet zo makkelijk, en waarom zou je het risico nemen?'

Sam dacht hierover na, en over het delicate evenwicht dat Finch moest bewaren tussen tegelijkertijd staflid en cliënt te zijn. Een beetje te laat besefte hij dat hij haar met zijn tussenkomst geen dienst had bewezen. 'Het is alleen maar dat zijn uitdrukking me aan iemand deed denken.'

'Mag ik vragen aan wie?'

Ze stond dicht bij hem, en hij kon het wolkje zien dat haar adem in de vochtige, koude lucht maakte. De band tussen hen was veranderd. Hij had er een dimensie van vriendschappelijkheid bij gekregen. 'Mijn vader,' zei Sam.

'Ga verder.'

'Bij het eten.'

'Sam, niet vanavond.'

'Wat moet ik doen?'

Plotseling lachte ze, een kleine flits van wit in het schemerige licht. Uit een van de bars achter hen ontsnapte een uitbarsting van muziek. Ze trok de rits van haar fleece jack met een metaalachtige klik tot onder haar kin en haar uitademing maakte nog een wolkje van condens. 'Even denken. Ehhh. De Everest beklimmen?'

'Is dat alles?'

Tussen hen begon het lontje van pret te gloeien, broos als een suikerspin.

'Ja, dat is alles. Doe het en ik ben tot je beschikking.'

'Beschouw het als gedaan.'

Ze kuierden terug naar het pension.

'En jij gaat me over je vader vertellen?'

'Niet vanavond. Ik kan het spelletje van moeilijk te veroveren namelijk net zo goed spelen als jij.'

Finch lachte. 'Ik krijg het er wel uit.'

Rix en Vern Ecker waren aan het biljarten, gadegeslagen door snaterende Australische trekkers. Hun inzetgeld, een stapeltje verkreukelde roepiebiljetten, lag onder een leeg glas op een tafeltje ernaast. 'Sam, haal jij wat bier?'

Finch had een van de onderste bedden in de andere slaapzaal. Ze legde haar slaapzak op de smoezelige matras en propte haar onderjack in een katoenen zak om een kussen te maken, de bekende expeditiemanier, en stapte toen in haar thermische onderkleding in bed.

'Hoe doe je dat met wassen en al dat soort zaken op die tochten?' had Suzy haar eens gevraagd. Finch moest nu glimlachen bij de gedachte aan Suzy's omstandige schoonheidsrituelen en haar badkamerplank, bezaaid met Clarins en Clinique. Ergens in de loop van hun lange vriendschap hadden ze de rollen omgedraaid; Finch was, naarmate ze zich meer aan de invloedssfeer van haar moeder had onttrokken, van een Vancouver-prinses veranderd in een bergzigeunerin, en Suzy kreeg de welverzorgde air van een mondaine kinderarts, verloofde en nu mevrouw Jeffery Sutton.

'Het is koud, begrijp je? Je zweet niet zo. Of je wordt niet zo smerig.'

'Dus het komt erop neer dat je je niet wast?'

'Daar komt het op neer.' Op deze lagere, warmere hoogten kon het een beetje verraderlijk zijn. Finch' glimlach verbreedde zich bij het idee dat Suzy een glimp zou opvangen van de verschrikking van de badkamer aan het eind van de gang. Maar het was oké, redeneerde ze, zolang iedereen in hetzelfde schuitje zat. Iedereen rook gewoon hetzelfde.

Mark in het bed tegenover haar sliep al, dus deed Finch haar koplamp niet meer aan om te lezen. In het donker lag ze te luisteren naar de geluiden. Op het erf onder het raam blafte een drietal honden. Over de houten vloer boven haar hoorde ze bergschoenen stampen en vanuit de bar steeg flauwtjes muziek op. Er sloegen deuren dicht en de houten balken en beddensteunen kraakten toen het pension zich begon klaar te maken voor de nacht. Namche was geen vredig plaatsje. Verderop zou het rustiger zijn, op de gletsjer, onder de keten van hoge pieken.

Al zat alleen op het balkon dat uitkeek over de straat. Het was koud in de mistige duisternis. Alle anderen waren binnen, in de prikkelende warmte van de bar, maar hij gaf de voorkeur aan de eenzaamheid hier.

Zijn irritatie over de bemoeizuchtige jongen, wie hij ook mocht zijn, had zich al opgelost. Hij dacht er op dit moment helemaal niet meer aan. In plaats daarvan liet hij in gedachten de persoonlijkheden en de vermoedelijke vaardigheden van zijn zes cliënten de revue passeren, voorzover hij hen op dit moment kon kennen, en hun kansen om de top te bereiken. Hij dacht dat de twee Amerikanen, Vern en Ted, fit en sterk waren en het wel zouden halen als de weersomstandigheden het toelieten. Rix was een ouwehoer die te veel praatte, maar hij beschikte daarnaast over een grote vastberadenheid. Mark Mason leek altijd in zijn schaduw te staan en Al was bang dat, als Rix om de een of andere reden zou afvallen, Mark zelf niet het uithoudingsvermogen zou hebben om alleen verder te gaan. Maar ik kan het mis hebben, dacht hij. Hij had gezien hoe rustige, zichzelf wegcijferende mensen de belichaming van wilskracht bleken te zijn. Sandy Jackson was zorgwekkender. Hij was neurotisch, vermoedde Al, en had er genoegen in onenigheid te zaaien. Hij had waarschijnlijk geen teamgeest, en dat kon moeilijkheden veroorzaken. Al had een antipathie tegen hem gekregen, maar hij zou zijn best doen dat niet te laten merken. Spider zei altijd dat energie, kundigheid en verdraagzaamheid de drie principes waren voor serieuze bergsport, en dat in een klerekamp, midden in een storm hoog in de bergen, verdraagzaamheid het moeilijkst was vol te houden.

'Zeker voor jou, kerel,' lachte Spider dan.

Als professionele gids was het nu een van Als taken om onpartijdig te zijn en het moreel van zijn groep in de gaten te houden. Het was jammer van Adam Vries. Hij was sympathiek, en zijn goede humeur had iedereen kunnen opmonteren op alle neerslachtige momenten die er zeker zouden komen. Misschien zou een paar dagen rust op lagere hoogte zijn probleem verhelpen.

En dan was er Finch Buchanan. Wát ze ook deed, ze zou het goed doen, met de ernst die zo kenmerkend voor haar was. Al bleef met zijn gedachten nog even bij haar. Misschien zou hij morgen een gelegenheid vinden om met haar te praten, buiten het bereik van de ogen en oren van de rest van de groep.

Hij stond abrupt op en richtte zijn aandacht voorlopig weer op de expeditie. Het was geen slechte groep; hij had wel minder veelbelovende aspiranten naar de top van hoge bergen gebracht.

Automatisch keek Al omhoog naar de zwarte lucht. Alles wat hij kon doen om de risico's voor hen zo klein mogelijk te maken, zou hij doen. Maar hij wist dat gevaar niet altijd te voorzien was, en wanneer het in de bergen ontstond, kwam het snel. Ze waren overgeleverd aan de genade van het weer, het ijs en de wind, en hun eigen kleine aspiraties waren ondergeschikt aan krachten die veel groter waren.

Geen enkele van deze speculaties was nieuw voor hem. Hij sloeg zijn jack om zijn schouders en verliet de duisternis om naar binnen te gaan.

Een voor een gingen de andere mannen naar bed. Zodra de deur openging, wist Finch dat het Al was – door de manier waarop hij zich bewoog, de vorm van zijn schaduw. Ze lag roerloos terwijl hij zijn bovenkleren uittrok en ze op de vloer liet vallen, tot ze zich realiseerde dat ze was vergeten te ademen. Happend naar adem zogen haar longen zich vol lucht, wat een hol geluid maakte. Zijn bed lag in het verlengde van het hare. Hij legde zijn hoofd aan het andere eind. Ze hoorde hem even draaien in zijn slaapzak, toen stilte. Het enige licht in de kamer was een grijsachtige streep naast het raam. Mark Mason snurkte. Finch' voeten raakten bijna die van Al. Het was het intiemste contact dat ze hadden gemaakt sinds de expeditie op weg was gegaan. Het was komisch, dit teen aan teen liggen in een smalle slaapzaal die rook naar mannenvoeten, stof en gedragen kleren, maar het resultaat was dat ze krampachtig in haar onderste cocon lag, met haar ogen zó wijd opengesperd dat ze gingen prikken.
Het duurde lang voordat ze in een slaap viel die was overladen met dromen.

De volgende dag werd in Namche doorgebracht, om te kunnen acclimatiseren. Sommige klimmers rustten uit, hetzij in hun bed, hetzij in de bars en cafés. Finch besloot een wandeling te gaan maken, om na eerst te zijn gestegen weer te kunnen afdalen. Ze wist uit ervaring dat slapen op een hoogte die onder het maximum van overdag lag voor een betere nachtrust zorgde, en ze voelde zich vermoeid en suf na de ongerieflijke nacht die ze achter zich had.
Vanuit het dorp liep een pad steil omhoog, tussen lage stenen muren door. Ze begon vastberaden te klimmen, haar handen in de zakken van haar jack. Ergens hierboven moest het beloofde, eerste uitzicht op de Everest zijn. Maar vandaag was het uitgesloten om er zelfs maar een glimpje van op te vangen. Vanuit de kloof onder Namche wervelden dikke wolken omhoog en werden alle vergezichten erboven toegedekt.

Na een halfuur stevig doorklimmen bleef ze staan en rustte wat uit op een rotspunt. Het korte gras aan haar voeten was blauw van de gentianen. Ze dacht dat er iemand langs hetzelfde pad omhoogkwam en sneller klom.

Het was Al. Zonder zich te bewegen, keek Finch hoe hij dichterbij kwam. In gedachten probeerde ze zinnen te formuleren, de zenuwslopende opwinding van vragen en verklaringen, maar zodra hij voor haar bleef staan, besefte ze dat woorden er niet toe deden. In plaats daarvan stond ze zwijgend op, zich scherp bewust van de glibberige grond onder haar voeten en het isolement door de toenemende nevel.

Hij legde zijn handen op haar armen en ze keken elkaar aan. Er ging een minuut voorbij en toen nog een, terwijl ze de lijnen en schaduwen van elkaars gezicht verkenden. Nog steeds zonder iets te zeggen, verstevigde hij zijn greep en trok haar dichter naar zich toe. Hun monden raakten elkaar, koud in de koude lucht. Lang kusten ze elkaar, en het was geen verkenning maar een bekentenis. Toen ze ophielden met kussen, hield hij haar nog steeds vast, alsof hij haar wilde beletten te ontsnappen. Nu was er te veel om te zeggen. De woorden borrelden op, drukten zich tussen hen in.

'Vijf jaar,' zei Finch verwonderd.

'Er is geen dag geweest...' begon hij, en ze glimlachte om het geluid van zijn stem en de verklaring. Hij zag haar geamuseerdheid en kuste haar opnieuw.

'Achttien maanden geleden zag ik je naam in een fax, en het was alsof ik de vertaling zag van iets dat altijd in een vreemde taal had gestaan. Toen ik het eenmaal begreep, wist ik dat dit zou gebeuren. Ik hoefde alleen maar te wachten.'

'Een fax?'

'Van George. Hij zei dat je meewilde als expeditiearts, heeft je ervaring en kwalificaties opgeschreven en vroeg of ik je kende of over je had gehoord.'

'Aha. En wat heb je gezegd?'

'Ik zei... dat ik over je had gehoord. En dat ik er zeker van was dat je de ideale vrouw was voor deze baan.'

'Dank je. Dus hij heeft me aangenomen. Je wist dus dat ik er zou zijn?'

'Natuurlijk, Finch.'

Natuurlijk. Al had altijd alles onder controle. Ze keek hem recht in de ogen. 'Ik dacht dat je misschien vergeten was wat er was gebeurd. Me helemaal was vergeten.'

Hij gaf geen krimp. 'Nee, ik was het niet vergeten. Het was geen flauwekulletje. Ik meende het. Er is geen dag voorbijgegaan dat ik niet aan je heb gedacht.'

'Hoe is het met je gezin?'

'Goed, dank je. Molly is bijna volwassen.'

Het kwam Finch plotseling absurd voor dat ze deze beleefde conversatie voerden over het gezin van de man en tegelijkertijd in elkaars armen stonden, na vijf jaar, begerig om de lagen gewatteerde stof die hen van elkaar scheidden, eraf te trekken. Ik ben tenminste wel begerig, dacht ze. Ik weet niet hoe het met hem is. Dat heb ik eigenlijk nooit echt geweten.

Ze deed een stap terug en haar gezicht verstrakte, maar hij trok haar dichter naar zich toe. Hij was ruw, deed haar bijna pijn.

'Jen en ik zijn gescheiden. Een jaar nadat ik terugkwam. We leven al meer dan twee jaar ons eigen leven.'

De strakheid in Finch' gezicht loste zich op in rimpels van verbijstering. 'Waarom heb je...'

'Het je niet verteld? Je opgezocht?'

'Ja.'

'Je bent een sterke vrouw, Finch. Geen kind of een afhankelijke, of voor de helft van iemand anders. Wie was ik om de pretentie te hebben weer in je leven terug te komen, zoals je ook niet in het mijne terugkwam?'

'Dus je hebt op een fax gewacht.'

Hij dacht hier even over na. 'Ik wist dat we elkaar weer zouden ontmoeten. Ik wist niet waar of hoelang het zou duren, maar ik wist zeker dat het zou gebeuren. En ik was ook bang voor wat het zou betekenen, om alle redenen die je kent en van me weet.'

Ja, dacht Finch. Om zich te binden en zijn vrijheid te verliezen, alle dingen waarvoor bergbeklimmers altijd bang waren.

'Toen zag ik je naam. Als een vertaling.'

Hij was eerlijk. Toen was hij ook eerlijk geweest.

Hij keek om zich heen, naar de parelkleurige lucht en het pad dat in een bocht naar boven liep. Een paar meter verderop stond een laag, stenen gebouwtje, dat uitkeek op de kloof beneden, en hij nam haar hand en leidde haar naar de achterkant ervan. Hij maakte zijn rugzak los, zette hem op de grond en liet die van Finch van haar schouders glijden.

'Laten we gaan zitten.'

Ze gingen zitten en leunden tegen het afgebrokkelde gesteente. De warmte van de zon begon de mist te verdrijven. Boven hun hoofd suggereerde de lucht het vaalste blauw. Al haalde een chocoladereep uit een zak en deed het papier eraf, opende toen een rode, metalen waterfles en reikte haar die aan. Ze dronk warme, zwarte thee, en hij brak vierkante brokjes chocola af, legde die in haar hand en likte aan zijn vingertop om de kruimeltjes uit haar handpalm te deppen alvorens zelf een stukje te nemen. De intimiteit van dit kleine gebaar beroerde haar dieper dan een seksuele avance. Haar verlangen naar hem was zó sterk dat ze haar ogen sloot en met haar hoofd tegen de helling leunde. In haar mond proefde ze de zinnelijkheid van het restant van chocoladesmaak.

'En jij?' vroeg Al.

Er viel eigenlijk niet zoveel te vertellen.

Werk, interessant en waardevol, en vrij goed betaald en altijd verlevendigd door Dennis' gezelschap. Suzy en haar andere vrienden, van wie de meesten getrouwd. Haar familie en de besloten kring van veiligheid. En Ralf, tot een paar weken geleden. En verder, in het laatste jaar of nog langer, waren er deze expeditie en de voorbereidingen geweest – die meer ruimte opeisten dan er in haar leven beschikbaar was; Finch begreep dat heel goed. Ze vertelde het, in het kort, omdat ze niets de moeite waard vond om in details te treden.

Toen de chocola helemaal op was, zaten ze stilletjes te luisteren naar het lage geklingel van jakbellen.

'Waarom ben je hier?' vroeg Al ten slotte. Hun schouders en heupen raakten elkaar net en ze zaten in dezelfde houding, met hun knieën hoog opgetrokken.

'Ik wil klimmen.' Het was waar, en ook al had de behoefte in Finch' geval niet echt iets met angst te maken, de gedachte eraan maakte haar wel angstig. Finch wist dat het leven haar rijk had bedeeld en dat er een brokje ambitie in haar was dat haar prestaties in de wereld van de bevoorrechten verwierp en haar deed zoeken naar een rechtstreekse, meer absolute uitdaging. 'En omdat ik jouw naam zag staan op een expeditielijst die nog een arts zocht. Ik dacht dat als jij niet naar mij toe kwam, ik dat zou moeten doen, zelfs als het betekende dat ik daarbij ook nog de Everest moest beklimmen.'

Eerlijkheid vroeg om eerlijkheid, dacht ze. Al leek zijn gevouwen handen te bestuderen. Finch wachtte en keek naar de lentebloemen in het gras, zonder de kleuren te zien.

'Dank je,' zei hij ten slotte. En toen: 'Kijk.'

Ze hief haar hoofd op. De zon had de laatste slierten mist opgelost. In de wolken boven hen was een grote, zilver omrande blauwe scheur verschenen, en het was alsof de verre pieken als zeilen van reusachtige galjoenen de ruimte bereden. Hun metamorfose maakte ze nog dreigender en luisterrijker. Finch herkende de richel en de top van de Nuptse en daarachter, met een transparant litteken van stuifsneeuw dat vanaf de top omlaagliep, was de Everest.

In het dorpje zaten Ken en George achter een tafeltje op het blauw geschilderde balkon naar de hoofdstraat te kijken. Deze was vol met sherpagezinnen en trekkers, op weg naar of terugkomend van de markt. Twee vrouwen kwamen schommelend de heuvel af, ieder met een toren van aluminiumpotten en -pannen balancerend op hun hoofd, en een andere droeg een mand met vlezige rode en groene pepers.

'Waar is Al?' vroeg George.

Ken gaapte en haalde zijn schouders op. 'Ik heb hem bij het ontbijt gezien. Hij maakt een wandeling, denk ik. Altijd dezelfde Al, zegt alleen iets wanneer het nodig is. Nog nieuws over Adam?'

'Finch en ik hebben hem gebeld. Hij voelt zich beter dan gisteravond. Maar nog niet goed. De rest is toch oké?'

Ken knikte. 'O, ja, nog geen problemen. Mason heeft last van zijn borst en Rix' mond is te groot, verder niets aan de hand.'

'Maar wat Adam betreft; als hij niet op tijd weer beter is, hebben we misschien wat extra draagkracht nodig. Met de voorraden red ik me wel, maar met de communicatie kan het wel eens wat moeilijker worden.'

'Wat voor problemen kunnen een paar radio's, een satelliettelefoon en wat e-mailberichten opleveren, George? Al, jij en ik kunnen het samen wel oplossen wanneer we eenmaal het basiskamp hebben opgezet.'

'O, zeker.'

Sam McGrath kwam de straat af en liep de trap op naar het balkon. In zijn ene hand had hij een zak met kleine, misvormde appels van de markt, zijn andere hand zwaaide met een parka.

De middagzon was warm.

'Sam, wil je wat drinken?' vroeg Ken.

'In ruil voor een appel.'

Ken ving het fruit met één hand op en gooide het rechtstreeks door naar George. Sam ging schrijlings op de dichtstbijzijnde stoel zitten. Een minuutje of twee hield hij zich bezig met het te voorschijn halen van een zakmes en het schillen van een volmaakte spiraal. Hij beet in het gele vlees en kauwde bedachtzaam.

'Goed als ik een minuutje met je praat?'

George knikte instemmend.

'Ik wil vragen of ik de plaats van Adam Vries kan innemen.'

Ken lachte met wat op echte geamuseerdheid leek. George draaide met zijn vingers de knoestige appel rond.

'Ik stel het aanbod op prijs, Sam. Je ziet er fit uit, maar het is niet de eerste de beste berg, en dit is een commerciële expeditie. Het is mijn plicht om mijn cliënten de beste kans op succes te bieden en dat gedeeltelijk te doen door hen te ondersteunen met een zo optimaal mogelijk klimteam.'

'Minus Adam, nu,' zei Sam vriendelijk.

'Adam heeft van jongs af hoge bergen beklommen. Deze keer heeft hij gewoon pech. Dat kan iedereen gebeuren. Maar hij bezat alle juiste kwalificaties voor het karwei.'

'Hij zou zorgen voor de voorraden en de communicatie, is het niet? En voor de voorraden is inmiddels gezorgd, geloof ik.'

'Min of meer.'

'Oké. Nou, ik ben afgestudeerd in communicatietechnologie. Ontwerp, theorie, praktijk, en ik werk nu als informatie-ontwerper.

Ik breng alle verschillende elementen samen om een website te ontwerpen, weet wat het verschil is tussen een GIF en een JPEG. Ik kan de HTML coderen, het JavaScript of CGI...'

George stak zijn handen op. 'Ho.'

'Dus een generator en een transmitter of een satelliettelefoon, of zelfs een PC met e-mail monteren zal niet al te veel problemen opleveren. Ik kan ook boekhouden. Als je me aanwijzingen geeft, denk ik dat ik alles kan overnemen wat Adam aan planning en beheer van de voorraden zou doen.'

Ken lachte opnieuw, en zijn door de wind gebruinde gezicht plooide zich in rimpels. 'Je bent een volhouder, jongen, dat moet ik je toegeven.'

Sam keek niet eens naar hem. Zijn aandacht was geheel en al op George gericht.

George zei niet onvriendelijk: 'Luister, jongen. Je mag dan de grootste informatie-ontwerper van de wereld zijn, en misschien ben je dat ook wel, maar daarmee kom je deze berg nog niet op. Adam ging niet alleen mee om lijsten van ingeblikt voedsel op te stellen en met een paar knoppen te spelen, hij was hier om Al, Ken en de sherpa's te ondersteunen. Ik ben nu een ouwe knar en ik ga niet hoger dan het basiskamp.'

Sam zat volkomen ontspannen op zijn stoel, met zijn onderarmen op de leuningen. Hij liet een nadenkende stilte van een minuut of twee voorbijgaan. Toen zei hij: 'Mijn vader is Mike McGrath.'

George legde de appel neer. 'Mike? Ben jij Mikes zoon? Ik dacht dat hij...'

'Nee. Hij woont nog in Oregon, maar klimt niet meer. Maar toen ik nog een kind was, nam hij me overal mee naartoe. Hij zei altijd dat ik vóór mijn twintigste de Cap zou beklimmen, net als hij. Nu spijt het me dat ik het niet heb gedaan. Ik weet niet of jij kinderen hebt, George.'

'Drie. Eén jongen. Werkt bij de filmindustrie in LA.'

'... maar het schijnt erbij te horen dat je niet doet wat je ouweheer je toewenst.'

'Ja. Dat schijnt erbij te horen,' zei George zacht. 'Ik weet niet of dat nu wel zo erg is, wanneer je ouweheer met de bergen is getrouwd. Zoals je vader was, en zoals Ken, Al en ik zijn geweest.'

'Misschien. Ik ben in plaats daarvan gaan hardlopen, lange afstanden. Meestal marathons. Mijn beste tijd is twee uur twintig. Ik ben niet gekwalificeerd voor Sydney, helaas, maar de trials zijn pas zes weken geleden geweest en sindsdien heb ik regelmatig getraind. Ik ben nog steeds in conditie.'

'Daar twijfel ik niet aan, jongen.'

'Ik kan klimmen, George. En ik kan dezelfde bepakking dragen als Adam zou hebben gedaan, en als cliënten naar de top brengen er ook bij hoort, ben ik daar net zo goed toe in staat als jij, of als Ken.'

De twee mannen keken hem aan.

'Geef me het baantje,' smeekte Sam.

'Het is hard werken, wordt slecht betaald en het is geen glansrol. Als er iemand de top bereikt dan zijn het de betalende klanten, als eerste, tweede en derde. Waarom wil je het zo graag?'

Sam keek hem recht aan. 'Ik zou er mijn ouweheer een plezier mee doen.'

George knikte.

Schot in de roos. En het was nog waar ook, dacht Sam. Mike zou het fijn vinden, voorzover iets wat zijn zoon deed hem een plezier kon doen. Ook was het waar dat hij informatie-ontwerper was en een diploma boekhouden had, hoewel de naakte feiten nu niet bepaald een kloppende verklaring aflegden voor de mislukking die zijn leven was geworden. Hij wilde bij de expeditie blijven omdat hij op dit moment niet veel anders met zijn tijd had te doen. En omdat hij dicht bij Finch wilde blijven, ook al was het een romantische illusie. Iedereen heeft iets nodig in het leven om zich aan vast te klampen, zei Sam tegen zichzelf. Als dat voor mij Finch Buchanan is, en dat is zo, dan heb ik meer dan ik een maand geleden had.

'Oké,' zei George. 'Ken?'

De andere man haalde zijn schouders op. 'Ja. Wat hebben we te verliezen?'

'Ik zal bellen om te kijken of we in plaats van Adams naam jouw naam op de vergunning kunnen krijgen. Maar als Adam terugkomt, lig jij er weer uit. En Al is de expeditieleider. Hij heeft het laatste woord.'

'Ik begrijp het,' zei Sam rustig.

Al en Finch zaten naar de bergen te kijken tot de wolken kwamen en ze weer verborgen. Ze huiverde een beetje, omdat het koud was om stil te zitten toen de zon eenmaal weg was. Daarom pakte Al haar beide handen en trok haar omhoog. Hij hield ze tussen de zijne en Finch bestudeerde zijn gezicht. In het verleden, wanneer ze aan hem dacht, was ze bang geweest dat ze was vergeten hoe hij eruitzag. De gelaatstrekken op zich, ogen, mond en haar, kon ze beschrijven, maar alles bij elkaar en de steeds wisselende uitdrukkingen waren haar ontschoten. Nu was ze verbaasd hoe volkomen vertrouwd hij leek. Ze waren maar zo kort samen geweest en toch was hij bij haar gebleven, in haar gedachten. Dat leek onuitsprekelijk kostbaar en belangrijk.

'Wat gebeurt er nu?' vroeg ze.

Hij hief zijn hoofd op, naar de berg. 'We gaan daarheen.'

'En dan?'

'En dan hebben we het gedaan.'

Deze rechtlijnige doelgerichtheid was Al zó ten voeten uit dat Finch in de lach schoot, en in Als donkere gezicht kwam een flikkering die de lijnen om zijn ogen en mond ontspande, tot hij met haar meelachte. Schuddend van het lachen hielden ze elkaar vast, toen hij plotseling haar gezicht in de palm van zijn hand nam en haar weer kuste. Het gelach vervaagde toen ze elkaar proefden en meer wilden.

'Het enige wat ik weet, is dat ik blij ben dat je er bent,' zei hij, en legde zijn mond op de hare. 'Jezus, wat klinkt dat lauw! Het is veel meer dan dat, veel meer dan alles waarop ik had gehoopt, om je gewoon te zien en aan te raken. Ik verdien het niet, maar dank je.'

'Je verdient het wel. En ik verdien geen dank voor iets wat ik wil doen.'

Hun geluk leek meer te schitteren dan het verdwenen zonlicht. Het kleurde het gras en de gentianen en gaf ze iets bovenaards. Het blauw en groen van de daken van de huizen, die onder hen een hoefijzer vormden, tekende zich haarscherp af in de stille lucht. Staande in elkaars armen, bleven ze nog een minuutje naar het panorama kijken.

'Ik moet terug,' zei Al spijtig.

'Laten we dan gaan.'
Hij nam haar hand en ze liepen terug over het pad.

Ken stond geleund over het balkon te kijken naar een paar goed-gevormde Australische meisjes in shorts, die door de straat slenterden. 'Kijk die twee eens! Hé, daar komt Al aan, met de dokter.' Even later liep Finch de trap op met Al achter haar aan. Ken praatte alweer over iets anders en zag niet hun gezichten. Maar George wel, en hij leunde zwaar achterover in zijn stoel toen hij plotseling op een gedachte kwam.

Sam keek ook, en hij kon het geluk van hun gezicht aflezen, alsof het met grote letters op een reclamebord stond vermeld. Zo had hij Finch nog nooit gezien; alsof ze zachter en makker was geworden. Hij hoorde iets luids en verschrikkelijks in zijn hoofd en oren bonzen, alsof er een lawine aankwam.

'Al, heb je even?' vroeg George droog.

'Zeker.'

'Sam, hier, heeft zichzelf aangeboden als vervanger van Adam. Hij schijnt vrij goede geloofsbrieven te hebben. Ik heb gezegd dat we het kunnen proberen, als we het met de vergunning in orde kunnen krijgen. Wat vind jij ervan?'

Al leek het nauwelijks te horen. 'Nou, goed, waarom níét?' Hij stak Sam zijn hand toe. 'Welkom in het team.'

Finch probeerde haar hoofd te schudden, probeerde duidelijk te maken dat ze het er niet mee eens was, maar niemand zag het.

6

De lama zat met gekruiste benen op een met pluche bekleed bankje. Achter hem, onder een versierde baldakijn, stond een groot, gouden boeddhabeeld, gehuld in katoenen draperieën. De monniken zaten, in hun donkerrode gewaden ter bescherming tegen de kou, op gestoffeerde bankjes te scanderen, wat nauwelijks meer was dan een gemurmel. De klimmers schuifelden stilletjes de schemerige tempel in, langs de gebeeldhouwde en geschilderde pilaren en de kleine in lood gezette ramen, die uitzicht boden op de wolkenformaties en getande bergen, en schaarden zich in een logge, gewatteerde en te hoge rij voor de lama.

Toen het Finch' beurt was, bood ze hem het geschenk aan dat ze hem namens Pemba en George moest overhandigen, een sjaal met witte franjes, een zogenaamde *kata*, en toen ze neerknielde, zegende de oude man haar en bond een roodzijden koord om haar hals. Zijn vingers waren droog en verrassend warm toen ze de knoop legden. Haar hoofd voelde door het scanderen en de wolken wierook zo wazig aan, dat ze bij het opstaan bijna omviel. Ze greep Marks arm en schuifelde op zachte kousenvoeten weer onhandig het verzengende daglicht van het binnenhof van de tempel in. De schoenen van de klimmers stonden in een onvolmaakte cirkel naast de deur. Ze ging op de stoep zitten om de hare weer aan te trekken en zag Al tegen een pilaar geleund.

'Ben jij niet naar binnen gegaan?' vroeg ze, naar het rode koord tastend. Het schuurde onder haar kraag tegen haar huid en ze draaide het rond tussen haar vingers om het wat meer ruimte te geven.

'Ik ben al eens gezegend,' zei hij tegen haar. 'Ik voel me al gezegend.'

Voor de ramen waren lappen vastgespijkerd en de wind kwam er nu onder, zodat ze rimpelden als het breken van de branding. Al en Finch stonden nog steeds naar elkaar te kijken toen Sam en de andere klimmers naar buiten kwamen en zich om de slordige kring schoenen verdrongen.

Het klooster in Thyangboche stond op een richel, die zich verhief boven het pad naar de Everest. De rest van de dagtocht bracht hen spiraalsgewijs omhoog de berg op en ze lieten het klooster steeds verder achter zich. Een- of tweemaal keek Finch achterom en zag hoe de vergulde pinakel op het dak als een pijl de lucht instak.

In vier moeiteloze dagen liepen ze van Namche naar het basiskamp. Ze overnachtten in theehuizen, rokerige, kleine stenen gebouwen, volgepropt met groepjes trekkers en klimexpedities, die allemaal op weg waren naar de Khumbu. De mannen aten grote hoeveelheden voedsel en schaarden zich daarna om de kachel om te kaarten of te schaken en hun krachten te sparen. Finch las of schreef in haar dagboek of babbelde wat met degene die naast haar zat. Er was geen privacy. Sam versloeg iedereen met schaken en deed geen doelbewuste pogingen om haar te benaderen. Hij was beleefd tegen Al en vriendelijk tegen de rest van de groep. Vooral Mingma en Pemba mochten hem, omdat hij hun frisbee leerde spelen met een zilverkleurige, plastic discus die hij uit zijn rugzak te voorschijn haalde. Ze schaterden van het lachen wanneer hij hem met veel bombarie en hijgend in de ijle lucht probeerde te vangen en miste. Er vormde zich een stralende rij van sherpa's en dragers die allemaal hun beurt afwachtten om te laten zien hoeveel beter ze waren. Op een middag vormden Sam en Sandy twee teams en gingen ze een partijtje voetballen.

Beklim de Everest. Na een paar dagen overtuigde Finch zichzelf ervan dat Sam haar lichtzinnige uitdaging niet serieus kon hebben genomen. Hij had zijn eigen redenen om een plaatsje in deze expeditie te veroveren.

Terwijl Al gesprekken met George of Ken voerde, ging Finch alleen of met een van de vijf cliënten wandelen. Ze luisterde naar Rix' onvoorwaardelijke vastbeslotenheid om het deze keer tot de top vol te houden. 'Wát er ook gebeurt. Geloof me, dokter, wát er ook gebeurt.' Mark Mason vertelde haar dat hij, in tegenstelling tot de fanatieke Rix, meer een weekend-klimmer was. Hij had iets volhardends wanneer hij liep, meer zijn ogen op de grond vóór hem gericht dan op de pieken boven hem. Hij schreef reisverhalen en stuurde verslagen van de expeditie en zijn eigen hoogste prijs naar een Engelse krant, om hiermee de tocht gedeeltelijk te financieren.

Vern en Ted, zo ontdekte Finch, waren beiden zeer welgesteld en beschouwden de verovering van de Everest als een natuurlijk vervolg op hun zakelijke successen. Ted was eigenaar van een reeks projectontwikkelings- en verkoopfirma's, en Vern van een bedrijf dat geavanceerde ziekenhuisapparatuur ontwierp en produceerde. In de loop van hun gesprek kreeg ze meer over baanbrekende ontwerpen voor de nieuwste couveuses te horen dan haar lief was.

Sandy Jackson was wat moeilijker te plaatsen. Hij had het over zijn relatie waar nog niet zo lang geleden een eind aan was gekomen, met iemand die hij 'mijn vrouw' noemde. Hij verdeelde zijn tijd tussen Perth en Sydney en was blijkbaar werkzaam in de sportkledingindustrie. Finch vroeg zich af of hij misschien een drugsbaron was, maar kwam tot de conclusie dat hij daar niet slim genoeg voor was. Haar slotconclusie was dat hij waarschijnlijk gewoon een rijke vader had.

Wat de mannen allen gemeen hadden, was hun betrokkenheid bij het doel van de expeditie, die zó heftig was dat het iets beangstigends had. Ze wilden allemaal naar de top. Hoewel ze onder elkaar met grapjes schermden, was het voor hen een bloedserieuze zaak. Ze gaven haar het gevoel dat ze een dilettante was, onzeker en vrouwelijk. Ze had al haar spaarcenten gebruikt en daarnaast nog een lening afgesloten om het gereduceerde inschrijfgeld aan George Heywood te kunnen betalen, maar het beeld van de top stond niet zo in haar hersenen gegrift als in die van hen. Misschien waren ze zo rijk geworden omdat ze elk obstakel beschouwden als een top die moest worden veroverd, of als een te nemen barrière op het pad van hun ego.

Zij was gekomen vanwege Al Hood. Zij wilde ook klimmen, de bergen trokken haar blik omhoog, maar het was het spoor van hun onafgemaakte relatie dat haar hierheen had geleid.

Telkens wanneer Finch hieraan dacht, moest ze om zichzelf lachen, maar toch bleef ze kijken waar hij was, met opgestroopte mouwen lopend in de middagwarmte en zijn zware bepakking ogenschijnlijk gewichtsloos op zijn rug. En hij bracht haar altijd uit haar evenwicht, zodat haar ademhaling onregelmatig werd en ze even moest rusten om weer in haar ritme te komen. Ze spraken nauwelijks met elkaar, maar ze wist dat hij wachtte en haar zocht, zoals ook met haar het geval was.

Ze hadden nog tijd genoeg, alles zou uiteindelijk voor elkaar komen. De expeditie bereikte op 5000 meter hoogte de morenen van de Khumbu-gletsjer. De woestenij van rotsgesteente, kiezel en ijs had een brosse laag van wintersneeuw – vanaf hier zouden ze geen enkele glimp van vertederend groen meer zien. Het was een bikkelharde, zwart-witte wereld. Op een grimmig plateau naast de gletsjer lagen tientallen hopen stenen. Elk ervan was een gedenkteken voor een bergbeklimmer die op de Everest het leven had gelaten.

De hoogste nederzetting langs het pad was het geboortedorp van Pemba en Mingma. Net daarbuiten was een stoepa, een klein heiligdom van rotsstenen aan de rand van het pad, en Finch veranderde haar richting om het volgens plaatselijk gebruik links te passeren. Een rijtje gebedsmolens, vastgemaakt in een nis in de muur, draaide nog loom in het rond, en ze had net de eerste een zetje gegeven toen ze Sam even verderop zag zitten. Met opzet gaf ze ook de andere molens een zetje en liep verder. Hij ging naast haar lopen, en zonder iets te zeggen liepen ze een eindje samen op, kijkend naar de keten van pieken boven hen.

'Ik kon geen gebed bedenken dat niet iets te maken had met hierboven te sterven,' zei hij ten slotte. Ze keek hem scherp aan. Het was ondenkbaar dat Ted, Rix of een van de anderen zoiets zou zeggen.

'Ik weet het. Ik voelde me bij de lama net zo.'

'Ben jij ook religieus?'

'Ja. Wat kun je anders als je hier naar boven kijkt?' Vanaf het moment dat ze het bergpad in zijn zee van wolken had gezien, was ze bang geweest. De grootschaligheid was zo beangstigend. 'Waarom doe je dit, Sam?'

'Omdat je anders niet met me wilt eten.'

'Is dat de echte reden?'

'Vind je dat dat niet echt is?'

Toen ze geen antwoord gaf, begon hij te lachen. 'En omdat ik wil zien wat ik kan. Ik verbaas me er zelf over, maar het is wel zo.'

'Hetzelfde geldt voor mij.'

'Maar dat is niet alles.'

Hij sprak de woorden niet uit als een vraag. Na een poosje zei Finch zachtjes: 'Nee.'

Het dorpje was een samenraapsel van grauwe stenen huizen op een steil oplopend terrein, boven een vervuild stroompje.

De kok van de expeditie zat bij een bocht van het pad op hen te wachten, met een grote, geëmailleerde ketel tussen zijn knieën. Zodra hij hen zag, sprong hij op en vulde twee mokken. 'Thee, meneer. Thee, mevrouw.'

'Ik heet Sam,' zei Sam tegen hem toen hij de mok aanpakte en hem aan Finch doorgaf.

'Ja, meneer.'

Ze dronken de hete thee. Langs het pad stonden Khumbu-vrouwen om hun thuiskomende mannen te begroeten. Het zou een drukke avond worden in het *chang*-huis, achter de glazen met zoet rijstbier.

'Hoelang kennen Al en jij elkaar?' vroeg Sam, haar recht aankijkend. 'Doe niet alsof je niet weet waar ik het over heb.'

Er klonk het lage geklingel van jakbellen, en de stoet dragers en dieren, beladen met bagage van de Mountain People, kwam langzaam voorbij. Finch keek toe.

'Vijf jaar,' antwoordde ze. 'We hebben elkaar in de Karakoram ontmoet, bij de K2. Het was maar voor een paar dagen, en sindsdien hebben we elkaar niet meer gezien.' Ze ging er niet verder over door. Het was niet aan haar om uit te leggen dat Al toen getrouwd was.

Sam stond roerloos. De vuren van brandende jakmest maakten de lucht ranzig, en de rotsen veranderden in een meedogenloos grijs toen het licht vervaagde. 'Het zal geen enkel verschil maken of ik naar boven klim, hè?' zei hij. Binnenin hem brandde de teleurstelling, een vuur dat zou blijven smeulen, wát hij ook deed.

'Dat wist je toch? Tenzij het iets in jezelf verandert.'

'Tenzij,' stemde hij zwaarmoedig in. 'Hier ben ik dan, klaar voor de beklimming. We kunnen praten, misschien vrienden worden?'

Ze mocht zijn directheid wanneer hij ophield met flirten en om haar heen te draaien. Instinctief wilde ze haar arm door de zijne steken, maar ze verzette zich tegen die opwelling. 'Ja. Je zou me over je vader vertellen, weet je nog?'

'Dat is een láng verhaal. Je zult me als tegenprestatie er zelf een moeten vertellen.'

'Oké. Ik heb altijd nog mijn moeder om over te praten.'

Hij lachte weer. 'Afgesproken.'

Ze begonnen de heuvel te beklimmen, naar de verlichte ramen van het theehuis.

De volgende dag bereikte de expeditie het basiskamp aan de voet van de Everest.

Dit was nu ook een dorpje, tijdelijk ingebed in de sneeuw en het rotsachtige gruis van de gletsjer. Het was een complete nederzetting van canvas, prachtig van kleur, maar in het niet vallend door de hoog oprijzende, wanordelijke muren van rotsgesteente en ijs eromheen.

In een ordelijk kluitje zetten de Mountain People hun tenten op aan de westkant van het kampement, tien ronde voor de beklimmers en leiders, twee grote, groene exemplaren als mess en keuken, nog een als medisch en communicatiecentrum, en een vierde als slaapplaats voor de sherpa's. De stoet jakken en dragers was inmiddels aangekomen en ontdeed zich van de bergen voorraden; vervolgens liepen ze weer, zonder lading, het lange pad terug naar beneden.

George Heywood stond in het laatste avondlicht de voorzieningen te inspecteren die door de andere expedities waren getroffen. De dichtstbijzijnde was een groepje Zweden, die blijkbaar in lichtgewichtreizen geloofden en zich in een paar petieterige tentjes wrongen, een ontmantelde Franse ploeg, die zich concentreerde op een bliksemsnelle bestijging, een groot en op het oog chaotisch gezelschap van Zuid-Amerikanen, en een team Indiase militairen die de Lhotse wilden beklimmen.

In totaal stonden er meer dan honderd tenten. Tussen de verschillende buitenposten liepen mensen heen en weer om hun domein af te schermen. Het was het begin van het seizoen. Voor de meesten zou dit dorp de volgende zes weken een veilige thuishaven zijn. Er hing een sfeer van hooggespannen optimisme en verwachting. De uitrusting en accommodatie van de Mountain People zagen er overdadiger uit dan die van de meeste van hun buren. Cliënten die veel geld betaalden, zoals Rix en Ecker en de rest hadden gedaan, gingen ervan uit dat uitstekend materiaal hun kansen op succes zou vergroten. De ervaring had George geleerd dat het de moeite loonde om het beste te leveren en in rekening te brengen: de nieuwste waterdichte tenten, de meest gedetailleerde planning en de meest toegewijde gidsen.

Er klemde zich een zware arm om Georges schouder.

'Het lijkt Broadway wel, zo druk is het hier,' zei Ted Koplicki.

George knikte. 'Binnen een paar dagen hebben ze zich boven op de berg verspreid. En wij helpen elkaar op weg.'

'Zeker.' Ted klopte hem op de rug. 'Het ziet er volgens mij goed uit.'

'Dat denk ik ook. Als we het weer mee hebben.'

'Natuurlijk hebben we het weer mee.' Ted lachte. Hij geloofde niet in pessimisme.

George keek omhoog. Zijn schedel kantelde op de spil van zijn ruggengraat, steeds verder achterover, tot de wervels in zijn nek krakend protesteerden. Toen de zon met het draaien van de aarde wegzonk achter de Pumori, de kegelvormige piek in het westen, verdwenen de rotsachtige ijsoppervlakten boven hem achter een lijn van duisternis. Het zilver en staal doofden uit en maakten plaats voor vormeloze holen van inktblauw en zwart, die door hun onzichtbaarheid minder bedreigend waren dan de grimmige werkelijkheid. Boven de glinsterende sneeuw, die nog steeds door licht werd bestreken, was de lucht van een donkerblauwe diepte, die deed denken aan de ruimte van de kosmos. De atmosfeer daarboven was ijl. Hangend boven de ijswand en het westelijk keteldal, boven de gevel van de Lhotse en de zuidcol, zweefde de top van de Everest. Beneden op de vloer van de gletsjer was het een rustige avond, maar daarboven in de straalstroom tierden de winden en sleurden sneeuw en ijs mee van de rotsen. Staande in de avondkou van het kamp, die zich aan hem vast begon te klampen, kon George in zijn hoofd het geraas en gebeuk van die wind horen. Hij was daarboven geweest en huiverde bij de herinnering aan dat geluid.

'Kom je eten?' vroeg Ted.

'Ik kom zo.'

Ook luisterde George naar het zachte gerammel van Sam McGrath, die een kapotte antenne van de radio-ontvanger probeerde te repareren. Hij zat gehurkt in de ingang van de medische tent, en in de snel invallende duisternis had hij zijn koplamp aangedaan. Hij zat zachtjes te neuriën. De jongen stelde zich flexibel op en leek deskundig, dacht George. Maar hij zou het pas zeker weten wanneer Sam het voor elkaar kreeg om morgen de generator aan de gang te krijgen en hij had gezien of hij kon klimmen met een volle rugzak op zijn rug.

Sam keek op en zag dat hij werd gadegeslagen, waarop hij even glimlachte. 'Dit moet niet al te moeilijk zijn. Heb je hem vanavond nodig?'

'Nee. Het weerbericht kan tot morgen wachten. Kom mee wat eten.'

Uit de Zuid-Amerikaanse tenten kwam opeens een schaterend gelach. Hierbuiten in de gapende ruimte klonk het als een zwak protest dat door de enorme ruimte weer snel werd gedempt.

Sam zette de radio voorzichtig opzij en keek over zijn schouder in de door lampen verlichte ruimte van de tent. Toen volgde hij de andere man naar de mess-tent. Hun schoenen kraakten op het gruisachtige rotsgesteente.

Finch was in het medisch gedeelte van de tent. Als afscheiding was er een canvasscherm opgehangen om haar patiënten wat privacy te bieden. Ze was bezig haar vaten uit te pakken en controleerde aan de hand van de lijst de voorraden dexamethason, acetaxolamide, nifedipine en de rest. Alles was in orde, wat haar iets van haar zelfvertrouwen teruggaf. De tocht naar het basiskamp had niet al te veel van haar geëist. En nu het eerste grote klimobstakel, de ijswand, vlak boven haar oprees, voelde ze zich minder geïntimideerd. Het was een verschrikkelijke warboel van spleten, hachelijke ijstorens en verraderlijk krakend ijs, maar nu ze het eenmaal had gezien, kon ze zich voor de geest halen hoe ze de touwen en lichtgewicht-ladders zouden fixeren en de voorraden naar boven konden brengen naar het volgende kamp. De top bevond zich 3000 meter boven haar hoofd.

Ergens, aan de andere kant van het canvas, hoorde ze Mark hoesten en naar adem snakken tot de volgende aanval zou komen. Finch haalde een flesje met capsules uit een waterdichte doos en liet het in haar zak glijden. Hij had een antibioticum nodig, hoewel het op deze hoogte niet zeker was of het zou werken.

De gidsen en de andere klimmers zaten al aan tafel in de grote mess-tent. Alleen vanavond was hij verlicht met petroleumlampen, maar vanaf morgen zou er elektrisch licht zijn, gevoed door zonnepanelen en de generator, die als reserve zou dienen. Er was een bibliotheek met paperbacks, een cd-speler en een beperkte keuze aan cd's. Wanneer de zonnepanelen eenmaal waren gemonteerd, zou het zelfs mogelijk zijn om smeltwater te verwarmen en het, via een ton en een buizensysteem, als warme douche te gebruiken. Finch had dit alles wel in theorie geweten, maar om het werkelijkheid te zien worden, hier in dit barre ravijn, aan de voet van de hoogste berg ter wereld, was iets wat haar met hernieuwde bewondering naar George Heywood deed kijken. In negen jaar van commerciële expedities had hij vijfendertig cliënten naar de top gebracht.

Hooggespannen verwachting deed haar hart sneller kloppen en verdreef de angst.

Waarom niet, waarom ook ik niet? dacht Finch. Plotseling voelde ze de ambitie als een seksuele lading door haar heen sidderen.

'Kom zitten,' gebaarde George naar haar. 'We gaan eerst eten en dan krijgen jullie instructies.'

Ze nam de laatste stoel. Ken en Al zaten aan weerszijden van George, met daarnaast Pemba en Mingma. De andere acht sherpa's – vier klimdragers, twee sherpa's voor het basiskamp, Dorje de kok en de koksmaat – aten in de keukentent. Kijkend naar de cirkel van gezichten zag Finch dat ze allemaal vrolijk stonden. Sam zat gebakken aardappels naar binnen te werken en vermeed opgewekt om het oneens te zijn met Rix, die beweerde dat de jongelui van tegenwoordig allemaal werkschuw waren. Al zat, met één arm over de canvas rugleuning van zijn stoel geslagen, zijn pupillen te bekijken. Hij was tevreden dat ze het tot dusver allemaal, met uitzondering van Adam Vries, makkelijk hadden gehaald. Het was een sterk ploegje. Nu kon het echte werk beginnen.

Hij veroorloofde zichzelf een korte blik te werpen op de vrouw met het stralende gezicht aan het andere eind van de tafel. Onmiddellijk maakten hun ogen contact. Haar blik deed hem denken aan keuzes maken. De toekomst bood mogelijkheden die niet gebonden waren aan kou en gevaar, of mentaal en fysiek alles op alles te zetten om je weer een andere berg op te vechten. Er zou ergens een mooie, luxueuze ruimte kunnen zijn waar geluk huisde, omdat daar, wonderbaarlijk genoeg, Finch Buchanan woonde.

Hij moest zich afwenden, dook in elkaar om niet boven Mingma uit te steken en iets op te vangen wat de tweede sirdar zei, voor het geval zijn gezicht iets van de plotselinge en verontrustende vreugde zou verraden.

Finch zag ook wat er in hem omging, alsof ze hem haar leven lang al had gekend, maar ze dwong zichzelf naar de andere klimmers te kijken. Het eten was warm en smakelijk. Hoogte vermindert de eetlust, maar iedereen speelde het klaar om vanavond een redelijke portie te verorberen.

George tikte met zijn vork op een blikken beker en iedereen draaide zijn gezicht naar hem toe om hem aan te kijken.

'Welkom in het basiskamp.' Hij glimlachte. 'Nou, ik zal de aanvalsstrategie uit de doeken doen.'

Aanval was het juiste woord. De planning en de organisatie van deze expeditie hadden militaire allures.

Georges recept voor een succesvolle poging de top te halen was gebaseerd op een geleidelijke en grondige acclimatisatie aan hoogteverschil. Rix en Mark, evenals Vern en Ted, waren al eerder op de Everest geweest, maar ze luisterden even aandachtig als de drie nieuwkomers. Het eerste doel was een kamp op te slaan op 6000 meter, hoger dan ze nu waren, op de lip van de ijswand in het westelijke keteldal. Ze zouden ieder naar boven en weer naar beneden gaan, waarschijnlijk tweemaal, en bij het tweede bezoek aan kamp I zouden ze er een nacht overblijven. Tegelijkertijd zouden de sherpa's zware bepakkingen met voedsel, zuurstof, kookgerei en tenten naar een tweede kamp brengen, kamp II, boven in het keteldal.

'Al en ik verwachten niet van jullie dat je meehelpt dragen, maar als je een handje wilt helpen met sommige spullen zal dat niet worden afgeslagen. Je zult misschien merken dat het je uithoudingsvermogen en je acclimatisatieproces bevordert.' Lachend leunde Rix met zijn armen over elkaar achterover met zijn stoel.

'Waar betalen wij goed voor, George?'

'Wanneer je bagage voor je wordt gedragen, zoals ik net al zei, als je daar de voorkeur aan geeft,' antwoordde George goedgehumeurd.

Daarna zouden er nog twee andere kampen worden opgezet, op de Lhotse en op de zuidcol, en in elk kamp zou voldoende tijd zijn om te acclimatiseren, met afdalingen terug naar het basiskamp om uit te rusten en bij te komen.

'Vanuit de col gaan we naar de top, maar we hopen daarnaast om hoog op de zuidoostrichel zuurstof, voedsel en een tent op te slaan, voor een eventuele noodsituatie. Al en ik gaan met de andere leiders praten, zodat we geen rijen klimmers krijgen die allemaal op dezelfde dag naar de top willen. Als het weer meezit, denk ik dat we in de tweede week van mei onze opmars naar de top maken.'

Het was nu eind eerste week april. Alle hoofden aan de tafel knikten enthousiast.

Al nam het woord. 'We zullen in twee teams werken. Mingma en ik met Rix, Mark en Sandy. Ken en Pemba nemen Vern, Ted en Finch. Dit is geen wet van Meden en Perzen en het kan heel goed veranderen wanneer we hoger komen. Maar dit is de voorlopige indeling, tenminste tot aan kamp II.'

Finch bestudeerde haar handen. Hij heeft gelijk, zei ze tegen zichzelf. Het is beter zo. Maak hartsaangelegenheden niet nog gecompliceerder dan ze al zijn. Niet totdat dit is geklaard.

'Ik wil graag helpen met het naar boven brengen van bepakkingen. Met welk team moet ik werken?' Die vraag kwam van Sam.

Al trok een wenkbrauw op naar George, die zijn schouders ophaalde alsof hij wilde zeggen: geef hem een kans. 'Je kunt met mij meegaan,' zei Al kort.

'Bedankt.'

Er viel een stilte. Mark Mason trok een wenkbrauw op en Rix grinnikte veelbetekenend. Het gemeenschappelijk doel leek plotseling een te broos omhulsel om dit ontvlambare mengsel van persoonlijke ambities en ego's te beteugelen. Finch wachtte. De goede verstandhouding kon plotseling als een tent in een storm worden weggeblazen.

'Willen jullie,' ging George onverstoorbaar verder, 'morgen je uitrusting ordenen, zodat Al en Ken deze kunnen inspecteren. Zorg ervoor dat je al het nodige hebt, alles netjes in orde. Sam en ik zullen verder gaan met het installeren van de hulpsystemen. De dag daarna, als alles goed gaat en de route naar boven klaar is, beginnen we te klimmen. Kan iedereen zich hierin vinden?'

Er klonk een instemmend gemompel.

'Morgen gaan we ook *puja* maken,' voegde Mingma eraan toe. Hij was een tengere man met een geduldig gezicht, een rustige uitstraling en ouder dan de meer uitbundige Pemba.

'Morgen. Ik weet niet hoe de rest van jullie er nu over denkt, maar ik ga er een lange nacht van maken,' zei George.

Al, Mark en Vern volgden hem, en toen ze weg waren, haalde Rix een fles Johnnie Walker te voorschijn. 'Een klein neutje. Op het succes, hè?' Hij schonk met gulle hand de blikken mokken vol.

Sam klonk met Finch. 'Succes!'

Met de anderen herhaalde ze de woorden. Ze nam een te grote slok en verslikte zich in het eerste drankje dat ze sinds Kathmandu had geproefd.

'Kalm aan, dokter,' zei Ted.

Sam haalde een schone zakdoek uit zijn zak en gaf haar die om haar ogen af te vegen.

Tegen het midden van de volgende dag zag het kamp van de Mountain People eruit als een uitverkoop van een autoshop. Plunjezakken waren leeggehaald en overal lagen spullen. Finch had alles keurig op een rijtje gelegd: plastic klimschoenen en stijgijzers, haar veiligheidszekering en klimgordel, rotshaak en ijsbijl en haar sneeuwbril en koplamp naast de hoop fleece en de stapel onderkleren. Reservehandschoenen en -bril, haar waterfles en wat krachtvoedsel had ze in haar rugzak gestouwd. Een meter verderop zaten Sam en George te prutsen met de zonnepanelen. Al zat in de opening van de mess-tent een bundeltje computeruitdraaien te bestuderen en de bepakkingen voor de dragers aan te strepen. In het zonlicht hadden de bergen iets goedmoedigs, zelfs het grote, zilveren litteken van sneeuw dat van de top van de Everest naar beneden golfde.

Ken knerpte door de ijsschors naar Finch' tent en boog zich om haar uitrusting te inspecteren. Hij hield haar schoenen goedkeurend omhoog. 'Goed ingelopen, zie ik. Ik heb hier kerels gehad met splinternieuwe. Hebben hun voeten in twee dagen rauw gelopen. Even je stijgijzers bekijken.' Hij liet zijn duim over de constructie met ijzeren punten glijden die aan de zolen van haar schoenen kon worden bevestigd om houvast te krijgen op sneeuw en ijs. 'Scherp als een mes en brandschoon. Net als jij, dokter.'

Finch lachte. Ze mocht Ken wel. 'Ik beschouw dat als een compliment.'

Ken ging rechtop staan, klaar om verder te gaan. 'Jullie kennen elkaar, hè? Jij en Al?'

'Ligt het er zó dik bovenop?'

'Hij heeft nooit iets gezegd. Hij is zo zwijgzaam als een granieten muur, tenminste over alles wat hemzelf betreft. Ik trek gewoon mijn conclusies.'

Finch knikte.

'Nou, het is een opluchting om te zien dat hij soms ook een mens kan zijn in plaats van een robot.' Ken zei het een beetje bruusk, maar uit zijn gezicht sprak genegenheid. 'Ik wens jullie het allerbeste.'

'Dank je,' zei ze.

Drie van de dragers liepen voorbij met grote stenen. Op Mingma's aanwijzingen bouwden ze aan de rand van het kamp een *puja*-altaar.

Tegen het eind van de middag was het klaar. Een keurige kubus van rotsstenen, met daarop een lange, houten stok, waaraan vier helder gekleurde lijnen met gebedsvlaggetjes werden vastgemaakt, die in het verlengde van de hoeken van het altaar in de grond werden bevestigd. Uit Mingma's dorpje kwam een waardige, bejaarde lama om de inwijdingsceremonie uit te voeren, die de expeditie geluk en de goedgunstigheid van de berg zou brengen.

Finch trok haar onderjack aan en verliet de tenten om te gaan kijken. De sherpa's van de Mountain People schaarden zich gedienstig rondom het altaar en de klimmers stonden, puffend in de koude lucht, in een rij achter hen.

De rotsstenen waren nog steeds versierd met klimgerei, en in de communicatietent had Sam de satelliettelefoon en de fax al gemonteerd. Op datzelfde moment liep de lama, scanderend en rijst en meel naar de hoeken noord, zuid, oost en west gooiend, met de klok mee om de stenen heen. Mingma stak boven op het altaar een paar jeneverbestakjes aan, en de prikkelende rook vermengde zich met de etensgeuren. Dorje en de sherpa's van het basiskamp zouden het vuur brandend houden tot de laatste klimmer weer beneden was.

Het scharlaken, saffraan en smaragd van de gebedsvlaggetjes en het donkerrood waarin de monniken waren gehuld, leken te vervloeien met de kleurloze lucht, alsof deze vijandige plek hongerde naar hun warmte. Finch huiverde, ondanks haar gewatteerde kleren. Het contrast tussen de eerbiedige gratie van dit ritueel en hun eigen vrijpostige voorbereidingen voor de aanval was onbehaaglijk scherp.

De kleine ceremonie was weldra voorbij.

'Amen,' zei Rix.

De lama maakte zich weer onopvallend uit de voeten en de sherpa's gingen weer aan het werk, behalve Mingma, die in de smeulende twijgjes stond te porren en weer nieuwe klaarlegde.

George klopte in het voorbijgaan Finch op de schouder. 'We gaan nooit klimmen zonder een *puja* te maken.' Iedereen was nu klaar. Zelfs het gesnoef vervaagde. De klimmers gingen vroeg naar hun tenten en de whiskyfles kwam niet voor een tweede keer te voorschijn.

Toen Finch bij haar eigen onderkomen kwam, stond Al er ineengedoken naast. Hij keek naar de stille tenten. 'Succes,' zei hij zachtjes. 'En jij ook.'

Hij kuste haar op haar mondhoek en raakte met zijn hand haar wang aan. Toen gingen ze uiteen, ieder naar zijn eigen canvaskoepel.

Sam sliep een rusteloze slaap. De hoogte maakte hem ongedurig en de gedachte aan de volgende dag maakte zijn mond en keel droog. Om vier uur 's ochtends stond hij op, inspecteerde nog eens zijn uitrusting en luisterde naar de voorbereidingen voor het

ontbijt en de geluiden van de andere klimmers die zich klaar-
maakten. In Namche had hij een paar tweedehands klimschoenen en stijgijzers gekocht. Het meeste van de rest van zijn uitrusting was van Adam. De borst van zijn rode onderpak was gemerkt
met de naam 'Adam Vries'. Hij ging bij zijn tentopening zitten om
zijn schoenen dicht te maken, ritste de flap achter hem dicht en
klauterde over de morenen naar de mess-tent.
'Het is zover, jongens.' Ted stond in zijn handen te wrijven. Hij
had zijn rijstepap al op.
Finch zat rustig in een hoekje thee te drinken.
Al kwam binnen en keek op zijn horloge. 'Over een half uur startklaar, alsjeblieft.'
Ze hoopten kamp I te bereiken op de top van de ijswand, dan
terug te gaan om, voordat de smeltende warmte van de zon het
gletsjerijs nog brozer zou maken, weer in het basiskamp te zijn.
Pemba drentelde om Al heen en Mingma was niet meer dan een
zwarte bult in de schemer buiten de deur.
'Mingma voelt zich niet prettig,' mompelde de sirdar tegen Al.
Al trok hem naar binnen, waar hij zijn gezicht kon zien. Maar
Mingma wilde hem niet aankijken. Het gezicht van de sherpa was
asgrauw. 'Wat is er, Mingma?'
Vern en Sam, die er het dichtst bij stonden, draaiden zich om ten-
einde te luisteren.
'Ik heb een nare droom gehad. Heb dode mannen naast dit vuur
zien zitten, in ons kamp, hier.'
Al knikte. 'We hebben allemaal wel eens nare dromen. Maar al te
vaak, in de bergen.'
'Niet goed om te klimmen.'
'Ik begrijp het. Maar wil je hier blijven?'
De ernstige, kleine man aarzelde, strekte toen zijn rug. 'Ik ga mee.'
'Oké. Dat is goed. Dank je, Mingma.'
De klimmers, gidsen en de twee sirdars verzamelden zich in de
schemering. Aan de heldere lucht stond een smalle maan, en het
licht dat door de sneeuw werd weerkaatst maakte koplampen
bijna onnodig. De vier klim-sherpa's waren al onderweg, met
enorme bepakkingen op hun rug.
George Heywood schudde ieders gehandschoende hand toen ze

hem een voor een passeerden. 'Succes. Er is voor vandaag en een groot deel van morgen helder weer voorspeld. Daarna veranderlijk.' De laatste meteorologische gegevens waren vanuit Seattle naar het basiskamp gefaxt of doorgebeld en aangevuld door plaatselijke berichten van agenten in Kathmandu.

'Je zou zeker wel met ons mee willen, hè!' riep Sandy.

'Jazeker,' antwoordde George. 'Tot bij de lunch, jongens. Pas op je tellen.'

Al wees de bepakking aan die voor Sam was bestemd. Hij pakte ze gehoorzaam op, hees het gevaarte op zijn rug en stak zijn armen door de riemen. Ongeveer veertig pond, veel minder dan de dragers droegen. Desalniettemin was het een verlammend gevoel. De twee gidsen waren net zo zwaar beladen; voor vandaag droegen de cliënten alleen hun eigen lichtgewichtrugzakken.

Het was vijf uur 's morgens. De oostelijke lucht was grijs. Elf mensen sjouwden weg over de morenen naar de overvloed van ijs.

Sam snoerde de riemen van zijn stijgijzers vast en trok behendig het lipje klem in de gesp. Toen hij weer ging staan, klopte het bloed in zijn schedel. Wanneer hij omhoogkeek, zag hij niets anders dan een gestolde stortvloed van grijs en parelkleurig ijs, geribbeld en gegroefd, met dreigende spleten.

De gletsjer verspreidde zich over de rand van het ravijn boven hen en vervolgde met een snelheid van ruim een meter per dag zijn weg naar beneden de vallei in. Hij was altijd in beweging, barstte open in nieuwe spleten en frommelde die van gisteren weer in elkaar als propjes vloeipapier. Hij maakte torens van ijs en vermaalde andere zonder enige waarschuwing vooraf. Het geluid van zijn perpetuum mobile was een dof gekraak en geknars, een dreigend gemompel, dat des te angstaanjagender was omdat het overal was, rondom en nooit aanwijsbaar. Sam had in Mikes boeken en tijdschriften over de ijswand gelezen. Hij wist dat dit het gevaarlijkste gedeelte van de berg was. Hier waren meer mensen gestorven dan waar ook op de hele berg. De meesten van hen waren dragers die ladingen naar het westelijke keteldal en verder brachten.

Omzichtig trapte hij met zijn stijgijzers voor zich uit. Het gewicht van zijn rugzak bracht hem even uit balans en hij wankelde, ging toen overstag omdat Adams klimhelm hem aan de ene kant het zicht ontnam. Toen hij zich weer overeind hees, zag hij dat Al Hood aan het eind van de rij koel naar hem stond te kijken.

Rix was hem al vooruit. Mingma ging voorop, met Sandy op zijn hielen.

'Alles goed, makker?' riep Rix naar beneden.

'Ja,' antwoordde Sam, inwendig vloekend. Hij zwaaide zijn voet naar voren, en de vooruitstekende punten van zijn klimijzer beten zich vast in het ijs. Met zijn rechterhand hakte hij met de ijsbijl, om een stevig houvast te maken.

Het was lang geleden dat hij had geklommen, niet meer sinds Michael hem had meegenomen naar het ijs en de sneeuw van Oregon. Hij hoorde zijn vaders stem boven het dreigende gemompel van de gletsjer uit: 'Zorg altijd voor drie stevige contactpunten.'

Hij liep vastberaden naar boven op zijn twee holle spijkerhoeven, greep de steel van zijn bijl en zekerde zich aan het vaste touw. Dit leek in niets op wat hij zich herinnerde. In die tijd zou hij veilig in Michaels kielzog aan het touw vastzitten. Als puber had hij altijd gevochten om de perlon navelstreng die hem veilig met zijn vader verbond door te snijden. En nu zweefde hij aan de ijzige rand van die verdomde Everest. De ironie hiervan ontlokte hem ongewild een schaterlach.

'Waar wacht je op, Sammy?' wilde Mason onder hem weten.

Vandaag klommen ze allemaal los van elkaar, om veiligheidsredenen verbonden met het vaste touw, dat zich als een slang omhoogkronkelde, in plaats van aan elkaar. De hele afstand van de ijswand was voorzien van aluminiumladders en touwen. Georges expeditie en de meeste andere die aan het klimmen waren, hadden in het begin van het seizoen de routepioniers duizenden dollars betaald voor het aanbrengen van touwen en ladders. Sams gordellijn was met een metalen clip, een zogenoemde karabines, aan het touw vastgehaakt. Als hij viel, zou hij alleen omlaagglijden naar de volgende schroef of piket waarmee het touw verankerd was en dan als een vis aan een haak bengelen. Tenzij de zekeringen zelf losraakten, door het rusteloze geschuifel van de gletsjer of omdat het ijs smolt in de zon.

Denk daar nu niet aan, raadde Sam zichzelf aan. Houd je alleen bezig met dat verdomde klimmen.

Hij worstelde zich omhoog, van het ene houvast naar het andere. Glijden en stappen. Glijden en stappen. Hakken met de bijl en zichzelf optrekken wanneer de hoek te steil was om zijn voet erin te zetten. De zware rugzak dreigde hem naar beneden te trekken. Elke ademhaling was een worsteling om wat voeding uit de verkwijnde lucht naar binnen te zuigen.

De eerste dertig minuten dacht Sam dat hij geen enkele kans maakte om kamp 1 te halen. Het was ondenkbaar hoeveel uren van de verschrikkelijke strijd die vandaag moest worden gestreden nog voor hem lagen, laat staan hoeveel keer hij deze zelfde route nog moest afleggen om voldoende te acclimatiseren voor de beklimming van de top.

Rix was een heel eind boven hem, en de splinters en brokken ijs die zijn vorderingen losmaakten, regenden om Sams hoofd heen en ketsten af op zijn helm. Mark Mason was ver beneden hem, en Sam kon het gerochel en gehijg van zijn hoest horen. Toen Sam even stopte om wat water te drinken, zag hij Al moeiteloos in zijn kielzog langs het touw naar boven komen. De groep van Finch en Ken lag nog verder achter. De route was te bochtig en te kronkelig om te kunnen verwachten dat hij ze kon zien.

Maar toen, na een uur klimmen, realiseerde hij zich dat wat een paar minuten tevoren nog onmogelijk had geleken, nu slechts hoogst ongerieflijk was. De stijgijzers gingen lijken op een nuttig verlengstuk van zijn voeten in plaats van stuntelige blokken aan zijn benen, en het ritme van stappen en hakken werd regelmatiger. De zon verrees onzichtbaar boven Tibet en het daglicht stroomde over de ijswoestenij. Sam vond zelfs de kracht om zich heen te kijken.

Het landschap was van een bizarre schoonheid. Het was een chaotische jungle van lichtgevende ijstorens, die over kloven hingen van zilver, blauw en staalgrijs, alle excentriek gekerfd en getand en bekleed met veren van rijp. Lapjes ijs die gisteren in de zon waren gesmolten, waren opnieuw bevroren en glinsterden sinister als pas ontveld bot, dat werd besneden door de stalen piketten en schroeven die het touw verankerden, als meedogenloze instrumenten van een chirurg. De Minotaur-route liep nu onder een ijspiek door, die in een waanzinnige hoek overhelde, vlak langs een diepe kloof. Sam greep het touw vast en liep zijdelings over de dertig centimeter brede richel, met zijn schouders en liezen tegen de heup van de ijspiek gedrukt, alsof hij ermee wilde paren. Het alternatief was om over de rand van de bergspleet te gaan hangen. Toen hij de daaropvolgende bocht had genomen, zag hij dat Rix gehurkt naast de kloof stond, die zich nu had verbreed tot zo'n drieënhalve meter. De zijkanten waren glad en kleurloos, maar verdiepten zich verder naar beneden tot een vraatzuchtig diepblauw. Sam wilde niet meer zien dan hij al zag.

'De ijstoren ziet er een beetje onbetrouwbaar uit,' zei Rix geheel overbodig. Als de massieve toren omviel – en het was statistisch zeker dat hij dat vroeg of laat zou doen – en als er dan toevallig iemand onderdoor liep, zou het uitgesloten zijn om de klap van duizenden tonnen ijs te overleven.

Sam wilde niet verder nadenken over de hachelijke toren; die lag nu achter hem, althans voorlopig. Vóór hen lag de bergspleet. Op twee of drie plaatsen langs de route tot dusver waren op de steilste ijswanden aluminiumladders vastgemaakt. Hij was erop geklommen, blij om de kortste weg te kunnen nemen in plaats van met frontpunten en ijsbijl zijn eigen weg te banen. Maar nu hadden de ladders een afschrikwekkende, nieuwe toepassing gevonden. Twee waren met het uiteinde aan elkaar vastgesnoerd en horizontaal gefixeerd om een smalle brug te maken. Door de metalen openingen staken aan weerszijden ijsschroeven, waarmee ze aan de grijnzende rand van de spleet waren vastgepind. Het touw hing lusteloos naast de brug. Aan de andere kant stond Sandy aan zijn waterfles te sabbelen en zag er uitgeput uit. Mingma wachtte onbewogen, met zijn gehandschoende vuisten in de oksels van zijn jack.

'Verder en omhoog,' mompelde Rix. Hij schuifelde naar de rand van de ladder en controleerde of hij veilig aan het touw was bevestigd. Hij stond rechtop en stapte de ladder op. De ene voet voor de andere zettend, even stoppend wanneer de aluminium stijlen kraakten en doorbogen onder zijn gewicht, dan weer verder, kwam hij stukje bij beetje vooruit.

Sam keek toe, en zijn maag draaide om van afgrijzen.

Dit doe ik niet, bleef zijn rationele ik zeggen. Dit doe ik verdomme niet.

Rix bereikte de andere kant en sloeg met zijn vuist een gat in de lucht. Waar haalt hij nog de energie vandaan om dat te doen? vroeg Sam zich af. Hij hoorde Mark al vermoeid om de ijstoren heen lopen. Er waren maar twee mogelijkheden: of omkeren en op weg naar omlaag eerloos langs Al Hood glippen, of het evenwichtsnummer over de ijsspleet uitvoeren.

Hij schuifelde naar de rand en controleerde zijn zekering zoals Rix had gedaan. Toen zette hij een schoen op de eerste metalen sport. Kijk voor je, zoek je evenwicht. Doe een volgende stap. De rugzak was zwaar en probeerde hem terug te trekken. Zijn stijgijzers maakten een schrapend geluid op de ladder en het hele geval schommelde vervaarlijk.

Toen hij het midden had bereikt, waar zijn gewicht de brug deed doorbuigen en kraken, keek hij naar beneden. Tussen zijn gespreide benen door zag hij de blauwe schacht die zich in de ingewanden van de gletsjer stortte. Als hij viel, zou hij aan het veiligheidstouw blijven bengelen terwijl het ijsravijn aan hem zoog.

Zijn bewegingen bevroren stante pede en hij kneep zijn billen samen om de neiging van zijn darmen zich te lozen tegen te gaan. Als de schroeven eens losraakten! Als de knooppunten tussen de twee ladders losschoten! Als de spleet zelf eens ging schuiven en de muil zich nog verder opensperde...

'Kom op, man.'

Rix stond anderhalve meter verderop, alsof hij op een golfbaan op zijn partner stond te wachten. Sam kreunde en kreeg het op de een of andere manier voor elkaar een volgende stap te doen. Nog een, en Rix stak een arm uit. Sam greep hem en viel bij de laatste twee stappen bijna van de ladder. Mingma stond te lachen met een zacht *tie-hie* geluid. Zijn brede gezicht rimpelde zich van meelevend plezier. Hij leek sinds vanochtend vroeg zijn goede humeur weer terug te hebben.

'Mijn God,' mompelde Sam. Toen er een druppeltje vocht langs zijn voorhoofd liep, besefte hij dat hij zweette. Met de rug van zijn handschoen veegde hij het weg.

'Volgende keer meer ontspannen,' zei Rix tegen hem. Mark was, ogenschijnlijk onbezorgd, al onderweg. Mingma ging weer verder en volgde het touw door de boosaardige doolhof.

De volgende paar uur klommen ze over het onregelmatige ijs omhoog, gingen over kloven en om torens heen. Het was zwaar, maar niet onmogelijk, zolang Sam zijn gedachten afsloot voor alle 'stel-datten' en zich vastbesloten concentreerde op de volgende stap.

Sandy had een sterke start gemaakt en was vlak achter Mingma, maar na twee uur begonnen zijn krachten af te nemen. Hij bleef vaker staan, met een grauw gezicht en happend naar adem, en hij bewoog zich steeds langzamer. Ten slotte kwam hij achter Sam en de anderen aan en raakte zover achterop dat hij en Al uit het zicht waren verdwenen. De twee Engelsen gingen gestaag en zelfverzekerd verder. Sam was onder de indruk van hun uithoudingsvermogen.

De zon nam in kracht toe en het werd onaangenaam warm.

'De tijd gaat heel snel,' zei Mingma, omhoogkijkend naar de rustige, blauwe lucht.

Tegen elven hesen de vier mannen zich de laatste dertig meter omhoog. Het westelijke keteldal liet zich zien als een uitgestrekt, licht hellend ravijn, dat omhoogliep naar de kaarsrechte Lhotsewand van de Everest. De zon boorde zich er als een drilboor in. Terwijl Sam naar kamp I strompelde, bedekte hij zijn ogen met zijn onderarm, alsof zelfs zijn sneeuwbril niet voldoende was om zijn pupillen te beschermen tegen de glans van het felle licht.

Er stonden vier kleine tenten in een cirkel. Twee van de vier klimsherpa's stonden hen met thee in een kantineblik op te wachten. Wankelend deed Sam de laatste tien stappen en zonk als een hoopje in de sneeuw.

'Je hebt goed geklommen,' verzekerde Mingma hem met een plagerig lachje. 'Misschien een beetje bang om op de ladder te sterven.'

'Thee, alsjeblieft,' zei Sam schor. Het warme, zoete vocht smaakte naar nectar. Hij dronk het op en staarde omhoog naar een paar zwoegende zwarte stipjes. Het waren de andere twee sherpa's, die met tenten en de eerste voorraad zuurstof op weg waren naar kamp II.

Het duurde twintig minuten voordat Pemba arriveerde met Ted, Vern en Finch, net voor Ken, en daarna volgden Al en Sandy.

Sandy bewoog zich nauwelijks. Aan de rand van de groep zakte hij in elkaar. 'Man, ik ben uitgeteld,' fluisterde hij.

Finch liep meteen op Mark af. 'Hoe is het met je borst?'

Sam staarde haar aan. Ze zag er moe uit, maar veel minder uitgeput dan hij zich voelde. Ze moest over die vreselijke ladderbrug zijn gegaan en alle andere heldendaden hebben verricht die hij nauwelijks voor elkaar had gekregen, en toch was ze nog aan het dokteren. Ze was de meest verbazingwekkende vrouw die hij ooit had ontmoet, en hij was voor haar gevallen zonder iets meer over haar te weten dan dat ze op een door de storm gesloten luchthaven onder haar skipak bijna niets aan bleek te hebben.

Ze had hem nooit aangemoedigd, nooit geprobeerd de zaken anders voor te stellen dan ze in werkelijkheid waren. Om haar helemaal tot hier te volgen, de klimuitrusting van iemand anders aan te snoeren en zich in die gapende ijshel op te hijsen, leek nu de meest onbenullige, gênante en vruchteloze moeite die een man zich ooit ter wille van een vrouw had getroost.

Al gaf via de radio aan George in het basiskamp door dat ze allen veilig in kamp i waren aangekomen. Hij knikte naar de twee sherpa's, die het kookstel in een van de tenten zetten, alles nauwgezet dichtritsten en zich toen weer naar de top van de ijswand repten. Op weg naar beneden zouden ze alle vaste touwen inspecteren. Dit veiligheidsaspect was inbegrepen bij de prijs die George voor het gebruik van de route betaalde.

Sam keek omhoog, langs de verblindende helling van het keteldal. Met verbazing realiseerde hij zich dat hij geen spijt had van wat hij had gedaan.

Zes leden van het Zuid-Amerikaanse team verschenen boven de top van de ijswand en spoedden zich in een rij naar hun tenten. In het voorbijgaan uitten ze een paar vermoeide begroetingen.

'Zijn jullie zover?' vroeg Al aan zijn groep. De afdaling wachtte op hen.

'Nog vijf minuten,' smeekte Sandy.

Al keek hem streng aan. 'Oké. Jij gaat met Ken. Finch, jij gaat met ons mee.'

Meteen deed ze haar rugzak om en pakte haar ijsbijl. Toen ze in de rij ging staan, grinnikte Sam tegen haar. 'En hoe is het jou vergaan?' 'Vertel ik je als we beneden zijn.'

Moeizaam gingen ze hun weg door de doolhof naar beneden. Het zonlicht veranderde de ijshellingen in zwetende plakken van ongezond grijs en de schaduwen lichtten op tot een etherisch vaalblauw. Sam dacht verlangend aan zijn tent en de mogelijkheid om zijn pijnlijke ledematen en hoofd te laten rusten, toen er vanuit de lucht een scherp gekraak klonk, gevolgd door een geluid dat leek op een reusachtige donderslag. Het gerommel van de lawine die zich losscheurde en haar snelheid opvoerde leek zó dichtbij dat hij in elkaar dook en zijn armen voor zijn gezicht sloeg om zichzelf te beschermen. Na een gespannen stilte, toen er geen muur van sneeuw op hem neerdaalde, keek hij weer op. Ook de andere klimmers stonden als verstijfd.

'Onder ons,' zei Al kortaf. Ze vervolgden hun moeizame afdaling. Een paar meter verderop sprong Mingma opeens naar voren. Achter Mingma zag Sam een man met gespreide armen en benen in de sneeuw liggen, boven een warboel van morenen. Het was Namje, een van de twee sherpa's die vooruit was gegaan. Hij keek hen aan met een smekende blik.

Omdat ze de vaste touwen gingen inspecteren, zaten de twee mannen met een los touw aan elkaar vast. De lawine had hen beiden meegesleurd en tegelijkertijd de touwroute weggevaagd. Op de een of andere manier had Namje in een bovenmenselijke inspanning eerst met zijn bijl en toen met zijn voeten houvast gevonden en hun val tot stilstand gebracht. Nu moest Ang, zijn partner, ergens onder hem óf zijn bedolven óf aan het eind van het touw hangen.

Tegen de tijd dat Sam dit had bedacht, was Al al onder de sherpa en volgde het spoor van het strakgespannen touw.

'Hij is hier,' hoorden ze van beneden Als doffe stem roepen. 'Een scheur. Rix en Mark, jullie dienen als zelfzekering. Mingma en Finch, maak je touwen vast, jullie komen hier naar mij. We moeten hem eruittrekken.'

Meteen begonnen de twee Engelsen met hun ijsbijlen in de hachelijke sneeuwhelling te hakken. Ze maakten twee zadelvormige zitplaatsen met holten voor hun benen, met tussen hen in een stevige bult van ijzige sneeuw waartegen ze zich schrap konden zetten. Ze gingen in hun zadel zitten en deden de touwen om hun middel waaraan Finch en de sherpa zich konden verankeren, voor het geval ze zouden vallen. In deze rustige haast van intense activiteit stond Sam hulpeloos af te wachten.

Toen de twee cliënten zich zo stevig mogelijk hadden geïnstalleerd, bevestigden Mingma en Finch de touwen aan hun klimgordel en zwoegden omlaag naar Als positie. Van hieruit konden ze zien dat Ang bewusteloos was blijven bungelen nadat de lawine zich in het ravijn had gestort. Op de een of andere manier had de val hem half uit zijn gordel getrokken en nu hing hij weerloos in de ruimte.

Sam gaapte achter zijn handschoen terwijl hij de omzichtige manoeuvres gadesloeg.

Heel langzaam liet Al zich, vastgemaakt aan Mingma, over de rand zakken. Finch leunde achterover; haar stijgijzers en bijl had ze stevig in de sneeuw gedrukt en om haar middel zat een extra lus van Mingma's touw. Boven haar zaten Rix en Mark roerloos in hun sneeuwzadels, voorbereid op de plotselinge ruk van nog een vallend lichaam. Een minuut lang, die veel langer leek te duren, was Al uit het zicht. Finch wachtte met gebogen hoofd, schijnbaar in volle aandacht voor het lawinegruis.

'Haal hem omhoog,' klonk Als stem eindelijk.

Mingma trok het touw strak en begon te hijsen. Angs slappe lichaam verscheen, en met een gezamenlijke hijsbeweging trokken ze hem eruit. Vlak daarna kwam Al te voorschijn. Finch was al druk doende de gewonde man uit het tuig te bevrijden en zijn kleren los te trekken om zijn ademhaling en pols te controleren. Al liet zijn handen over de gespreide ledematen gaan. Vanaf een afstandje keek Sam toe hoe ze instinctief samenwerkten.

Namje zat met zijn hoofd in zijn handen te rillen. Rix legde een arm om zijn schouders.

Er zat een enorme jaap over Angs voorhoofd, die tot boven op zijn hoofd doorliep. Het zwarte haar was plakkerig van het bloed.

Pemba en de andere helft van de expeditie kwamen eraan. De twee gidsen overlegden met elkaar en Ken haalde de radio te voorschijn om contact op te nemen met George.

Al zei: 'We moeten hem naar het basiskamp brengen.'

Finch verbond de wond. Toen ze de man optilden en een touw onder zijn armen en door zijn klimgordel deden, hing zijn hoofd slap, en ze deed haar best het te ondersteunen.

'Jullie gaan allemaal naar beneden met Pemba en Mingma,' zei Al tegen zijn klimmers. 'Ken en ik brengen hem naar beneden, met Finch.'

'Laat mij ook meehelpen,' zei Sam.

Al keek niet eens op. 'Doe wat ik zeg.'

Zwijgend verwijderde de colonne zich. In het gebied onder de kleine lawine bleven de vaste touwen op hun plek.

Twintig minuten later bereikten ze de gletsjervloer. George en de basis-sherpa's stonden hen daar op te wachten. Het duurde nog een half uur voordat de rest van het konvooi in zicht kwam. Ken en Al droegen Ang tussen zich in, maar op de steilste gedeelten lieten ze hem aan zijn klimgordel zakken. Finch bleef in de buurt om de gewonde in de gaten te houden. Zodra ze hem beneden hadden, tilden de sherpa's hem voorzichtig tussen hen tweeën omhoog en begonnen de snelle afdaling naar het kamp van de Mountain People. Ang werd rechtstreeks naar de medische tent gebracht, met Finch en de twee gidsen.

Dorje, de kok, bracht Sam een mok thee.

'Niet goed,' zei Dorje. 'Eerste dag.'

Sam knikte en ging met zijn rug tegen de stenen van het *puja*-altaar zitten. Het was warm in de zon. Mingma kwam stilletjes aangelopen en pookte het jeneverbessenvuur op.

7

Die nacht droomde Sam zijn steeds terugkerende droom. Hij lag in de oude noktent, opgekruld in zijn slaapzak in het gedempte, groene licht. Buiten klonken het gerinkel van pannen die door zijn moeder werden opgeruimd en het lage gemompel van zijn vaders stem. Alles was veilig en vertrouwd en hij hield zijn droom zelf heel stil, bang dat de veiligheid zou wegsmelten. En toen, zoals altijd, was hij ergens anders. Op een plek die hij niet kende. Een naald die zich tegen de lucht afstak, rotsen, een scherpe tand die zich in het blauw beet, met vogels die rondom de top opvlogen. Op de naald zat een spin, die als een mens aan het klimmen was, door de duizelingwekkende hoogte gereduceerd tot een zwart krabbeltje, bijna te klein om nog te zien en te ver weg om gered te worden. En Sam wist dat hij moest worden gered omdat het helemaal geen spin was. Het was zijn vader.

'Help me,' riep zijn vaders stem. 'Zeg me wat ik moet doen.'

Sams mond bewoog zich, maar er kwamen geen woorden.

'Ik val.'

De spin verschrompelde alsof hij was aangeraakt door een vlam en tolde in eindeloze salto's door de lucht, en toen had hij handen en voeten, benen en armen en viel nog steeds, al schreeuwend 'Ik val', en toen raakte hij de grond. Sam schreeuwde en de vibratie van zijn geschreeuw hing nog steeds in zijn keel toen hij zich in zijn slaapzak in het basiskamp wakker kneep. Hij rolde op zijn rug en trok de capuchon van zijn hoofd. De verschrikking van zijn droom verloor langzaam haar greep en ebde weg. Sam lag met wijdopen ogen en probeerde zijn ademhaling onder controle te krijgen. Uit ervaring wist hij dat hij na de droom niet weer zou slapen.

Hij hoorde hoe iemand gehaast uit een van de andere tenten kroop, en daarna het geluid van kokhalzen.

Bij het ontbijt was Vern niet aanwezig, maar later op de dag zag Sam hem in een canvas stoel zitten, naast de mess-tent. 'Alles goed?'

De grote Amerikaan zag er bleek en akelig uit, maar kreeg het voor elkaar om te glimlachen. 'Natuurlijk. Na gistermorgen kreeg ik een vreselijke hoofdpijn. Kon me een paar uur niet bewegen en de pijnstillers er niet inhouden. Zoals dat gaat bij een zware aanval van migraine. Dus heb ik een nogal vervelende nacht gehad, maar de dokter heeft me weer opgelapt met iets wat het overgeven moet stoppen en toen sloeg het medicijn aan, dus nu voel ik me prima. Alleen nog wat acclimatiseren. Het is me al eens eerder overkomen.'

'Dat is pech hebben.'

'Och, niets om je zorgen over te maken. Goed dat we vandaag een rustdag hebben. Hoe gaat het met jou?'

'Redelijk.' In feite had Sam na de droom niet meer geslapen, zoals hij al had gedacht. Als gevolg daarvan voelde hij zich vervelend en landerig, en het vooruitzicht om de ijswand nog een keer te moeten beklimmen, laat staan nog méér dan een keer, was compleet onverdraaglijk. Maar toch wist hij dat hij het zou doen, omdat opgeven en weggaan het alternatief was. Er dreef zich een wig van begrip onder de opeenstapeling van uitspraken van zijn vader en wierp al zijn inzichten omver.

Vern knikte meelevend: 'Je hebt het gisteren aardig goed gedaan.'

'Dank je. Ik ben er niet zeker van of Al het hiermee eens is.'

'Hij kan soms een beetje rottig doen, hè?'

Sam haalde zijn schouders op. Hij wilde de expeditieleider niet ter discussie stellen. Hij liep wat rond en kwam Dorje tegen, bij wie hij, starend in de vallei, een kop thee dronk. Er waren wolken naar boven komen drijven, die bijna het gehele uitzicht wegvaagden.

In het kamp was het rustig. De meeste klimmers lagen in hun tent te rusten of zaten in de mess te lezen. Het geluid van spattend water achter een canvas scherm naast de keuken betekende dat er iemand aan het douchen was.

Gistermiddag, nadat Finch voorzover mogelijk Angs toestand had gestabiliseerd, hadden Al en twee van de sherpa's hem naar Pheriche gebracht, beneden in de vallei, waar zich een door westerlingen geleide kliniek bevond. 's Avonds had George een telefoontje van Al gekregen met de mededeling dat de gewonde sherpa weer bij bewustzijn was en zijn hoofdwond was gehecht. Hij had een ontwrichte schouder, gekneusde ribben en schaafwonden, maar het was zeker dat hij beter zou worden. De rest van de dag gebruikte Al om weer terug naar het basiskamp te lopen.

George was aan het faxen in de communicatietent en begroette Sam met een knikje van zijn hoofd.

'Kan ik even telefoneren als je klaar bent?' vroeg Sam.

'Natuurlijk. Jij hebt het geïnstalleerd. Vier dollar per minuut, naar de vs.

'Bedankt.'

Vijf minuten later nam Mike de telefoon op in Wilding, Oregon.

'Hai, pa. Raad eens waar ik zit?'

George Heywood wierp hem een blik toe en liep toen tactvol de tent uit.

Luisterend naar de zwakke, door de satelliet gedragen echo van zijn eigen stem dacht Sam aan al die keren dat hij zijn vader had horen fantaseren over de Everest. *Vóór je twintigste zul je de Cap beklimmen, jongen. En dan zul je alle grote routes in de Alpen en de Himalaya doen, plaatsen die je ouwe vader nooit te zien heeft gekregen.*

'Ik dacht dat je in Kathmandu was.'

'Bijna goed. Maar veel beter.'

'Ik weet het niet, zoon.' De oude man sprak vermoeid.

'Het basiskamp van de Everest.'

Er volgde een moment van kristalheldere stilte, toen een lach, ongelovig en tegelijkertijd met een verlangen het wél te geloven.

'Echt waar! Gisteren ben ik op de ijswand geweest tot aan het westelijke keteldal, en toen weer naar beneden.'

'Hoe kan dat?'

'Een mazzeltje. Ik heb een baan bij een expeditie. Heb jouw naam genoemd, om eerlijk te zijn.'

'Sam, dit is toch niet weer een van je vele grapjes?'

Heb ik ooit zo'n grapje gemaakt? Ben ik ooit zo wreed geweest?

Hij kneep zijn hand om de gladde telefoonhoorn dicht en dacht: ik ga verdomme grienen. Na al die tijd ga ik huilen. 'Nee, het is de waarheid. Tegen een man die George Heywood heet heb ik gezegd dat ik je zoon was en hij heeft me aangenomen als vervanger van iemand die ziek werd. Ik ben hier om de cliënten te helpen bij hun poging de top te bereiken, maar je weet maar nooit. Misschien kom ik nog wel een beetje hoger.'

'Ik geloof dat ik me George herinner, uit de goeie ouwe tijd in Yosemite. Hij was toen nog een jongen. Luister. Kijk eens naar buiten. Vertel me wat je kunt zien. Vertel me alles.'

Sam deed een stap naar voren, zodat hij uit de tentflap kon gluren. Hij beschreef het uitzicht en maakte het een beetje mooier omdat het wolkendek dikker werd.

'Kun je de top zien?'

'Ja, die kan ik zien.'

Mike slaakte een lange zucht. 'Dat is niet niks,' zei hij. 'Dat is echt niet niks.'

Sam staarde heel intens naar de ingewikkelde structuren van rotsen en ijs. 'Ik wou dat jij het ook kon zien.'

'Dit is bijna net zo goed. Luister, zoon. Je gaat klimmen, wat ik altijd wel heb geweten. Ik kan het aan je stem horen, dus ga me niet vertellen dat het alleen maar een baantje is. Maar je moet voorzichtig zijn. Weet je nog wat ik je heb verteld over concentratie?'

'Dat weet ik nog.'

'En wanneer je op de top bent, noem dan mijn naam en die van je moeder.'

'Pa, ik ga niet...'

'Zeg het.'

'Oké, dat doe ik. Maar het is niet zeker óf en wanneer. Ik hang er maar een beetje bij. Als de man die ziek is geworden weer beter wordt en hierheen kan komen, lig ik eruit.'

Helemaal vanuit Wilding hoorde hij een vreemd geluid, dat het gegrinnik van zijn vader kon zijn. 'Natuurlijk is dat zo. Maar je vergeet het niet, hè?'

'Ik noem de namen.'

'Ik bedoelde: wees voorzichtig.'

'Ja.'

'Herinner je je nog al die keren dat ik je heb meegenomen toen je klein was?'

'Ik was een schijter.'

'Je hebt heel wat geleerd.'

Sam werd zich ervan bewust dat er buiten de tentflap een scha-duw stond. 'Ik gebruik de satelliettelefoon van de expeditie, pa, voor vier dollar per minuut. Ik moet nu ophangen.'

'Natuurlijk. Ik ben heel trots op je, Sammy. Geniet ervan.'

Toen hij de tent uitstommelde, zag Sam dat Finch bij de tentope-ning stond. Hij vermande zich met moeite. 'Sorry. Wilde je naar de medische ruimte?'

'Ik wilde ook proberen te bellen. Is er iets aan de hand?'

Sam schudde zijn hoofd en Finch liep langs hem heen de tent in. Ze wilde met Suzy praten. Haar laptop e-mail deed het hier niet; inkomende e-mails werden op het kantoor in Kathmandu ont-vangen en de uitdraaien werden vanuit Lukla per vliegtuig hier-heen gebracht. Ze had faxen verstuurd om te zeggen dat ze veilig in het basiskamp waren aangekomen, maar nu moest ze gewoon met iemand kunnen praten, ongeacht de afstand.

De ijswand zelf was nogal angstaanjagend geweest. In theorie had ze geweten wat voor inspanning het haar zou kosten, hoe drei-gend het schuiven kon zijn en de extremen van warmte en kou, maar de werkelijkheid was heel wat schokkender geweest. Giste-ren was ze geconfronteerd met haar eigen fysieke lafheid, toen ze zich net zo onverzettelijk als iedere andere klimmer verplaatste, of talmde bij de onheilspellende rand van de kloof en onder de ge-vaarlijke ijstorens. Ze had gedacht dat ze over genoeg moed be-schikte, maar het spookbeeld van de angst verrees en versperde haar de weg. Soms moest ze haar wil te hulp roepen om erlangs te stappen. En toen, bijna aan het eind van de strijd, was er de la-wine, en Mingma's smekende ogen die hen hadden aangekeken en het moment waarop Al zichzelf uit het zicht in de spleet liet zakken. Ze had het willen uitschreeuwen als een kind en naar voren willen rennen om hem terug te trekken. Al die tijd had ze geholpen met de reddingsactie, en terwijl ze voor de gewonde man al het weinige deed wat ze kon, had ze afstandelijk naar zich-zelf gekeken en gedacht: je bent een bedriegster en een sta-in-de-weg. Je kunt het niet aan. Je laat Al in de kou staan.

Nadat de mannen Ang naar Pheriche hadden gebracht, was haar

gevoel van hulpeloosheid alleen maar toegenomen. Ze had niet genoeg voor hem gedaan. Er was hier geen behandelkamer en geen apparatuur, en er waren geen medische hulpmiddelen die zij en Dennis in Vancouver als iets heel gewoons beschouwden. Haar plicht tegenover al deze mensen in deze vijandige omgeving stelde haar voor de vraag hoe ze de verantwoordelijkheid zo zorgeloos op zich had kunnen nemen. Het was een lange, onaangename nacht geweest.

Jeff nam de telefoon aan, maar een minuut later was Suzy aan de lijn. Door de warme vertrouwelijkheid van haar stem voelde Finch zich even minder geïsoleerd.

'Ja, het gaat goed met me. Een rustdag vandaag. Nogal wat meegemaakt gisteren.'

Ze vertelde over de lawine en de spannende minuten van de reddingsoperatie en deed verslag over Angs verwondingen.

'O God, dat had jij kunnen zijn,' riep Suzy. 'Wist je dat het zó zou zijn? Als je had geweten dat het zo gevaarlijk zou zijn, was je toch zeker niet gegaan?'

Zorgeloosheid was het goede woord, dacht Finch. Dat ze medische verantwoordelijkheid op zich had genomen en dacht dat ze over moed beschikte. 'Ik weet het niet, Suzy. Als ik het had geweten, had ik het misschien niet gedaan, maar toch ben ik blij dat ik hier ben.'

'Finch, dit is gekkenwerk! Ik zit in angst over je.'

'Niet doen.' Ik heb zelf al angst genoeg. Nog meer angst is totaal overbodig. 'Hoe gaat het overigens met je?'

Suzy was even stil en begon toen te lachen: 'Zwanger.'

'Wát?'

'Eerste keer raak. Niet slecht, hè?'

'Dat is goed nieuws. Dat is heel fijn, Suzy.' Ze lachten nu beiden. Ze bleven nog een minuutje doorpraten over data en trimesters, plotseling niet meer medisch, maar moederlijk, en Finch vergat waar ze was en de dagen die voor haar lagen.

'Je klinkt goed,' zei Suzy ten slotte.

'Ik voel me ook goed.' Misschien was dat eigenlijk ook zo. Ze was bij Al. Dit was haar eigen keuze, wát er ook mocht komen.

'Ik denk hier elke dag aan je.'

'En ik aan jou. Nu nog meer. Ik moet ophangen, want George wil het weerbericht opvragen.'

'Klim ze en kom terug, wil je?'

'Wees voorzichtig, moedertje in spe.'

Buiten pakten zich dikke wolkentorens samen en wisten de lucht en de pieken uit. Er blies een licht windje tegen de nylonflappen van de tenten en trok de gebedsvlaggen horizontaal, en uit de grijze lucht dwarrelden een paar vlokjes sneeuw. Sam had een rusteloze wandeling om het kamp heen gemaakt, omdat hij een gevoel van opgeslotenheid van zich af wilde schudden. Hij zag Finch naar buiten komen.

'Wie is er in de mess-tent?' vroeg ze.

'Vrijwel iedereen.' Ze waren aan het kaarten en Sandy draaide een cd van Van Morrisons grootste hits. Sam voegde er voorzichtig aan toe: 'Behalve Al. Hij is nog niet terug uit Pheriche.'

'Aha.'

'Je kunt in mijn flat komen als je geen zin hebt in de mess-tent.'

Wanneer ze glimlachte, was dat al een beloning op zich. 'Dank je. Dat klinkt goed.'

De tenten van de Mountain People waren groot genoeg voor twee en die van Sam was opgeruimd. Zijn slaapzak was keurig opgevouwen en zijn kleren en boeken lagen op kleine stapels in een hoek. Finch ging aan de ene kant zitten met een plunjezak als ruggensteuntje en Sam leunde tegen zijn slaapzak. De wind werd sterker en striemde tegen de kleine koepel, zodat ze hun stem moesten verheffen.

'Ik heb net gehoord dat mijn beste vriendin een baby krijgt.'

'Is dat een reden tot feestvieren?'

'Beslist. Ze is net getrouwd, het was haar bruiloft waar ik naartoe ben geweest toen we elkaar op het vliegveld ontmoetten.'

Sam vond deze bevestiging van hun geschiedenis prettig, al was ze nog zo miniem.

'Laten we dan de chocola te voorschijn halen.'

Hij vond een reep, haalde het zilverpapier eraf en brak er voor ieder een stuk af. Finch begon er hongerig en tegelijkertijd met tegenzin aan te knabbelen. Het is de hoogte, dacht ze afwezig, geen zwangerschap. Eet wat je naar binnen kunt krijgen en drink zoveel je kunt.

'Belde je naar huis? Je vriendin?'

'Mijn vriendin en ik hebben, vlak voordat ik hierheen kwam, een punt bereikt waarop... we beseften dat het geen zin meer had.'

Finch bekeek haar chocola en besloot hier niet verder op in te gaan.

'Ik had mijn vader aan de lijn.'

Ze ging nu behaaglijk onderuit zitten, nestelde haar schouders in het geïmproviseerde kussen en wachtte rustig op wat hij haar zou vertellen. De besloten ruimte van de tent, het gedempte, groene licht en de synthetische, lijmachtige geuren deden Sam denken aan de expedities met zijn ouders, en aan de droom. Het had iets verontrustends om met Finch in deze intieme beslotenheid te zijn. Het gevaar van gisteren en de nasleep van de lawine hadden een laag reserve verwijderd. Ze keken elkaar nu openhartig aan. Hij wilde een hand uitsteken om die op de zachte zwelling van haar kuitspier te leggen, maar in plaats daarvan begon hij te praten.

Hij vertelde Finch over zijn kindertijd en de huizenhoge, beangstigende rotsblokken die hij van Michael moest beklimmen. Hij probeerde de kinderlijke gevoelens over te brengen van boos onbegrip voor zijn vaders obsessie en het zoeken naar het duistere evenwicht tussen gevaar en prestatie.

'Ik heb het nooit begrepen. Heb het nooit kunnen begrijpen, tot gisteren. En toen was ik plotseling lamgeslagen van angst, bijna incontinent, maar toch wilde ik doorgaan. Ik moet weer naar boven.'

Finch zei: 'Ik ken het gevoel. Ieder van ons kent het.'

'Ik heb mijn vader gebeld om hem te vertellen waar ik ben en wat we gisteren hebben gedaan. Hij had er geen notie van. Hij wist niet eens dat ik met de expeditie was meegelift.'

'En wat zei hij?'

'Hij zei dat ik, wanneer ik de top bereikte, alleen zijn naam en die van mijn moeder moest noemen.'

Ze glimlachte weer.

'En hij was trots op me. Hij moet me dat wel eens eerder hebben gezegd, denk ik, maar ik kan me er niets meer van herinneren. Of wanneer het geweest kan zijn.'

'Ga verder,' zei Finch even later.

Sam trok zijn wenkbrauwen op.

'Er is toch nog meer?'

'Hij viel,' zei Sam.

Het was nu bijna tien jaar geleden. Sam was er natuurlijk niet bij geweest toen het gebeurde. Lang daarvoor had hij al duidelijk laten weten dat hij niet wilde klimmen, noch met zijn vader, noch met iemand anders. Er was helemaal niemand bij geweest. Mike had altijd vrij en alleen willen klimmen.

Het gaat niet om veiligheid. Het gaat om puurheid.

Hij had zonder touw een pijler beklommen, na de zogenoemde 'Jam Today'-route, die hij zelf had uitgestippeld. Het was een heel klein scheurtje, dat net genoeg houvast bood aan zijn vingertoppen en dat verticaal naar boven liep, naar een uitsteeksel zo'n vijfentwintig meter boven hem. Voor Michael McGrath, die dol was op de duizelingwekkende kliffen van Yosemite en ervan genoot in Alaska een bevroren waterval van driehonderd meter te beklimmen, was dit hetzelfde als een rustige middagwandeling.

Hij had de dynamische beweging gemaakt die zijn vingers van de verticale scheur had verplaatst naar een onzichtbaar, miniem houvast op het uitsteeksel boven zijn hoofd. De enige manier om dit er goed van af te brengen, was omhoog te springen en zich vast te grijpen in de onzichtbare gleuf.

Wanneer je alleen maar omhoog kunt komen door de veiligheid van de bestaande houvasten los te laten, spreken klimmers van overgave. *Geef je over, zoon,* riep zijn vader dan naar boven of beneden, wanneer hij vocht om de wil te vinden en eenzelfde manoeuvre uit te voeren. *Je moet je overgeven.*

Op die milde zaterdagmiddag, op het cruciale punt van een beklimming die hij tientallen malen eerder had gedaan, gaf Michael zich te laat of te aarzelend over en zijn vingers misten het houvast. Hij viel vijfentwintig meter naar beneden en bleef liggen.

Het was het zwarte, omlaagtuimelende figuurtje dat Sam in zijn voorspellende dromen had gezien en waarnaar hij sindsdien in zijn verbeelding te vaak en met tegenzin was teruggegaan. Niemand was getuige van de val zelf, maar hij stond levendig en onuitwisbaar in Sams geheugen geprent.

Michael brak zijn onderrug en had daarnaast nog andere verwondingen. Een uur lang lag hij daar bij vol bewustzijn en in pijn, tot er twee trekkers voorbijkwamen en hem vonden. Het was een plek waar niet vaak mensen kwamen, en hij had het geluk dat het niet nog langer duurde.

Sam was toen eerstejaarsstudent. Hij was aan het hardlopen en zijn kamergenoot was het weekend weg. Het eerste bericht over het ongeval bereikte hem per telefoon, dat door een onbekende die verder op de gang woonde in ontvangst werd genomen en aan de deur van zijn kamer werd geprikt. Bel dit ziekenhuis, dit nummer. Vraag naar dokter Shapiro.

'Ik was niet geconcentreerd,' zei Mike verbitterd toen Sam aan zijn bed kwam staan. 'Alleen deze ene keer ging ik er zonder meer vanuit dat ik het kon.'

In een rolstoel kwam Michael thuis in het oude huis in Wilding. Eerst moest Sam voor hem zorgen, hem helpen bij het naar bed gaan en naar het toilet. Hij gaf zijn studie op, en met een tegenzin waaraan hij met schaamte terugdacht, bereidde hij zich voor op een leven dat gewijd was aan de zorg voor een verbitterde, gehandicapte man. Hij nam een baantje als computerverkoper bij een warenhuis aan de andere kant van Wilding.

Maar hij had geen rekening gehouden met zijn vaders ijzeren wil. Michael leerde weer lopen, eerst één hachelijke stap van zijn rolstoel naar de keukentafel, toen twee, vervolgens met de forse beweging van zijn sterke armen en schouders, die zijn benen meesleepte, van zijn bed naar de stoel.

Maar de sfeer in het huis dreigde hen beiden te verzieken. Michael wist dat hij nooit weer zou klimmen; de artsen waren pessimistisch, zelfs over de kans om weer zonder hulp te lopen, en de frustratie en woede vonden een uitlaat in zijn onvrede met zijn zoon.

Sam vluchtte in hardlopen. Hij liep honderden kilometers en dwong zichzelf om in steeds kortere tijden langere afstanden af te leggen, waarbij hij geen moment zijn concentratie verloor. Wanneer hij dan, thuisgekomen, zijn vader tobbend in zijn stoel aantrof of hem de pijnlijke twee schuifeltjes zag maken, was zijn eerste opwelling om onmiddellijk rechtsomkeer te maken en nog verder en harder te gaan lopen.

Allengs kreeg Michael weer controle over zijn onderlichaam. Hij leerde om met behulp van krukken rondom het huis te lopen, toen met twee stokken en daarna met één. Hij ging weer autorijden, naar de kruidenier of het dorp in. Op een dag zei hij kortaf: 'Je kunt weer gaan.'

'Waarheen?'

'Terug naar de universiteit. Ik heb je hier niet meer nodig.'

Een jaar na het ongeval ging Sam weer studeren. Zijn sporttoelage mocht hij houden, en hij beloonde het vertrouwen door de kampioenschappen van de staat Oregon en een serie nationale wedstrijden te winnen. Het was niet makkelijk om deze triomfen te delen met Michael, bij wie de verbitterdheid over zijn eigen fysieke gevangenschap als een tumor in zijn ingewanden zat.

De wind over de ijswand werd sterker, en Sam moest zijn stem verheffen om boven het geroffel op de nyloncapsule uit te komen. 'Dat is ongeveer het punt waarop we bleven hangen. Ik wilde niet voor hem klimmen, en klimmen was het enige wat telde in zijn leven,' besloot Sam.

Finch had met aandacht naar dit alles geluisterd en onderwijl zijn gezicht bestudeerd. 'Het lijkt me een opmerkelijke man; medisch gesproken althans.'

'Misschien doe ik dit alles wel om hem. Ik heb een diep verdrongen, onbewuste, niet-erkende maar brandende drang om de Everest te beklimmen en te langen leste mijn vaders goedkeuring te krijgen.'

Finch dacht na. 'Dat hoop ik van harte. Omdat dit betekent dat al die onzin over mij en met mij uit eten willen gaan niet waar is.'

Ze aarzelden beiden.

Toen greep Sam haar hand en hield die vast, en ze liet het toe. Hij was zich levendig bewust van haar warme vingers, de ovale nagels en de ontspannen buiging van haar duim. 'Ik hoef nergens op te hopen, hè?'

'Nee,' zei ze vriendelijk.

'Ik zou hem willen vermoorden.'

'Nee, dat wil je niet.'

'Oké. Als jij het zegt.'

Hij trok zijn hand terug en ze knikte.

'Ik heb nog wat te doen, Sam. Mark Mason hoest nog steeds en ik moet kijken hoe het met Vern is. Bedankt dat je me dit alles hebt verteld.'

'Natuurlijk.'

Vanuit de beslotenheid van de tent kropen ze in de volle kracht van de wind. Er zou nog genoeg tijd zijn om te praten, beseften ze beiden plotseling. Het kamp leek klein en kwetsbaar op de bedding van de ijswand, en het onberekenbare weer hield hen daar vast. Er zat niets anders op dan gelaten af te wachten tot het weer opnieuw veranderde.

Finch trok haar waterdichte jack om zich heen. De sneeuw schuurde over de zichtbare driehoek van haar gezicht. Ze zag dat Al slechts een meter van haar vandaan met George stond te praten, maar haar recht aankeek; zijn capuchon en schouders waren bedekt met sneeuw, en het begin van een zwarte baard was wit berijpt. Hij was eindelijk terug uit Pheriche. George sloeg hem op de schouder waardoor de sneeuw in het rond vloog, en samen doken ze de mess-tent in. Op de besneeuwde, bultige wirwar van de ijsrots scheen even een straal licht.

Finch volgde hen de tent in. Alle klimmers, met uitzondering van Sam en Verne, zaten om de grote tafel, wachtend op het eten. Twee of drie zaten te lezen. Ken en de anderen waren aan het kaarten. Al was in een stoel aan het eind van de tafel neergestreken.

Finch liep recht op hem af en legde een hand op zijn schouder. Ze werd zich onmiddellijk bewust van het plotseling staken van activiteiten, van de ogen die op hen werden gericht en de gefluisterde conclusies die daarna werden getrokken.

Dat was prima. Ze wilde dat ze het wisten. En toen vergat ze dat er behalve Al nog anderen waren.

Al bevestigde de aanspraak die ze op hem deed door haar pols vast te pakken en haar recht aan te kijken toen hij zei: 'Het komt wel goed met hem.'

'Fijn.'

'Bedankt voor wat je hebt gedaan.'

'Ik had het gevoel dat het te weinig was. Hoe is het met jou?'

'Een lange wandeling. Dat is alles.'

Ze lieten elkaar weer los. Finch merkte dat iedereen zich haastte zijn bezigheden weer op te pakken, om de indruk te wekken niets te hebben gezien. Sandy Jackson zat boven zijn hand met kaarten aanstellerig te lachen. Ze ging op een lege stoel aan de tafel zitten, en het onsamenhangende gesprek om haar heen zette zich voort. Sam en Vern kwamen samen binnen. Na een paar minuten kwam de koksmaat met handenvol vorken en messen, gevolgd door Dorje met het eten.

Vern at bijna niets. 'Morgen voel ik me weer prima,' hield hij vol tegenover Finch.

Alle anderen aten hun volle borden leeg.

Tijdens de briefing na het eten gaf George verslag van het weerbericht. 'We verwachten nog twee of drie slechte dagen. Het is een kwestie van uitzitten, zoals jullie allemaal weten. Het is een geluk dat we niet hoger zitten. Neem de gelegenheid waar om uit te rusten en je krachten te sparen.'

Er waren heel wat klimmers van andere groepen in het kamp die al op de zuidcol zaten. De wind en de kou op die hoogte zouden vreselijk zijn. Zo nu en dan ontvingen de verschillende basiskampen radioberichten van boven, die dan door het hele kamp gingen. Ze zouden proberen te blijven zitten waar ze zaten tot de stormen waren uitgeraasd.

'Al?'

Al boog zich naar voren. Sam kon het niet helpen dat hij hem de hele tijd had gadeslagen.

De man had een innerlijke rust die zich weerspiegelde in zijn verweerde gezicht. Hij was niet onbewogen, en zijn gelaatsuitdrukking gaf op een subtiele wijze gehoor aan het beroep dat het gesprek op hem deed. Finch had gelijk gehad, Sam haatte hem helemaal niet. Hij wilde het wel, maar wat hij voelde, lag heel dicht bij respect.

'Zoals jullie allen weten, heeft Ang gisteren ernstige, maar geen levensbedreigende verwondingen opgelopen. Hij is nu in Pheriche, waar hij de nodige medische verzorging krijgt. Dank jullie allen voor jullie hulp op de berg. Jullie hebben het weerbericht gehoord.' Hij zweeg even en luisterde met zijn hoofd een beetje schuin naar het geluid van de wind. 'Zodra het wat rustiger wordt, gaan we terug naar kamp I en blijven daar overnachten. Dezelfde groepen als de vorige keer.'

Sam opende zijn mond om weer dezelfde vraag te stellen, maar Als blik legde hem het zwijgen op.

'Heeft iemand hier iets zinvols aan toe te voegen?'

Niemand zei iets.

'Oké. Blijf je concentreren op je doel.' Hij knikte, ten teken dat ze konden gaan. Iedereen begon zijn stoel naar achteren te schuiven en liep weg van de tafel.

'Heb je een minuutje?' Al sprak Sam rechtstreeks aan.

'Zeker. Natuurlijk.'

Al knikte naar de tentflap. Sam stond op en volgde hem naar buiten. Er stond te veel wind om rustig te kunnen praten en Al wees naar de communicatietent. Eenmaal binnen, zei hij zonder enige inleiding: 'Heb je ooit eerder een paar stijgijzers aan je voeten gehad?'

'Ja. Maar niet recent.'

'Daar zag het ook niet naar uit.'

'Dat spijt me. Ik dacht aan het eind dat ik het aardig goed deed.'

'Ik heb geen behoefte aan iemand die het daarboven verknalt.'

'Nee.' Sam hield zijn stem vlak en probeerde rustig te blijven.

'Je beweerde dat je een bergbeklimmer was.'

'Ik geloof dat ik alleen beweerde dat ik sterk en van goede wil was.'

Al bekeek hem aandachtig. 'Waarom ben je hier?'

'Ik geloof niet dat dit jou iets aangaat.'

'Ik leid deze expeditie, jochie. Alles wat hier gebeurt, gaat mij aan.'

Het woordje 'jochie' gaf de doorslag; maakte het weten dat Finch van hem hield – en hij kon begrijpen waarom – nog erger.

Sam voelde golven van woede en vernedering door zich heen gaan. Hij balde zijn vuist, zwaaide met zijn arm en gaf Al een stomp in zijn gezicht, maar niet erg doeltreffend. Al gaf hem er meteen een terug, veel doeltreffender, en Sam wankelde opzij tegen de tafel waarop de satelliettelefoon en de radio stonden. Alles gleed en schudde, en Al stak rustig een hand uit om de tafel vast te houden. Knipperend en naar adem snakkend, bevoelde Sam zijn wang en kaak en vroeg zich af hoeveel kiezen hij kwijt was. Het was alsof zijn gezicht was opengespleten. Als een vaatdoek zakte hij op de stoel van George in elkaar.

Toen Al zeker wist dat de communicatieapparatuur geen schade had opgelopen, legde hij zijn hand op de kruin van Sams hoofd en keerde het om teneinde de schade te bekijken. 'Gekneusd. Geen levensgevaar. Je zult er zelfs niet minder knap van worden.'

'Deed je dat... om haar?' Sam mompelde, en inspecteerde met behulp van zijn tong de weekachtige troep in zijn mond.

Al stak zijn handen in de zakken van zijn jack en overwoog de vraag. 'Nee. Vertel eens, ben jij hier om haar? Je kunt beter eerlijk zijn. Voor mij maakt het geen enkel verschil.'

Het was niet eens arrogantie, dacht Sam. Het was gewoon de waarheid. Wat Finch en Al Hood betrof, was zijn aanwezigheid niet ter zake doende. Hij rustte met zijn elleboog op de tafel en ondersteunde zijn onbeschadigde wang. 'Zo is het begonnen, ja.'

'Maar is er sinds gisteren iets veranderd?'

Sam dacht aan de beklimming, en daarna zijn gesprek met Michael. 'Ja.'

'Dat dacht ik al. Ik heb je daarboven gadegeslagen.'

'Geweldig. Mijn techniek bespottelijk maken.'

'Je bent een verwaand klootzakje, hè? Om je de waarheid te zeggen, ik heb gemerkt dat je fit en sterk bent, en behoorlijk vastberaden. Veel meer dan sommige van mijn cliënten, kan ik je zeggen. En de reden waarom ik nu met je praat, was om je te zeggen dat ik een zeer ervaren klimsherpa mis. Ang kan ik met dezelfde mankracht wel vervangen, maar niet met de plaats die hij in het team innam. Nieuwe gezichten kunnen problemen veroorzaken. Dus als je wilt helpen met wat draagwerk en precies wilt doen wat je wordt gezegd, is er een baan voor je bij deze expeditie, ook al komt Adam terug.'

'Ik deed het daarboven in m'n broek van angst.'

Tot Sams verbazing begon Al te lachen. 'We doen het van angst allemaal in onze broek, man. Elke keer weer. Maar we blíjven het doen. En als je níét bang bent, ben je waarschijnlijk niet voldoende op je qui-vive. Wil je de baan? Ik betaal je niet, maar je klimt mee met de rest van de groep.'

'Ja,' zei Sam zonder enige aarzeling.

'Mooi zo. En wat die andere zaak betreft, Finch Buchanan weet zelf wel wat ze wil.'

'Ja,' bevestigde Sam. 'Dat weet ze.'

'Daarom heeft het voor jou en mij geen enkele zin om hier te praten over wie haar zal krijgen.'

'En elkaar het licht uit de ogen te stompen.'

'Noem je dat een stomp?' Al begon weer te lachen, blijkbaar oprecht geamuseerd. 'Nu moet ik wat telefoontjes plegen. Ik ben blij dat je voor ons gaat werken. Misschien wil je de dokter vragen om naar je gezicht te kijken, om zeker te weten dat er echt niets beschadigd is.'

'Nee, ik denk niet dat het nodig is.'

'Welterusten dan,' zei Al koel.

Sam ging terug naar zijn tent. Hij ging in zijn slaapzak liggen en luisterde naar het tumult van de wind. Hij herinnerde zich dat hij en Ricky Arnaz in de laatste klas van de basisschool verliefd waren op een meisje dat Linda Camino heette – lange benen en een ondeugend gezicht – en hoewel hij Ricky intens en fantasierijk had gehaat, voelde hij zich nog steeds met hem verbonden.

Het was twee dagen ellende.

De storm was meedogenloos, en voor expedities die hoger op de berg waren gestrand, was het een hele toer om radiocontact met het basiskamp te onderhouden. En al wachtend en luisterend naar het weerbericht daalde er een sfeer van angstige apathie over de hele gemeenschap van het basiskamp; ze probeerden zichzelf bezig te houden en ontspannen te blijven en elkaar niet op de zenuwen te gaan werken. Elke mess-tent werd een smerige wirwar van etensresten, hoopjes bezittingen en lome lichamen, en de privé-tenten werden claustrofobische opslagplaatsen voor stinkende kleren en de nerveuze dromen van een rusteloze slaap. Het ijs en het rotsgesteente tussen en rondom de tenten waren bedekt met waaiers verse sneeuw, die vervolgens door de wind tot een ijzerharde korst werden geschuurd, die glansden als opgeklopt eiwit.

De cliënten van George Heywood hadden in Kathmandu en tijdens de tocht vanuit Lukla een gezellig groepje gevormd. Maar nu leek het plotseling alsof ze waren uitgekeken op elkaars levensverhaal, en hun persoonlijke eigenaardigheden werden eerder irritant dan amusant.

Rix' luide stem ging op de zenuwen werken en was voortdurend hoorbaar. Hij beschikte over weinig geduld of zelfbeheersing. De andere cliënten gingen hem ontwijken, en Mark Mason, zijn partner, zat meestal met gebogen hoofd verslagen te schrijven, die hij naar zijn krant in Engeland faxte.

'Wat valt er verdomme nog te melden?' vroeg Rix, die zich aan hem ergerde. 'Er gebeurt toch helemaal niets.'

'En daarom schrijf ik over alles wat er níét gebeurt,' antwoordde Mark, en liep weg van het faxapparaat.

'Ik zou dat niet graag willen lezen,' riep Rix hem na, en Ted Koplicki fronste zijn wenkbrauwen boven de bladzijden van zijn Carl Hiaasen.

Al en Ken gingen naar een bespreking met de leiders van het Zuid-Amerikaanse team, om te praten over het gezamenlijk gebruik van enkele voorraden in de hoger gelegen kampen, en Sandy Jackson vroeg aan Finch: 'Waar is je vriendje naartoe?'

Sam staarde naar de brief die hij aan het schrijven was en kon de paardenstaart van de man er wel met wortel en al uitrukken om hem vervolgens te dwingen die op te eten.

'Hij is mijn vriendje niet.'

Sandy grinnikte veelbetekenend. 'Wat is hij dan?'

Finch dacht na. 'Hij is mijn vriend, hoop ik. Hij is ook de leider van de expeditie waaraan jij en ik beiden deelnemen, en dat is op dit moment het belangrijkste. Als je hem dringend nodig hebt, zal hij meteen komen.'

Sam kon haar wel kussen om haar koelheid. Sandy's zelfgenoegzame lachje bestierf op zijn gezicht.

Finch vond het heel moeilijk om te leven met de passiviteit, de enge ruimten en de spanning van het wachten, en ze probeerde zich te concentreren op de behoeften van haar groep. Sam had op zijn rechterjukbeen een fikse kneuzing. Ze keek er aandachtig naar, toen naar hem en hij keek terug, haar uitdagend om commentaar te geven, maar ze hield haar mond.

Verns hoofdpijn verdween helemaal, en zijn oude opgewekte zelf kwam weer terug. Ze mocht de beide Amerikanen graag, ze waren optimistisch over hun kansen en hadden vertrouwen in hun eigen kunnen, zonder verwaand of opdringerig te zijn. De hoest van Mark Mason werd een beetje minder, grotendeels door de rust, dacht ze, maar niet omdat de antibiotica nu zo veel hadden geholpen. Een van de dragers kreeg bij het snijden van de groenten een jaap in zijn vinger en ze bracht twee hechtingen aan in de wond. Een andere kwam bij haar en liet haar verlegen zien dat zijn nek, ellebogen en de achterkant van zijn knieën één grote schilferige, treurige uitslag van eczeem waren. Ze stuurde hem weg om zich te wassen, deed er toen wat hydrocortisonzalf op en zei hem elke dag terug te komen voor verdere behandeling.

'Ja, mevrouw,' fluisterde hij, met een lach die enkele gouden tanden ontblootte.

Ken Kennedy had diarree. Hij maakte er grapjes over en deed in alle toonaarden verslag, maar het was een tegenslag. Hij had al zijn krachten nodig om zijn werk goed te doen, en aanhoudende indigestie zou deze snel ondermijnen.

'Je kent het recept, Ken. Alleen drinken. Twee dagen niets eten; dan gaat het vanzelf over.'

Hij knikte stoïcijns en beende weer weg richting latrinetent.

Buiten haar spreekuurtijden bracht Finch haar tijd door met lezen, denken en slapen, zoals alle anderen. Het lawaai van de wind was uitputtend en onontkoombaar. Telkens wanneer ze zich tussen de tenten waagde, beukte de kou op haar in, maar vanwege haar claustrofobie moest ze wel naar buiten. Ze ging met drie Fransen koffiedrinken in hun kleine mess-tent. Twee leden van hun groep hadden zich verschanst op de zuidcol en wachtten op een weersverandering om een spurt naar de top te kunnen maken. Als die verandering niet snel zou komen, zouden ze door hun voedsel heen raken en terug moeten gaan.

'*On espère.*' De knappe basismanager haalde met een bewonderenswaardig air van nonchalance zijn schouders op. '*On vera.*'

Op de tweede middag, toen ze door een gril van het lot de communicatie- en medische tent helemaal voor zichzelf hadden, dronken Sam en Finch een uur lang samen zwarte thee, aten opnieuw chocola en praatten wat.

'Ik wou dat ik niet iedereen had getoond wat ze de vorige avond hebben gezien,' vertrouwde Finch hem toe. 'Ik dacht gewoon: het is geen geheim dat ik om hem geef. Waarom zou het een geheim moeten zijn? Maar het maakt het alleen maar moeilijker. Die verdomde Sandy Jackson en zijn obsceen lachje.'

'Wat vindt Al ervan?'

Finch draaide haar handen om, een ontroerend gebaar van frustratie en affectie. 'Wat voor kans hebben we nu gehad om erover te praten? Maar ik geloof niet dat het Al iets kan schelen.'

Onverschillige schoft, dacht Sam.

'Het enige wat hij wil, is zijn werk goed doen,' voegde Finch er zachtjes aan toe. Ze keek langs Sam heen naar de deur van de tent en verder. Haar gezicht was warm en ze dacht aan een plek waar hij niet kon komen en er zich zelfs geen voorstelling van kon maken, en hij werd getroffen door een steek van verdriet. 'Hij wil iedereen naar de top brengen en dan weer veilig terug. En dan.'

De gevoelens van verwachting die 'en dan' inhielden, lieten zich niet in deze twee simpele woordjes vangen, maar het ontbrak Sam niet aan de nodige verbeeldingskracht.

'Vertel me hoe jullie elkaar hebben ontmoet,' vroeg hij in plaats daarvan. Maar Finch schudde alleen maar haar hoofd. Ze vertelde hem over haar familie, zoals ze had beloofd. Toen ze klaar was met haar verhaal begreep hij een beetje beter waarom ze liever hier wilde zijn dan in het gerieflijke Vancouver, met de weerspiegeling van de lentezon in de zee.

Hoe beter hij haar leerde kennen, des te meer hij wilde weten.

Die avond ging de wind liggen. Een woelige, zwarte ruimte werd langzaam wolkenloos en veranderde in een stil sterrenfirmament. Er stonden hier meer sterren, en ze schenen met een helderheid die killer was dan Sam ooit had gezien.

Die avond na de briefing gaf George verslag van het weerbericht. Het bevestigde wat ze zelf al konden zien, namelijk dat de stormen plaatsmaakten voor een hogedrukgebied vanuit het zuidwesten. Zoveel verse sneeuw zou de beklimming veel zwaarder maken en verhoogde de kans op lawines, maar het was waar alle groepen op zaten te wachten. Ze konden er weer op uit.

Van het Franse basiskamp kwam het bericht dat hun twee klimmers op de zuidcol klaar waren om aan hun tocht naar de top te beginnen. Ze zouden om één uur vertrekken. De lome sfeer van de laatste twee dagen ontlaadde zich in golven van verwachting.

'Wat is het plan, baas?' vroeg Rix. Hij zat achterovergeleund in zijn stoel, met zijn handen achter zijn hoofd.

Al zei: 'We blijven nog een dag hier beneden.'

Er klonk een collectief gemompel van afkeuring en teleurstelling.

'Iedere idioot gaat nu naar boven.'

'Daarom vind ik dat we ze de ruimte moeten geven.'

Rix en de Amerikanen protesteerden, maar Al hield voet bij stuk. De routes zouden door andere groepen weer toegankelijk worden gemaakt en de lawinehellingen zouden worden getest. De Mountain People zouden hun tijd afwachten.

'Dat is een dag verspillen,' mopperde Rix nors, maar Al negeerde hem. De klimmers verspreidden zich een voor een naar de onwelkome beslotenheid van hun tent.

Finch lag in de stoffige cocon van haar slaapzak te lezen bij het licht van haar koplamp. Toen ze zich bewoog, maakte het bundeltje licht een klein, groenachtig geflikker op het nylon vlak bij haar gezicht. Over de besneeuwde brokken steen hoorde ze iemand aan komen lopen, en toen een stem zachtjes iets tegen haar zei, schrok ze niet.

'Ben je wakker?'

Het was Al.

'Kan ik even binnenkomen?'

'Natuurlijk.'

Hij ritste de flap open en kroop naar binnen, een grote, donkere kolos in de golvende, concentrische cirkels van het lamplicht. Finch schoof opzij op haar slaapmat en hij ging naast haar liggen. Een minuut lang luisterden ze naar het geluid van elkaars ademhaling. Toen nam Al haar in zijn armen, trok de koplamp weg en streek haar haren naar achteren, zodat hij haar voorhoofd kon kussen. Zijn huid en de stoppels van zijn baard voelden door de buitenlucht koud aan.

Finch drukte haar mond tegen zijn wang, ademloos door zijn nabijheid. 'Waarom ben je hier?' fluisterde ze.

Ze voelde hoe alle kleine ingewikkelde spieren in zijn gezicht samenwerkten om haar te laten lachen.

'Wil je dat dan niet?'

'Je weet wel beter.'

Dat was zo. Haar vraag had te maken met alle ogen en oren om hen heen. De sherpa's waren bijgelovig wanneer iemand door zijn gedrag de berg beledigde; de westerlingen konden Als autoriteit in twijfel gaan trekken als hij wel voor iets anders tijd en aandacht bleek te hebben en niet om hen naar de top te brengen.

Hij ademde warmte in haar oor. 'Ik wil alleen vijf minuten bij je zijn. Je ruikt zo heerlijk!'

Zijn geur bestond uit houtrook en zweet, die als een laagje over de vertrouwelijke, frisse geur van zijn huid heen lagen, die ze in al die vijf jaar van hun scheiding nooit was vergeten. Ze wilde hem likken. Haar lichaam tintelde in de valstrik van haar slaapzak. Ze dacht dat ze nog nooit zo sterk naar iemand had verlangd als nu naar Al.

'En jij ook.'

De lamp lag bedolven onder plooien van nylon. Ze lagen roerloos in het donker, verborgen en toch blootgesteld aan de oren van de nacht en de meedogenloze, koude sterren.

Zijn mond vond de hare.

Na de kus zei hij: 'We hebben beiden een klus te klaren. Er zal de volgende twee, misschien drie weken niet veel tijd zijn.'

'Dat weet ik.'

'Maar misschien kan ik, net vóór de klim naar de top, een pauze inlassen. Misschien kunnen we voor een paar nachten teruggaan naar beneden.'

Ze drukte haar mond tegen de zijne om de woorden te smoren. 'Het geeft niet. Daarna zal er meer dan genoeg tijd zijn.'

Al antwoordde niet. Vanuit het niets kwam de angst en streek met een koude vinger over haar verhitte voorhoofd.

'Al?'

'Ja, ik ben hier. Voel maar.'

Hij ging met zijn handen over de omtrek van haar lichaam, al waren ze onduidelijk door het gewatteerde omhulsel. Finch liet haar hoofd achterovervallen en slaakte een lange, zoete zucht.

Als hand bleef even zwaar liggen. Toen schoof hij weg en ging rechtop zitten. 'Als ik nu niet ga, kom ik hier nooit meer weg. Dan blijf ik hier de hele nacht, en wat zouden Rix en je Amerikaanse vriend hiervan zeggen?'

Ze accepteerde de afstand die hij tussen hen creëerde, net zoals ze dat al eerder had gedaan, juist toen het leek dat niets hen ooit nog zou kunnen scheiden. 'Heb je hem geslagen?'

'Wie, Rix? Ik wou dat ik het had gedaan.'

'Nee, niet Rix.'

'Ha, ja, maar hij sloeg eerst.'

'Waarom?'

'Ik was niet zo complimenteus over zijn stijgijzerwerk.'

Finch begon te proesten, omdat ze ondanks zichzelf moest lachen. 'Welterusten,' zei Al. Hij kuste haar opnieuw, snel, en ging weer op zijn hurken zitten. 'Luister, ik ben hier gekomen om je wat te zeggen. Ik voel me gelukkig omdat je meegaat op deze tocht. Dat klinkt een beetje lauw, maar het is de waarheid, en ik kan er geen andere woorden voor bedenken. Ik wil dat jij je ook gelukkig voelt.'

'Ik voel me gelukkig,' zei Finch.

'Ik hou van je,' zei hij voor het eerst tegen haar. Toen dook hij achterstevoren de tent uit. Hij ritste de flappen behoedzaam achter zich dicht en liet haar voor de zoveelste keer over aan de eenzaamheid.

De ochtend was helder en stil. Toen de zon opkwam, werden de twee Franse klimmers zichtbaar, twee ogenschijnlijk bewegingsloze stippen in de sneeuw, boven op de westelijke helling. De meeste van de andere teams waren allang vóór zonsopgang op weg gegaan naar de ijswand, maar de uitgedunde bezetting van het basiskamp keek en wachtte.

Om elf uur steeg er uit de Franse tenten een gejoel op en de knappe basismanager rende het zonlicht in. Hij had net een radiobericht ontvangen van de twee klimmers. Ze stonden op de top. Het was de eerste succesvolle beklimming van het seizoen. Finch en Sam maakten een rondedansje op de rotsen en sloegen hun handen tegen elkaar. Dorje haalde chips en kerrievlees te voorschijn voor een feestlunch en Rix zat glimlachend naast Al toen Mark Mason met zijn camera kwam aangelopen om een groepsfoto te maken.

De volgende ochtend om vier uur waren de twee groepen weer

aan het klimmen, en tegen het middaguur bereikten ze de top van de ijswand. 's Middags beklommen ze een gedeelte van de route naar het keteldal, over de brede helling van de gletsjer, gingen toen terug en nestelden zich voor een lange avond in de krappe tenten. De nacht brachten ze rusteloos draaiend door, luisterden naar het gezucht en gemompel van hun metgezellen en verlangden naar slaap.

8

Boven hen stond de zon, een compact wit oog in een scherpe lucht. Toen het tegen twaalf uur liep, kon Finch de gloed en de hitte niet langer verdragen en stopte bij een wirwar van rotsen die haar een beetje schaduw boden. Ze stak haar hand op naar Saddiq, haar Hushe-gids, en toen hij stopte, bleven ook de twee dragers die in hun voetsporen liepen gehoorzaam stilstaan. De oudste liet meteen de bagage van zijn rug rollen en rommelde in het zakje om zijn middel naar tabak om zijn dunne kleipijp te vullen. 'Ik wil even rusten, Saddiq. Misschien kunnen we wat drinken en eten?' zei Finch.

De gids knikte. Hij had de jonge Amerikaanse dame nu twee weken naar boven door de Hushe-vallei in de Karakoram geleid en over de Gondogoro La-pas naar Concordia. Nu waren ze in de arena van de berg zelf, onder de hoge pieken op de grens tussen China en Pakistan. Pal achter hen tekende het eenzame witte massief van de K2 zich krachtig en stralend af tegen de lucht.

De dokter had in de dagen die achter hen lagen nauwelijks tekenen van zwakheid getoond. Het was haast ongepast dat een jonge, ongetrouwde, westerse vrouw zich op haar eentje in dergelijke oorden begaf, dacht Saddiq, zelfs onder de onberispelijke leiding en bescherming van een man zoals hij, maar op haar kracht en uithoudingsvermogen viel niets aan te merken. Ze had zich even stoer gedragen als een man en had zijn respect afgedwongen. Als de dame nu een stop wilde inlasssen, hoog op de Baltoro-gletsjer en na nog geen ochtend lopen van het K2-basiskamp verwijderd, had ze daar het volste recht toe.

Finch zette haar eigen rugzak op de grond en ging in de schaduwstrook van de rotsen zitten. De gletsjer was een wirwar van kale rotsen, smerig ijs, kiezel en door de wind verwaaide sneeuw. Ze strekte haar benen uit, liet haar hoofd tegen de rots rusten en zuchtte voldaan, alsof het een veren kussen was.

Haar ogen waren op de hoge piek gericht. De K2. De op een na hoogste, maar een veel zwaardere en onmenselijker beklimming dan de gewone routes op de Everest. Ze was er nu dichter bij geweest dan ooit, maar nog steeds hield hij haar blik en verbeelding in zijn ban.

Ze hoorde niets van het gemompel van de dragers, die bezig waren vuur aan te leggen om een pan water te koken. Ze was aan het dagdromen toen Saddiq de thee brouwde in een kantineblik en daarna haar mok volschonk.

Maar de stem van de man was zó duidelijk dat hij door haar hoofd sneed en zich in de kamers van haar schedel nestelde. Daarna, toen hij allang was uitgesproken, bleven niet alleen de woorden maar ook de klank en de toon van elk woord in haar innerlijk oor natrillen.

Alsof het de eerste woorden waren die hij sinds dagen had gesproken, stelde hij de abrupte vraag: 'Mag ik daar wat van?'

Het was een Engelse stem, met een licht, ondefinieerbaar accent.

Het volgende moment keek ze op om te zien waar de stem vandaan kwam en zag hem staan, met zijn rug gekeerd naar de ring van bergen en de zon meedogenloos boven zijn hoofd. Haar eerste indruk was een zwarte baard die een uitgemergeld gezicht maskeerde met een ruwe, verweerde huid. Saddiq stond op, ging beschermend voor haar staan en de dragers stelden zich dichter op bij de bagage.

Hij zag hun wantrouwende reactie: 'Ik wil alleen wat drinken. Ik heb dorst.'

'Hier.'

Finch kwam overeind en ze reikte hem haar onaangeroerde thee aan.

Hij nam de mok met beide handen aan, blijkbaar om hem ondanks de hitte van de zon te verwarmen. Toen dronk hij de thee in één lange teug op. De pezen in zijn nek spanden zich. Finch zag dat hij heel mager was, bijna uitgemergeld.

De man gaf haar de lege mok terug. 'Dank je.'

'Wil je nog wat? Iets eten?'

Saddiqs mond werd een dunne lijn.

'Wat kun je missen?'

'Gedroogd fruit. Crackers. Wat blikspul. Geen erg grote keus.' Ze gebaarde naar Saddiq om de mok weer te vullen.

'Dank je,' zei de man weer. Zijn mond was pijnlijk gebarsten.

'We kunnen delen,' zei Finch. Met bewegingen waaruit hun afkeuring bleek, gingen haar metgezellen verder met het bereiden van het eten. De petroleumbrander siste aan hun voeten.

De man droeg een enorm grote rugzak op zijn rug en Finch wees ernaar. 'Zet hem neer. Ga zitten en rust wat.'

Hij deed wat hem werd gezegd, afwezig, alsof zijn volledige aandacht elders was. Hij ging een eindje verderop zitten, met zijn rug tegen een rots en zijn gezicht op de bergen gericht. Hij staarde niet met ontzag en fascinatie naar de hoge piek, zoals Finch dat had gedaan. Hij keek er nietszeggend naar, alsof hij kon kijken waar hij maar wilde, maar wist dat zijn blik er telkens, wanneer hij hem probeerde af te wenden, weer naar zou worden teruggetrokken.

'Ben je een bergbeklimmer?' probeerde Finch.

'Dat was ik,' zei de man kortaf. Niets in hem nodigde uit tot een gesprek, en ze deed geen verdere pogingen. Hij nam het bord met tuna uit blik, schepte er aardappelpuree bij die Saddiq via Finch aan hem doorgaf en begon te eten. Werktuigelijk at hij het bord leeg, zonder zichtbare trek, en meer uit noodzaak dan met smaak.

'Dank je,' zei hij voor de laatste keer toen hij alles op had. Hij dronk nog een mok zwarte thee en nam het handjevol gedroogde abrikozen aan dat Finch hem gaf. Hij deed het fruit in een zijvakje van zijn rugzak en hees de last weer op zijn rug.

'Kunnen we je verder nog ergens mee helpen?' vroeg ze.

'Nee. Ik moet verder, dat is alles. Ik moet hier weg.'

Hij draaide zich om, stak een arm door de riem van zijn rugzak, toen de andere en sjorde hem vast. Finch keek hem na. Voor een man die onmiskenbaar aan het eind van zijn krachten was, liep hij heel snel. Voordat Saddiq en zijn dragers de resten van het eten hadden opgeruimd en het petroleumstelletje hadden ingepakt, was de man nog maar een stipje op de verblindende ruimte van de gletsjer.

'Gevaarlijk mannetje,' mompelde Saddiq.
'Nee, dat denk ik niet. Wanhopig misschien, maar niet gevaarlijk.'

Twee dagen later bereikten Finch en haar metgezellen het dorpje Skardu. Dit was het eind van hun gezamenlijke tocht. De dragers kregen hun geld en gingen meteen terug naar hun dorpjes in de Hushe-vallei. Finch wachtte op een gehuurde jeep die haar via de Karakoram-autobaan zou terugbrengen naar Islamabad, waar ze in het vliegtuig zou stappen, terug naar huis. Er bleek echter een probleempje met de jeep te zijn. Misschien had hij onderweg pech gekregen, of misschien had een andere reiziger hem voor een betere prijs afgehuurd. Saddiq was er niet zeker van of was niet bereid het hele verhaal te vertellen. Finch had de keuze om te blijven, een ander vervoermiddel te huren of zich aan de plaatselijke bus toe te vertrouwen. Toen ze de alternatieven had nagetrokken, was de keuze niet moeilijk: ze zou wachten. De dikkere lucht op deze lagere hoogte gaf haar kracht. Het zou haar niet zwaar vallen om nog een paar dagen hier te blijven.

Saddiq verzekerde haar dat hij zou blijven tot hij haar veilig aan de hoede van de jeepbestuurder kon overdragen. 'Skardu gevaarlijke plaats,' zei hij fronsend. Maar al pratend streek hij ongeduldig over zijn snor en wendde zijn ogen af. Finch vermoedde dat er een andere groep op hem stond te wachten en dat hij bang was zijn handeltje mis te lopen.

Hij had een onderkomen voor haar gevonden. Het was een uit twee verdiepingen bestaand gebouwtje, opgetrokken uit leem en steen, met een dak van golfplaten. Onder het dak was het overdag warm en 's nachts koud, maar Finch had boven een alkoof voor zich alleen en een houten bed met een soort hangmat, die tussen de stutten was vastgemaakt, als matras. In vergelijking met de nachten op de gletsjer was dit een luxe. Het pensionnetje bleek te worden beheerd door verschillende generaties vrouwen. De oudste zat de hele dag in de schaduw van de deuropening, met haar zwarte kleren strak om zich heen getrokken, de middelste generatie veegde, boende en maakte het eten klaar naar haar eigen hoge maatstaven, en de jongeren, die nog te klein waren om hun steentje bij te dragen, speelden in de modder van het erf tussen de schriele kippen. Er waren pensionnetjes in het dorp dic er niet al te betrouwbaar uitzagen, maar in dit voelde Finch zich op haar gemak.

'Ik wil dat je gaat, Saddiq. Ik weet dat er een volgend klusje op je wacht. Ik ben een sterke vrouw, weet je nog?'

Hij had zoiets tegen haar gezegd, ietwat gekscherend, aan het eind van hun tocht.

'Dat gaat niet, mevrouw,' begon hij. 'Dat is mijn eer te na.'

Maar het was slechts een vorm van onderhandelen en Saddiq was niet onwillig zich te laten overtuigen. Na een uur onderhandelen was hij bereid om met een royale som geld, en nog steeds zogenaamd tegen zijn zin, te vertrekken. Hij gaf haar geen hand toen hij vertrok, maar maakte een formele buiging. 'Ik hoop dat u veilig thuiskomt in Amerika.'

'Canada,' corrigeerde ze vriendelijk, niet voor de eerste keer.

Saddiqs glimlach was breed en innemend, en oneindig ondoorgrondelijk. Ze vond het jammer dat hij wegging. De hele tocht was hij vriend en familie tegelijk geweest en had goed voor haar gezorgd.

Finch verliet het pension en liep de chaotische hoofdstraat in, richting rivier. Om haar heen was het een gewemel van dieren, mensen en voertuigen, en het gekakel van een onbegrijpelijke taal. Ze was zich bewust van haar eenzaamheid op deze afgelegen plek.

Ze kwam bij een kleine open ruimte, niet zozeer een marktplein als wel een dorre oppervlakte van geschuurde aarde onder een paar onvolgroeide abrikozenbomen, waar een paar oude mannetjes een pijp zaten te roken. Even verderop zat nog iemand, roerloos, nergens naar kijkend. Het was de gletsjerman.

Finch bleef een meter voor hem staan. 'Alles goed met je?' vroeg ze. Zijn gezicht was een en al holtes en schaduwen en zijn blik schokte haar. Zonder erbij na te denken, liep ze naar voren en ging op haar knieën voor hem zitten, zodat haar ogen op gelijke hoogte met de zijne waren. 'Je kunt tegen me praten.'

Er roerde zich iets in het masker van baard en door de wind verweerde huid, en er volgde een poos van stilte. 'Hij is gestorven,' zei de man.

'Wie is gestorven?'

'Ik kon hem niet redden.'

Er renden drie jongens in gehavende, kleurloze kleren voorbij. Een stoffige bal rolde moeizaam tussen hen in en in hun kielzog sleepte zich een uitgehongerde hond voort.

'Wie is er gestorven?' hield ze aan.

Hij streek een hand over zijn gezicht, hetzelfde vermoeide gebaar dat ze hoog op de gletsjer had gezien. 'Een vriend van me. Mijn oudste vriend. We waren aan het klimmen en toen is hij gestorven.'

De bal stuiterde dichtbij in de modder, en de kinderen renden erachteraan, bleven toen op een afstandje staan en keken naar de westerlingen. Finch zette de teen van haar schoen op de bal en gaf hem een zetje in hun richting.

De man stond abrupt op. 'Loop even met me op.'

'Als het helpt.'

Zwijgend liepen ze over een modderig, smal paadje naar de rivier en vervolgens langs de oever. Het water was melkwit en baande zich met veel lawaai een weg door een smalle, rotsachtige bedding. Er was een poel waar vrouwen op de stenen aan de waterkant hun kleren inzeepten. Finch werd zich ervan bewust dat de man haar aanstaarde alsof hij haar voor de eerste keer zag.

'Wat doe je hier?'

Ze antwoordde langzaam, met een rustige stem die nauwelijks luid genoeg was om boven het geraas van het water uit te komen. Hij wilde alleen maar iemand horen praten; het deed er niet toe wat ze zei. Ze vertelde hem over haar tocht van Gondogoro naar de K2 en Concordia, en legde uit dat ze een jaar voor UNESCO had gewerkt bij een vaccinatie- en educatieprogramma op het platteland in Baluchistan. Deze tocht was haar privé-avontuur, voordat ze ten slotte weer naar huis ging, naar Vancouver, om samen met haar oude studievriend Dennis Frame weer als huisarts te werken. Ze zei niet dat ze de afgelopen maanden had samengeleefd met een agronomist, die Michael Dickinson heette, omdat dit nu voorbij was. Ze beëindigde haar verhaal met te zeggen hoe ze heette.

Hij luisterde. Toen ze ophield met praten, leek hij zich door een wilsinspanning te vermannen. 'Ik had geluk dat jij daar op de gletsjer was, Finch Buchanan. Ik had geen eten meer en was bijna aan het eind van mijn krachten.'

'Wat is er gebeurd?'

Hij keek op haar neer. 'Je zei dat ik tegen je kon praten.'

'Ik meende het.'

Ze waren nu in de buitenwijken van Skardu aangekomen. Langs en over het pad stonden met mos bedekte bomen en de lucht was scherp door de geur van jeneverbessen. De man van wie ze de naam ze niet kende, liep met een rusteloze snelheid, voortgedreven door beelden die zij niet kon zien. Ze wilde hem laten stoppen, zijn gezicht tussen haar handen houden, hem dwingen haar in de ogen te kijken, maar ze voelde geen behoefte zich af te vragen waarom. Het leek vanzelfsprekend. Vanaf het moment dat hij op het hobbelige ijs van de Baltoro zijn verzoek had gedaan, had zijn stem in haar hoofd geklonken.

'Ik heb Spider van jongs af gekend. We zaten samen op de basisschool. Zijn vader en moeder woonden twee straten van ons vandaan.'

Het lichte accent dat ze niet had kunnen plaatsen, werd even sterker en ze moest aan John Lennon denken. Zittend achter de piano en in een microfoon 'Imagine' zingend. Dat was het. Liverpool.

'We leerden samen klimmen. Spijbelen en naar Llanberis liften. 's Zomers in Chamonix, levend van pap en caférestjes en alles wat we maar te pakken konden krijgen. Tegen elkaar zeggen dat we de K2 zouden beklimmen. O, verdomme, verdomme nog aan toe. De klootzak is dood.'

De laatste woorden kwamen als een schreeuw. De man wankelde, drukte de palmen van zijn handen tegen zijn oogkassen en huilde. Finch nam zijn arm en leidde hem naar een rots, zodat hij kon gaan zitten. Ze sloeg haar armen om zijn hoofd, hield het tegen zich aan en zijn snikken bonsden tegen haar ribbenkast. Haar wang lag tegen zijn stugge haar en ze ademde vuil en zweet in en de onderliggende geur van hemzelf, en zijn verdriet en woede riepen een reactie in haar op die net zo sterk was.

'Huil!' zei ze tegen hem, en haar lichaam ontspande zich van verlangen naar hem.

De storm was van korte duur. Een moment later hief hij zijn hoofd op en trok zich terug. Met zijn handen veegde hij zijn gezicht af, en toen hij weer begon te praten, was zijn stem vlak. 'Ik kan het niet geloven dat hij er niet meer is. We zaten hoog, maar waren aan het afdalen. We hadden de top bereikt, via de zuidwand, zoals we altijd van plan waren geweest. Klimmen met eerlijke middelen.'

Finch wist wat dit betekende. Het was een uitspraak die van Reinhold Messner, de grote bergbeklimmer, kwam. Het betekende geen zuurstofflessen, geen dragers, geen vaste touwen of van tevoren ingerichte kampen of grote hoeveelheden voorraden. Alleen twee mannen aan een touw, zoals de eerste alpinisten, klimmen en zekeren en van elkaar afhankelijk zijn, in een volmaakte symbiose. Ze wist ook dat de zuidwand bestond uit drieënhalf duizend meter van bijna verticale rots en ijs, doorkliefd met ravijnen die het gevaar van lawines verhoogden, en uitsteeksels met breekbare, zwaardvormige gletsjers. De onderneming getuigde niet alleen van een enorme moed, maar ook van zelfvertrouwen. Het zou een prestatie zijn die haar begrip bijna te boven ging. Maar zij moesten hebben gedacht dat ze het konden, omdat ze er waren.

'We gingen weer naar beneden via de Abruzzi-richel. Het was laat en het weer werd slechter. Spider ging steeds langzamer. Hij zei dat hij het niet meer kon zien. Ik dacht dat het gewoon desoriëntatie was, als gevolg van vermoeidheid. Ik dacht natuurlijk ook niet zo helder meer. De wind was fel en verse sneeuw had onze voetsporen uitgewist. We waren aan het dwalen; ik wist dat we in ernstige moeilijkheden zouden komen als we doorgingen. We hadden een lichtgewicht tent en ik besloot te gaan bivakkeren. We konden ook niet veel anders meer. Ik zette de tent op en we kropen erin. Spider rolde steeds met zijn hoofd heen en weer en mompelde iets over niets kunnen zien.

De storm kwam. De wind blies de hele nacht en de volgende dag en nam toen, bij het donker worden, in kracht af. We hadden bijna geen eten meer en nog een heel klein beetje brandstof; we konden dus geen sneeuw smelten voor drinkwater. Ik besloot dat we moesten proberen in het donker af te dalen, naar een kamp dat van Spaanse bergbeklimmers was om hen om hulp te vragen, en ik zei hem zich klaar te maken.

Hij kon zijn klimijzers niet aankrijgen. Hij hield ze in zijn handen alsof ze een soort... zeldzame vruchten waren. Zat ernaar te kijken alsof hij nog nooit zoiets had gezien.

Ik zei hem dat we op weg moesten, probeerde hem te helpen om ze aan zijn schoenen te krijgen.

Toen zei hij: "Mikey, mijn hoofd doet pijn." Mikey is zijn grote broer.'

Tot dusver had de man zijn verhaal rustig verteld, zonder enige stembuiging. Nu trok hij zijn schouders op en kruiste zijn armen over zijn borst, niet in staat te spreken door de pijn in zijn hart.

'Ataxie, verwarring, hallucineren,' herhaalde Finch mechanisch. 'Hersenoedeem.'

Hetgeen een overmaat aan vocht in de hersenen, verhoogde bloedtoevoer, hersentrombose en petechiale bloeding betekent. Op die hoogte, zonder medische hulp of alleen maar de fundamentele medische voorzieningen, en overgeleverd aan de genade van een storm, betekende het coma, bijna zeker gevolgd door de dood. Iedere bergbeklimmer kende het gevaar, bad dat het hem of haar niet zou overkomen en ging door met klimmen. De dode man had zeker de waarschuwende hoofdpijn gevoeld, het begin van desoriëntatie en verlies van coördinatievermogen. Een poging om de K2 alpinistisch te beklimmen was op zichzelf een staaltje van moed, maar om het begin van hoogteziektesymptomen te negeren, was niets anders dan roekeloosheid. Vermoedelijk had de dode man, in zijn mentale verwarring, gedacht dat het het risico waard was en was doorgegaan, en zijn lichaam had uiteindelijk zijn ongelijk bewezen.

De gletsjerman ging abrupt verder met zijn verhaal.

'Ik kon hem niet de berg af krijgen, ik kon daarboven niets voor hem doen. We gingen weer liggen en ik bleef op hem inpraten. Hij zei: "Het spijt me, makker." Maar de meeste tijd was hij niet te bereiken. Tegen de ochtend was hij in coma. Ik bleef de rest van de dag bij hem. Ik had me bedacht dat ik hem tegen de avond sowieso moest achterlaten, dood of levend. Ik kon geen sneeuw meer smelten en ikzelf zou alleen een kans hebben als ik op weg ging. Maar hij stierf vrij snel. Ik wikkelde hem in de tent, bedekte zijn gezicht en zijn hoofd, en liet hem daarboven op de zuid-helling. Ik ging naar beneden en door stom toeval vond ik het Spaanse kamp, waar ze de storm hadden uitgezeten. Ze gaven me wat hete soep en ik ging een paar uur in een van hun tenten lig-gen. Ik zal je mijn dromen besparen.'

Finch stond nog steeds voor hem, met haar hand op zijn schouder. Ze keek stroomopwaarts naar de stortvloed van smeltwater, en het geweld waarmee het door de rotsen kolkte, leek in haar oren aan te zwellen.

'Zodra het licht was, ging ik op weg naar het basiskamp en meteen verder de gletsjer af, tot waar ik jou tegenkwam. Ik moest daar-heen om Spiders vrouw te bellen en haar te vertellen dat hij dood was. Daarna moest ik mijn eigen vrouw bellen om het ook haar te vertellen. Ze heeft Spider en mij op dezelfde dag ontmoet.'

Natuurlijk had hij een vrouw. Hij was ergens in de veertig. Een man en vader, en ook nog bergbeklimmer. Ze hield haar ogen strak op het melkachtige water gericht.

De man liet zijn hoofd weer heel langzaam naar voren zakken, zodat alleen zijn voorhoofd tegen Finch' ribben rustte. Ze ont-spande de vuist van haar rechterhand, liet haar vingers heel teder door de stugge stekels van zijn haar glijden en hield zijn schedel in de palm van haar hand.

'Het was mijn schuld.'

Ze dacht hierover na. 'Alleen in zoverre dat jullie beiden op jullie eigen manier daar naar boven gingen, en je vriend heeft die keuze uit eigen vrije wil gemaakt.'

Onder haar hand voelde ze het hoofd langzaam knikken. 'Ga niet weg. Laat me niet alleen,' zei de man zachtjes. 'Alleen voor van-daag.'

'Ik ga niet weg,' beloofde Finch.

Zijn hand vond haar linkerhand en hield die stevig vast. 'Mijn naam is Al Hood,' zei hij.

Lange tijd zaten ze op de rivieroever, tot de schemer kwam en toen de duisternis. Het was een heldere, koude nacht en de lucht was van een metaalachtige sterrenglans. Toen ze terugliepen naar het dorp pakte Al haar bij de hand. Ze liet hem haar pensionnetje zien, maar hij leidde haar verder naar een werkplaats, waarnaast een slordige piramide van versleten autobanden lag opgestapeld en daarachter een open ruimte, waar onder de takken van een oude pijnboom een oude truck stond geparkeerd. De truck had een hoge cabine met daarachter een opbouw van canvas dat over metalen bogen was gespannen. Al Hood maakte de opbouw van achteren open en hielp Finch omhoog over de achterklep. Ze dook onder het canvas en knipperde met haar ogen toen hij een petroleumlamp aanstak en die aan een van de bogen hing. Er lagen opgerolde matrassen en aan weerszijden stonden metalen banken, met daaronder kasten die op slot zaten. Al zocht tastend naar wat sleutels en opende de dichtstbijzijnde kast. Ze bevatte een keurig stapeltje etensblikken en een petroleumstel. De volgende was volgeladen met bierblikjes.

'Dit is het basiskamp. We hebben de truck geleend van een ouwe kameraad die in Karachi woont en ons hierheen heeft gereden. Het betekende dat we goedkoop konden reizen en zonder al te veel bagage konden klimmen.'

Hij pakte een blikje bier, trok aan het lipje en gaf het haar. Finch nipte aan het zilverachtige schuim.

'Wil je wat eten?'

'Ja. Als jij ook wat neemt.'

En ze aten bonen en worstjes van blikken borden en zaten tegenover elkaar op de bodem van de truck.

Toen ze daarna nog een biertje dronken, haalde Al uit de zak van zijn fleece jack een zakmes en een horloge en wikkelde ze in een zakdoek voordat hij ze opborg in de stevigste doos. Hij vertelde haar dat ze van Spider waren en dat hij ze naar huis zou meenemen, naar zijn gezin. 'Een jongen,' zei hij, als antwoord op haar onuitgesproken vraag. 'Veertien, nu.'

'En jij?'

'Ik heb een dochter die een jaar jonger is dan Spiders zoon. Molly. Ben jij getrouwd?' Hij keek naar haar vingers, die zich om het bierblikje spanden.

'Nee.'

Het voelde vreemd aan om deze primaire gegevens uit te wisselen na hetgeen er zoal tussen hen was gebeurd.

Uit dezelfde zak als het horloge en het zakmes haalde Al een oude karabines, die glad en zilverachtig was geworden. Hij draaide de schroef tussen zijn duim en wijsvinger. 'Deze was ook van hem. Hij heeft hem vijfentwintig jaar gehad en overal mee naartoe genomen, als talisman. Ik denk dat hij wil dat ik hem neem.'

Zwijgend zaten ze even bij elkaar en beseften dat het al laat was. Het dorpje had zich, afgezien van de honden die tegen de lucht blaften, ter ruste gelegd.

'Blijf je?' vroeg hij.

Finch dacht en dacht niet. 'Ja. Als je dat graag wilt.'

Hij rolde de twee opblaasbare matrassen uit en legde ze in de ruimte tussen de banken. De ruimte was zó nauw dat ze elkaar bijna helemaal overlapten. Er waren twee gewone slaapzakken. Finch vermoedde dat de twee mannen hun lichtgewicht slaapzakken hadden meegenomen, de bergen in. Spider lag er waarschijnlijk nog in. Al blies de lamp uit.

Ze gingen liggen met een van de slaapzakken over hen heen. Hun gezichten raakten elkaar en Finch voelde dat hij rilde. Ze sloeg haar armen om hem heen en hield hem vast tot het rillen ophield. Zijn ademhaling werd langzamer en regelmatig en bijna onmiddellijk viel hij van fysieke en mentale uitputting in een diepe slaap.

Ook Finch sliep. Ze had geen idee hoeveel later het was toen ze weer wakker werd, maar ze wist dat Al ook wakker was. Hun monden vonden elkaar.

Hij dacht een weerstand in haar te voelen die zij niet ondervond. 'Spider is dood,' zei hij met een stem die dezelfde was als toen ze hem voor de eerste keer hoorde. 'Wij leven nog.'

Als antwoord nam ze zijn hand, bracht die naar de gesp van haar riem en samen maakten ze hem los. De honger naar elkaar sloot zich om hen heen. Hun bewegingsvrijheid werd sterk beperkt door de banken, en Finch stootte haar hoofd toen ze haar heupen naar hem ophief. De geur van motorolie en muffe slaapzakken drong in haar neus en overal waren scherpe randen en obstakels van metaal, maar ze wilde dat hij altijd zou doorgaan met haar te neuken.

Daarna, in een wirwar van vochtig nylon en een verfrommelde matras, vielen ze in slaap.

's Ochtends opende Finch haar ogen en staarde omhoog naar de canvastunnel boven haar en de warmte van het vage zonlicht. Er lag niemand naast haar.

Ze krabbelde overeind en legde haar vingers op de pijnlijke bult op haar hoofd. De herinnering aan het feit hoe die daar was gekomen, bleef als een loom gewicht in haar gewrichten en organen hangen – een fysieke bevrediging die elke reden of spijt ontkende. Ze kroop naar de opening in het canvas en tuurde in het morgenlicht. Al zat op de grond, met een blikken kom met water en een spiegel die tegen een steen vóór hem stond. Hij had de helft van zijn baard er afgeschoren.

Finch moest lachen en hij keek meteen op, en ook op zijn gezicht verscheen een lach, wat het bizarre contrast tussen de bleke huid en de zwarte stoppels nog scherper maakte, zodat ze nog harder begon te lachen.

Hij stond op en liet zich door haar bekijken. 'Wat vind je ervan?'

'Mmmm. Ik vind de baard eigenlijk mooier. Ik vind dat je hem moet houden.'

'Wel allemachtig.'

Ze ontbeten; weer bonen met worstjes, ditmaal met thee in plaats van bier.

'Wat nu?' vroeg Finch.

'Ik moet naar Islamabad om Spiders dood aan te geven. Dan moet de truck terug naar Stu, in Karachi. Ga je mee?'

'Ja.'

Finch had nog een paar dagen de tijd voordat ze thuis moest zijn. Zittend op de gehavende plastic stoelen in de olieachtige cabine van de truck reden ze naar het zuiden, weg van de bergen. Ze waren drie dagen onderweg. Wanneer ze elkaar bij stukjes en beetjes van hun leven vertelden, moesten ze hun stem verheffen om boven het geloei van de motor en het gieren van de versnelling uit te komen. Over de toekomst werd niet gepraat. Finch wilde het wel, maar Al gaf haar geen enkel greintje hoop. Ze begreep dat zijn huwelijk moeilijk was en dat de bergsport een wig had gedreven tussen hem en zijn vrouw, die alleen maar dieper

173

kon worden nu Spider dood was. Maar dat was alles. Een constatering van een droevig feit. Geen *als*, geen *misschien*...

In zekere zin was het een opluchting. Het weten dat de plotselinge, verstikkende intensiteit van haar verlangen naar hem werd begrensd door deze tocht door het stof en de hitte van Pakistan maakte alles wat makkelijker.

Al sprak vrijwel niet meer over de dood van zijn vriend. Na de uiting van verdriet bij de rivier in Skardu had hij het in zichzelf opgeslagen en daar ging het zijn eigen leven leiden. Finch wist dit, omdat ze 's nachts naast hem lag en de verschrikking en rusteloosheid van zijn dromen hoorde. Zijn weigering om haar erin te betrekken of de rouwprocessen te erkennen waren het meest veelzeggende teken van Als onverzettelijke wil en zijn eenzelvigheid.

Slechts één keer probeerde ze hem uit zijn tent te lokken. 'Waarom praat je er niet met mij over? Schaam je je, of zoiets, voor hoe je me liet zien wat je daar hebt moeten doormaken?'

Hij keek haar recht in de ogen. 'Je zei: "Je kunt tegen me praten." Weet je nog?'

'Ja, dat weet ik nog.'

'Toen ik je zag, wist ik dat het kon, en als jij daar niet was komen opdagen, weet ik niet wat ik zou hebben gedaan. En ik heb tegen je gepraat. Daar ben ik dankbaar voor. Je bent met me meegegaan en je bent gebleven, en dat zal ik nooit vergeten. Maar je kunt niet steeds doorgaan. Ik schaam me nergens voor, behalve dat ik het leven van mijn vriend niet kon redden. Niemand had dat gekund. Sommige bergbeklimmers sterven en sommige blijven leven, en anderen gaan door met hun leven. Je moet verder.'

Finch wilde antwoorden: nee, zo eenvoudig of zo kil is het niet. Het lief en leed van mensen is niet helder, meetbaar en voorspelbaar, en je kunt het niet naar believen kwantificeren. Maar ze zei niets, keek alleen door de voorruit naar het vaalbruin gekleurde landschap, een kameel die aan de kant van de weg stond te staren en een groepje vrouwen die met potten op het hoofd voorbijliepen.

Ze reden door Multan, Sukkor en Hyderabad. 's Nachts lagen ze tussen de banken en trokken zich na de seks en de intimiteit, die verder ging dan hartstocht, terug in de woordeloze vergetelheid van de slaap. De laatste nacht van de vijf samen brachten ze door in de desoriënterende luxe van een wittebroodswekenhotel in Karachi. Ze lagen in een diep, heet bad in een witmarmeren badkamer, die van een verblindende ordelijkheid en properheid was. 'Dit is onze huwelijksreis,' zei Al. Hij zeepte zijn huid in en veegde het vuil van zijn polsen en knieën.

'En onze zwanenzang.'

Hij tilde haar uit het water en droeg haar naar het bed. Het grote bed leek te groot en te zacht, na de goot tussen de banken in de truck. Toen ze de liefde hadden bedreven, hield Al haar vast en keek naar haar. Ze vielen in slaap, en toen ze midden in de nacht wakker werd, was Finch gedesoriënteerd en kon ze hem niet vinden toen ze haar hand uitstrekte. In de truck was hij er op de wakkere momenten van hun verstoorde slaap altijd geweest, dicht tegen haar aan. Ze tastte wat verder en haar handen vonden de ronding van zijn schouder. Hij lag te slapen met de rug naar haar toe, en in al die plotselinge ruimte was hij naar de rand van het bed geschoven.

Vroeg in de morgen brachten ze de truck terug naar Als vriend, Stuart Frost. Hij woonde alleen in een villa die door een randje eucalyptusbomen van een drukke weg was afgeschermd. In de spaarzaam gebruikte kamers hing een geur van eenzaamheid. Stuart was klein en bleek, met dikke armen en handen. Fysiek had hij niet meer van Al kunnen verschillen, maar toch viel het haar op hoeveel ze op elkaar leken. Het was iets in hun ogen en in de manier waarop ze niets toegaven. Ze waren elkaars dubbelganger.

Stuart zei: 'Het spijt me, makker.'

Finch ging buiten op de veranda zitten en keek naar het drukke verkeer achter de bomen. Tien minuten later kwamen ze bij haar zitten en Stuart schonk thee in. Later bracht hij hen naar het vliegveld.

De vlucht van Finch vertrok het eerst. Al bracht haar naar de gate en hield haar even in zijn armen voordat ze erdoorheen ging. 'Dank je,' zei hij, precies zoals hij dat op de Baltoro had gedaan toen ze hem haar mok thee had gegeven. Ze had tegen zichzelf gezegd dat ze hem zou laten gaan wanneer het zover was en nooit meer achterom zou kijken. Maar het was het moeilijkste wat ze ooit had gedaan, om zich om te draaien en de slurf door te lopen naar het vliegtuig.

Dat was alles, vijf dagen en nachten, toen terug naar hun leven van alledag en vijf jaar zonder elkaar.

In al die tijd was er geen dag voorbijgegaan dat Finch niet aan Alyn Hood had gedacht.

9

In kamp II, bij het begin van het westelijke keteldal, lagen de Mountain People in de tweepersoonstenten bij te komen van de derde beklimming van de ijswand en de lange, moeizame tocht naar het keteldal. Met de gedwongen rust- en acclimatisatieperiodes beneden in het basiskamp waren ze nu in totaal drieënhalve week aan het klimmen.

Hun nieuwe doel, zo hadden Al en George aangekondigd, was om via kamp III de Lhotse te beklimmen, die nu pikzwart boven hen uittorende en om kamp IV op de zuidcol te bereiken. Ze zouden een nacht of twee op grote hoogte doorbrengen. Als ze dan volledig geacclimatiseerd waren, zouden ze weer naar het basiskamp afdalen of misschien nog lager, om uit te rusten, te eten en te slapen, weer nieuwe krachten op te doen en hun beurt en het juiste weer af te wachten om een aanval op de top te doen.

'Wanneer doen we een poging om de top te bereiken?' vroeg Vern.

'Ik hou er niet van om over "topprestaties" te praten,' grapte George. 'Met de nodige vastberadenheid en als de omstandigheden een beetje meezitten, kan iedereen van jullie die bereiken. Jullie zijn een sterke groep.'

De stemming zat er goed in.

'Deze keer lukt het,' zei Rix, en hij sloeg met zijn vuist in de palm van zijn andere hand. 'Geen twijfel mogelijk. Ik voel me beter dan ooit.'

Mason lag naast hem met zijn hoofd op een arm gesteund. Hij had zitten mompelen in de kleine dictafoon die hij in zijn binnenzak had, maar zelfs hier ergerde zijn klimpartner zich, voor deze ene keer, niet aan. Hij draaide aan de rand van zijn koplamp om de lichtstraal te doven en trok de capuchon van zijn slaapzak over zijn oren. De tent werd een ritselende cel van stoffige duisternis, die lag verankerd aan de grijs glinsterende onmetelijkheid van het keteldal.

'Ik voel me toevallig wel belabberd.' Zijn hoest was niet minder geworden, en nu was het alsof zijn ribben telkens uit elkaar werden getrokken wanneer er weer een hoestbui kwam. 'Maar toch denk ik dat het deze keer goed komt.'

Rix liet een diep gegrinnik horen. 'Natuurlijk. Staat de pisfles aan jouw kant?'

Mark ritste onwillig de slaapzak los, tastte naar de fles en reikte hem aan.

Met veel gezucht en geknor leegde Rix zijn blaas en nestelde zich eindelijk in zijn slaapzak. 'Ik zou er heel wat voor overhebben om eens goed te kunnen schijten. Het lijkt alsof er beton in mijn ingewanden zit,' zei hij. Mark sloot zijn ogen en probeerde zich op slapen te concentreren. Met een paar uurtjes zou hij al tevreden zijn, voordat het geklauter omhoog weer opnieuw begon.

Anderhalve meter verderop lagen Ted en Vern al in hun tent te slapen. Daarnaast lagen Finch en Sandy Jackson ook naast elkaar. Sandy had zijn zelfvertrouwen weer hervonden, nadat de eerste uitstapjes in de bergen hem zo zwaar waren gevallen. Vandaag had hij de hele tijd vlak op Pemba's hielen kunnen blijven en was als gevolg daarvan in de periode tussen aankomst en slapen gaan luidruchtig met zichzelf ingenomen geweest. Om het risico van morsen in hun slaapzak zo klein mogelijk te maken, hadden hij en Finch gehurkt naast de tentingang noedels met vleessaus gegeten, en als toetje chocola en een müslireep. Mingma had hun een pan met bevroren sneeuw gebracht en ze hadden die op een butagasbrander gesmolten om voor ieder een mok thee te maken. Sandy had de hele tijd gepraat, over waar hij was geweest en andere avonturen waarin hij een glansrol had gespeeld. Finch had al haar aandacht bij elke hap die ze nam, omdat ze zich bijna te misselijk voelde om te eten. De hete thee was een welkome hulp om het te verteren.

Nu maakten ze zich klaar om te gaan slapen. Sandy was tenminste zo tactvol geweest zich om te draaien terwijl zij moeizaam in een leeg chocolablik plaste, dat ze speciaal voor dit doel had bewaard.

De mannelijke anatomie was veel beter uitgerust voor het leven in de bergen, dacht ze, en niet voor de eerste keer.

Sandy slaakte een lange zucht en onderdrukte hoorbaar een boer. 'Als je gaat braken,' waarschuwde Finch zachtjes, 'zorg er dan wel voor dat je met de inhoud van je spijsverteringskanaal een goed eind uit mijn buurt blijft.'

Haar tentgenoot was zo slim geweest het laagstgelegen deel van de hellende grond te nemen. Ze moest zich schrap zetten om het onaanvaardbare vooruitzicht te vermijden dat ze tegen hem aan zou rollen.

Zijn zucht bleek er een van voldoening te zijn in plaats van inwendig ongemak. 'Dit is beter dan ik had durven hopen. Wil je een beetje dichterbij komen?'

'Nee, dat wil ik niet,' zei ze koel. 'En waar haal je de energie vandaan om überhaupt op die gedachte te komen?'

Sandy grinnikte. 'Energie is geen probleem voor mij. De expeditieleider heeft de eerste keus, hé? Hoelang zijn jij en Al al een stel?'

'Dat gaat je niets aan, en bovendien zijn we geen stel.'

'Nee?'

Toen ze geen antwoord gaf, grinnikte Sandy opnieuw. 'Welterusten, dokter.'

In de daaropvolgende stilte hoorde Finch kleine rommelende en likkende geluidjes. Ze vermoedde dat hij in zijn neus zat te peuteren.

Om hem uit haar gedachten te bannen, dacht ze aan de Karakoram en de lange rit naar het zuiden, naar Karachi. Elk moment van die tijd, het allerkleinste detail, had door haar gedachten een glans gekregen. Het gaf haar nu een gelukzalig gevoel te bedenken dat dit korte verhaal, tegen alle verwachting in, toch nog een vervolg had gekregen. De toekomst leek zich als een brede delta voor haar uit te strekken. En het heden, zelfs de krappe tent en de beklemming van voortdurende angst en de slopende fysieke inspanning, was beter dan alles wat haar ooit was overkomen. In dit goedgunstige licht werd zelfs Sandy Jackson beminnelijk. Finch doezelde weg in een ongerieflijke slaap.

Al en Sam lagen in de tent ernaast. Het was zelfs niet in Al opgekomen om een tent met Finch te delen. Hij was van plan 's morgens heel vroeg te vertrekken naar kamp III en in een snel tempo achter de twee sherpa's aan te gaan, die een lading voedsel en zuurstofcilinders met zich mee droegen. Hij en Sam zouden ook wat voorraden meenemen, de route controleren en erop toezien dat in het derde kamp alles in orde was. Ken, Mingma en Pemba zouden de cliënten in een meer ontspannen tempo naar boven kunnen brengen. Ken was na zijn buikklachten nog niet helemaal de oude.

Hij merkte dat Sam goede vorderingen had gemaakt op de ijswand en over het gletsjergebied van het keteldal. Misschien zou hij zich zelfs als een aanwinst kunnen ontpoppen, dacht Al, als hij sterk en gezond bleef. De belangstelling van de jongen voor Finch hield hem nauwelijks bezig. Zelfs Finch zelf was nog slechts een gedachte in zijn achterhoofd, hoewel hij automatisch en zo vaak hij kon erop lette of haar klimgordel wel goed vastzat, en haar klimijzers wel juist waren aangegord en haar veiligheidslijn wel goed aan de vaste touwen was bevestigd. Maar hij deed hetzelfde voor ieder van zijn cliënten. Finch kreeg geen speciale behandeling.

'Kun je vroeg beginnen en met mij een bepakking naar III brengen?' vroeg Al kortaf toen hij en Sam na het eten hun blikken borden schoonmaakten.

Sam wierp hem een vluchtige blik toe, in een poging erachter te komen of hij op de proef werd gesteld, werd bestraft, of misschien zelfs op subtiele wijze werd beloond. Hij voelde zich moe, maar niet uitgeput. Zijn hoofd deed zeer, maar niet ondraaglijk. 'Hoe laat?'

'Om ongeveer drie uur maak ik je wakker.'

Lang geleden had Michael hem met dezelfde verwachting aangekeken. Dezelfde, enigszins insinuerende uitdaging. Gehoor te geven aan Als verzoek was teruggaan in de tijd, weer kind worden, een andere keuze maken. Sam ruimde zijn bord op en ging op zijn slaapzak liggen. De vulling deed pufjes lucht om hem heen opstijgen. 'Natuurlijk,' zei hij.

Tegen halfvier de volgende ochtend lieten ze, bepakt met zware rugzakken, het kamp achter zich.

Het was een halfuur lopen over de gletsjer omhoog naar het begin van het keteldal. Sam hield zijn hoofd omlaag en zijn blik op Als voetsporen vóór hem. De hele gletsjer was doorkliefd met spleten en vervormd tot torens en overhangende ijsmassa's. De helling was niet steil, maar de obstakels betekenden dat elke stap concentratie vergde. Hoewel de top zo'n vijftienhonderd meter hoger werd belaagd door geweldige straalwinden, was er in de luwte van dit ravijn nauwelijks een briesje te voelen, en Sam luisterde naar het ritmische geknars van zijn schoenen in het ijs en het geklingel van de haken die aan zijn klimgordel hingen.

Hij dacht weer aan Michael. Het was verleidelijk om dit alles toe te schrijven aan de invloed van zijn vader, aan een verlate behoefte aan eerherstel, maar deze morgen voelde hij dat de waarheid anders was. In de bijtende, koude lucht, met overal om hem heen het geglitter van ijs, realiseerde hij zich dat hij dit alleen voor zichzelf deed. De eisen die het stelde, de manier waarop het alle vezels van zijn krachten en concentratie vergde, maakte de rest van zijn leven minder verwarrend. Hardlopen, zakelijke mislukkingen, Frannie. Zelfs Michael, alles leek beheersbaar in vergelijking met de immensiteit van deze berg.

Hij hief even zijn hoofd op. De twee dragers waren al op de wand, twee huiverende lichtstipjes op de duizelingwekkende wand. Boven hen de hoogten van de zuidcol, de zuidoostrichel, de top. Sams verbeelding zweefde gretig omhoog. Niet eens meer vanwege Finch. De man die gestaag vóór hem klom, was zijn rivaal, maar nu voelde Sam alleen een soort verwantschap met hem. De welving van touw, die hen als een navelstreng met elkaar verbond, leek hiervan het symbool.

De ene stap na de andere, een hypnotiserend ritme van opwaartse beweging. Naar de top. *Het lukt me. We gaan het halen.*

Na een uur bereikten ze de gletsjerspleet. De enorme, gecompliceerde kloof, die het begin van de Khumbu-gletsjer van de bergwand scheidde, gaapte als een muil vol ijstanden. Tussen de tanden bevond zich een constructie van vaste touwen en ladders waar Al zich zonder enige aarzeling overheen loodste. Vanaf de bovenrand riep hij kortaf naar Sam: 'Klimmen, nu!'

Sam deed wat hem werd gezegd. Toen hij op de ladder balanceerde, dreigde het gewicht van de rugzak hem er achterwaarts af te trekken, en hij draaide met zijn schouder in een poging zijn evenwicht te hervinden. De winddichte stof van zijn pak schraapte over het ijs, en een douche van minieme kristalletjes prikte in zijn gezicht. Terwijl hij omhoogklauterde en de ladder zacht onder zijn gewicht heen en weer wiegde, besefte hij dat het geraas in zijn oren zijn eigen ademhaling was. Hij richtte zijn aandacht op de volgende stap en die daarna, en de rest van het universum kromp ineen tot een stip in de verte. De stalen pennen waarmee deze verdomde ladder bevestigd is, kunnen maar beter houden, dacht hij, anders bungel ik aan het eind van een touw in een grijs-witte ruimte, als een stuk zwoerd dat voor de vogels is opgehangen. En dat was het meest optimistische scenario.

'Oké,' zei Al, toen hij de overkant bereikte. 'Nu daarheen.'

Ze keken omhoog naar de glinsterende, smerige wirwar van rotsen en ijs. Vanuit de hoogte bungelde een ongastvrije, dunne, rode lijn van negen millimeter dik perlontouw naar beneden. Al maakte het touw los dat hen tijdens de oversteek van de gletsjer met elkaar had verbonden en rolde het netjes op. Hij borg het op in een ijsholte naast het vaste touw, zodat het op de terugweg zo weer voor het grijpen lag, maakte zijn veiligheidslijn vast aan het rode klimtouw en begon moeiteloos te klimmen. Van nu af aan zouden ze allen op zichzelf klimmen en niet meer in paren, wat op gletsjers altijd de gewoonte was.

Terwijl Al omhoogging, maakte Sam zijn eigen veiligheidslijn vast aan het touw. Hij haalde zijn jumar van zijn gordel en maakte hem vast aan het klimtouw. Wanneer hij de jumar omhoog bewoog, gleed hij soepel om het touw heen, maar in omgekeerde richting kneep een blokkerend systeem zich vast in het perlon en fungeerde als een rem. Sam vond een houvast voor zijn klimijzers en deed een stap naar boven, liet de jumar langs het touw omhoogkomen, deed weer een stap naar boven, liet de jumar langs het touw glijden en deed weer een stap naar boven, waarbij hij telkens een krap half metertje verder kwam. Als hij meer houvast wilde, dreef hij zijn ijsbijl in het broze ijs. Als hij wilde rusten, zette hij de jumar vast en bungelde dan in zijn klimgordel aan het touw.

De dag brak net aan.

Na een uur deze procedure te hebben gevolgd, was Sams optimisme van zo-even op de gletsjer volslagen verdwenen. Zijn armen schouderspieren schreeuwden van de pijn. Elke stap omhoog was een gevecht tegen ademnood en het dode gewicht van zijn bepakking. Naarmate ze hoger kwamen, zakte de temperatuur, en een verraderlijke wind zoog fijne sneeuw van de klif en sproeide die in zijn gezicht, zodat hij binnen in zijn onderpak begon te rillen. Zijn keel deed pijn van de ijzige lucht die hij in zijn samengeperste longen ademde en zijn vingertoppen werden onrustbarend gevoelloos. Slechts eenmaal keek hij omlaag, naar de gekleurde vlekjes van kamp II, en toen naar de stippen van Finch en Ken en de anderen, aan de voet van de wand. Hij probeerde haar een telepathische boodschap te sturen, een mengelmoes van waarschuwingen en wensen die woordenloos door zijn hoofd flitsten, om vervolgens te verdwijnen in de stuifsneeuw. Toen boog hij zijn lichaam weer over het werk. Zijn enige doel en gedachte waren erop gericht om de afstand tussen de rode achterkant van Als Mountain People-pak en hemzelf altijd gelijk te houden. Wanneer die groter leek te worden, dwong hij zichzelf zijn tempo te verhogen, tot zijn hoofd bonsde en de adem in zijn borst gierde.

Hoever moesten ze nog?

Toen ze vier uur hadden geklommen en de dood dichterbij leek dan ooit bij de finish van een marathon, bereikten ze kamp III.

Op een serie kleine richels die de sherpa's op een hoogte van 7000 meter uit het ijs en de sneeuw hadden gehakt, stonden vier tenten. De twee dragers waren neergestreken op een richel aan de rechterkant, en met een uitdrukking van geamuseerde vergenoegzaamheid zaten ze naar de nieuwkomers te kijken. Voor de dichtstbijzijnde tent zakte Sam in elkaar en zoog als een bijna verzopen hond ijle lucht in zijn longen.

'Heel goed, Sam,' plaagde een van de sherpa's. 'Straks naar de top.' De andere sherpa giechelde van plezier.

'Oost west, thuis best,' mompelde Al, en hij liet zijn rugzak tussen de tenten vallen.

Toen Sam weer kon praten, fluisterde hij: 'Ik dacht dat ik het niet zou halen.'

'O, je hebt het niet echt moeilijk gehad. Het moet in je genen zitten. En de volgende keer zal het veel makkelijker gaan.'

'Ik bid God dat je gelijk hebt.'

Al hielp hem met zijn bepakking en gaf hem een fles warme citroendrank die de dragers hadden klaargemaakt. Sam bracht hem aan zijn mond en dronk en dronk. Toen hij twee liter in zijn uitgedroogde lichaam had geleegd, kon hij weer naar de wereld kijken. 'Grote hemel,' fluisterde hij.

Voor de eerste keer keek hij omlaag in plaats van omhoog. De wind was gaan liggen en het ravijn werd nu overgoten door het zonlicht. Vóór hem glinsterde een grote, zilveren ruimteballon, ingesloten door de flanken van de Lhotse. Op de bodem lagen de minuscule tenten en de bodem van het keteldal. Vanhieruit leek de gletsjer bijna glad en onschuldig. Ver weg en daaronder was de grijze welving, waar hij zich van de Everest en de ijswand en het basiskamp af boog, door de vallei heen naar de jakweiden van Lobuje en Pheriche. Vanuit deze positie kon Sam nu neerkijken op de minder hoge pieken die zich tot nu toe in de lucht hadden verheven. Om hun hellingen heen zweefden als gazen sluiers kleine wervelingen van wolken.

'Allemachtig, wat geweldig!' mompelde hij. Even was hij zijn rauwe keel, tintelende vingers en geradbraakte lichaam vergeten. Al was de voorraden aan het verdelen en reorganiseren. De volgende paar weken, waarin de cliënten zich, ieder op zijn eigen nerveuze manier, voorbereidden op de top, zouden de sherpa's een aantal malen de berg op en af gaan om de hoogstgelegen kampen in te richten. Met deze logistiek in de vorm van lijsten, programma's en computeruitdraaien, waarop alle blikjes sardines, gasflessen en zakjes citroendrank stonden vermeld, hield George Heywood zich in het basiskamp bezig. Niets werd aan het toeval overgelaten. Sam begreep nu waarom commerciële expedities hun klanten zoveel duizenden dollars in rekening brachten. En hij had zich weer voldoende van de ochtendlijke inspanningen hersteld om te beseffen dat het voor hem wel een bijzonder geluk bij een ongeluk was dat hij zich hier nu bijna voor niets halverwege de helling van de Lhotse bevond.

Als dit geluk is, dacht hij. Hij realiseerde zich pas dat hij zat te grinniken toen Al opkeek en zijn zwarte wenkbrauwen sarcastisch optrok. 'Bedankt voor je gezelschap,' zei hij. 'Maar als je nu wat sneeuw zou willen smelten, zodat onze cliënten wat kunnen drinken wanneer ze aankomen, zou dat wel zo fijn zijn.'

Sam pakte meteen zijn ijsbijl, begon sneeuw te hakken en deze in een pan te doen. Het was een geklungel om de vlam aan het branden te krijgen, maar uiteindelijk kreeg hij het voor elkaar. Toen hij tijd had om de toppen van zijn vingers te bekijken, zag hij dat er geen spoor van bevriezing viel te bespeuren. Dat was goed. Er moest nu niets misgaan. De topkoorts begon weer in hem op te laaien. *Beklim de Everest. Dan ga ik met je eten.*

Hij keek naar Al. Hij voelde geen jaloerse woede meer. Alleen een verlangen om zo goed mogelijk te doen wat er van hem werd verwacht, want de man dwong zijn respect af.

'Bedankt,' zei Al rustig en goedkeurend.

De sherpa's waren al begonnen aan de 600 meter die hen nog scheidden van hun volgende bestemming op de zuidcol. De twintig kilo zware bepakkingen op hun rug leken groter dan zijzelf.

Als walkie-talkie begon te jengelen en te kraken, en hij haalde hem uit een schuilhoek van zijn pak te voorschijn. Het was George, in het basiskamp.

'Ja, George, alles is goed. Sam en ik zijn hier, de rest is onderweg.' Hij leunde voorover en tuurde omlaag langs de steile rotswand. 'Langzaam, maar niet slecht. Misschien nog een uur, dan zijn de eersten er. Dan misschien nog een uurtje voor de laatsten. Het lijken me Jackson en Buchanan.'

Er werden nog wat instructies en informatie uitgewisseld, toen zei Al: 'Ja, hier is hij.'

Tot Sams verbazing gaf hij hem de radio. Vanaf 2500 meter lager kwam Georges stem duidelijk door. 'Sam? Hier is iemand die je wil spreken.'

Hij hoorde een lijzige stem: 'Hé man, je draagt mijn uitrusting.'

Automatisch keek Sam omlaag. Op het naamlabeltje voor op zijn winddichte pak van de Mountain People stond 'Adam Vries'.

'Adam! Hoe is het met je?'

'Ik ben hartstikke ziek geweest. Maar ik ben hier heel langzaam heen gekropen en voel me nu prima.'

Sam keek om zich heen, naar de tentjes op hun hachelijke sneeuwricheltjes en de wigvorm van de Pumori en de andere pieken die onder hem zweefden. Adam was achtergebleven in de communicatietent op de verlaten basis. 'Het spijt me dat ik je plaats heb ingenomen.'

'Ja, mij ook. Kom als de bliksem heel naar beneden en dan kunnen we het erover hebben.'

'Ik doe mijn best.'

Hij gaf de radio terug aan Al, die bezig was met foliezakjes met voedsel. 'Ik vind het niet leuk voor Adam,' zei hij.

Al haalde zijn schouders op. 'Verspil je energie niet. Zulke dingen gebeuren nu eenmaal. Ga verder met je werk.'

Een uur later arriveerde Pemba in het kamp. 'Het gaat met iedereen goed, Al, geloof ik.'

Ted en Vern kwamen na elkaar boven. Amechtig zakten ze in elkaar op de richel voor de tenten, net zoals Sam, maar gaven Al een klap op zijn schouder toen hij hen begroette en namen de drankjes aan die Sam hun gaf.

'Meer ruimte dan de vorige keer,' zei Vern goedkeurend toen hij zijn mok leeg had. 'Je kunt je benen strekken zonder dat ze over de richel hangen.'

De volgende die verscheen, was Ken. Hij ging op een lading voorraden zitten. 'Mason heeft het moeilijk vandaag.'

Rix maakte zich los van het touw. Hij had zijn ijsbijl op de steile helling gelegd in plaats van hem in de sneeuw vast te zetten en hij gleed de ruimte in, richting Masons hoofd en langs het touw, toen Pemba hem vastgreep. Rix schudde langzaam zijn hoofd. 'Sorry. Ik dacht niet na. Het is klerewerk vandaag. Echt klerewerk.'

Al keek omlaag naar de laatste drie klimmers en Mingma, maar hij richtte zich even tot Rix. 'Het komt wel goed. Een nachtje rust en je zit daarboven.'

Rix wreef met een gehandschoende vuist over zijn baard en raspte ijskristallen. 'Dat mag ik hopen, makker.'

Mark Mason deed een stap omhoog en bleef toen naar het leek een volle minuut rusten. Na elke twee of drie stappen hing hij futloos in zijn klimgordel, wanneer er weer een hoestbui door hem heen scheurde. Slechts één keer keek hij omhoog, op zoek naar een glimp van het kamp. Achter het schild van zijn sneeuwbril leek zijn gezicht lijkbleek.

Al riep: 'Nog zes meter, dat is alles. Je bent er.'

Al en Pemba trokken hem de laatste meter omhoog. Hij hoestte alsof hij zou doodgaan.

Het duurde nog dertig minuten voordat het laatste trio binnen gehoorsafstand kwam. Finch als eerste, heel langzaam, maar vrij gestaag. Dan Sandy, met zijn hoofd naar beneden, zich blijkbaar van niets anders bewust dan de inspanning die elke stap hem kostte. Mingma klom geduldig in hun kielzog met nog een bepakking voorraden op zijn rug.

Sam ging op zijn hurken zitten bij de rand van de richel en keek naar de rode welving van Finch' capuchon. Al en Ken brachten Mason naar zijn tent. Eindelijk was ze binnen handbereik. Toen ze op de richel was, maakte hij de haken los waarmee ze aan het touw was bevestigd en bracht haar naar de voorkant van de dichtstbijzijnde tent. Haar ogen waren onzichtbaar achter de bril, maar ze trok een zijden masker van haar mond en zoog gretig lucht in haar longen. Haar benen konden haar nog nauwelijks dragen en ze leek helemaal aan het eind van haar krachten.

'Goed gedaan,' zei Sam vriendelijk.

Ze was te uitgeput om zich nog van hem bewust te zijn. Hij gaf haar een fles met warme citroendrank in haar handen en keek toe hoe ze dronk. Sandy strompelde het kamp in. Met uitzondering van Mason zaten de klimmers schouder aan schouder in een rij op de kleine richel van hun onderkomen uit te rusten. Ze leken op een rijtje door de storm gehavende zeevogels. Pemba en Mingma zaten met elkaar te mompelen. Ze moesten nog naar een volgende richel klimmen, dertig meter hoger, en daar overnachten.

'Finch?'

Het was Al, uit Masons tent. Sam zag hoe ze de mist van uitputting en gebrek aan zuurstof van zich afschudde en zich weer instelde op het feit dat ze dokter was. Ze schoof langs Ted en Vern en kroop naar binnen naast Al.

Mark lag op zijn zij in de gele nyloncapsule. Ze fronste toen ze hem zag en er kwam weer een hoestbui toen ze over hem heen knielde. Al maakte een zuurstofcilinder klaar, met regulator en masker. Toen de aanval minder werd, ging Mark met een vermoeid gebaar van zijn schouder liggen en zei, naar adem snakkend: 'Zelfde hoest. Minder lucht.'

Finch beluisterde zijn borst en voelde aan zijn voorhoofd. Er was sprake van een iets te snelle hartslag, maar ze kon niet het knapperige, borrelende geluid van vocht in de longen horen. Maar dit hoefde niet per se te betekenen dat hij geen longoedeem had. Hij had echter geen koorts.

'Hoofdpijn?'

'Nee,' mompelde Mark. 'Of niet meer dan anders.'

De gidsen en Finch hadden allemaal EHBO-dozen in hun rugzak. Ze maakte nu haar doos open en haalde er een nifedipinecapsule uit. Mark slikte hem zonder commentaar door. Hij had ervaring genoeg om te weten wat medicijnen tegen hoogteziekte waren en waarom ze werden gebruikt.

'Over zes uur nog een. Intussen zuurstof en rust, en we zullen zien hoe je daarop reageert.'

'Ik heb het voor dit jaar gehad, hè?'

Hij pakte het zuurstofmasker, drukte het zwarte rubber dankbaar tegen zijn gezicht en zoog diepe teugen lucht in. Al stelde de hoeveelheid in met de regulator.

'Ik denk het wel,' zei Finch effen.

'Je hoeft nu nog niet te beslissen,' wierp Al tegen.

Finch' ogen ontmoetten de zijne. Op dit gebied verschilden ze van mening. Ze hadden er nooit over gepraat, zelfs niet terloops, maar beiden wisten dat het zo was.

Mark ademde nu wat makkelijker. Finch borg het flesje capsules op en kroop toen achterstevoren de tent weer uit.

De gidsen en klimmers maakten zich klaar voor een lange nacht op de richel. De inspanningen van de beklimming, de nieuwe hoogte en hun isolement op deze hachelijke plek maakten hun onderlinge band sterker dan ooit. Er waren nog meer kampen op de helling, maar die stonden nu verder weg en ze zaten niet meer op het claustrofobische kluitje van de lager gelegen kampen. Met een hernieuwde ruimhartigheid lieten de Mountain People hun blokjes chocola, keelpastilles en tubes lippenzalf rondgaan. Op de butagasbranders werden pannen met sneeuw gesmolten en in folie verpakte kant-en-klaar-maaltijden opgewarmd. In de eentonigheid van het wachten op de volgende dag vergaten ze hun irritaties, prezen elkaar om hun prestaties en speculeerden over de beproeving die hen nog te wachten stond.

Toen Sandy Jackson was uitgerust, werd hij weer een en al leven. Hij en Finch kropen in hun tent en lepelden volhardend bonen en rijst naar binnen. Met haar gebarsten lippen, brandende keel en aanhoudende misselijkheid was het voor Finch een worsteling om meer dan een mondvol door te slikken. Sandy gebruikte zijn zakmes om stukjes van een salamiworst af te snijden. Hij spieste er een op de punt van zijn mes en bood het haar aan, maar alleen al het zien van het rozige vlees en de glinsterende vetbolletjes deed haar griezelen.

'Sorry,' zei hij met oprecht medeleven en legde het vlees uit het zicht. 'Wil je dan een stukje kaas?'

'Bedankt. Ik houd het bij rijst.'

'Hoe voel je je?'

Hier moest ze over nadenken. Ze voelde een sterk heimwee naar Vancouver, Dennis en Suzy. Dat ze de enige vrouw was, begon op haar te drukken. De mannen hielden meestal hun angst voor zich en lieten alleen hun zelfvertrouwen zien. Al was er maar één andere vrouw geweest, dacht Finch, dan had ze kunnen praten over haar onzekerheid en hadden ze elkaar een hart onder de riem kunnen steken. Ze had geen kritiek op Al. Het was zijn taak als hoofdgids om het moreel van de groep hoog te houden. Het was tevens zijn verantwoordelijkheid om voor iedereen te zorgen, en het was begrijpelijk dat dit al zijn aandacht vroeg. Het was waar dat Sam, de paar keren dat ze met elkaar hadden kunnen praten, had laten blijken dat hij anders was dan de anderen. Maar wat ze vanavond voelde, in de krappe tent met Sandy Jackson naast haar gepropt, was desalniettemin een bijna verstikkende eenzaamheid. En ze voelde zich vermoeider dan ze ooit was geweest of had kunnen denken.

Ze antwoordde: 'Het gaat wel. Alles in aanmerking genomen. Bedankt. En jij?'

'O, shit. Opgefokt, alsof mijn geest een gevecht met mijn benen levert. Aan deze expeditie is elke dollar opgegaan die ik had, en zelfs meer dan ik heb geleend. Ik moet deze geldvreter beklimmen. Het is uitgesloten om thuis te komen zonder een foto van mezelf op de top. Niet om zakelijke, persoonlijke en andere redenen.'

Voor Sandy stond deze toespraak gelijk aan een belangrijke emotionele onthulling. Finch knikte meelevend. 'Maar verder dan je lichaam je brengt kun je niet gaan.'

Sandy barstte uit in een luidkeels gelach. 'Welnee, verdomme. Je kunt heel wat verder komen, als je maar wilt.' Hij ging op zijn slaapzak liggen in een rotzooi van lege voedselverpakkingen, salamivelletjes en vochtige, stinkende kleren en sloeg zijn handen peinzend over zijn borst. Zijn halfvolle pisfles klotste tegen de tentwand. 'Wacht maar af.'

Finch keek op haar horloge. Het thermometertje dat aan haar jack zat vastgemaakt gaf aan dat het binnen −5°C was. Ze maakte haar schoenen vast en deed haar klimijzers aan. Zich buiten wagen zonder deze klimijzers bracht het risico met zich mee om van de richel af te glijden en 600 meter naar beneden te vallen op de bodem van het keteldal.

'Oké, het is al goed. Maar ik moet nog even naar Mark kijken.'

Sandy grinnikte, zonder aanwijsbare reden. 'Altijd het goede doktertje. Kijk uit waar je loopt.'

Vanwege de kou en de snijdende wind buiten de tent trok Finch de randen van haar capuchon strak om haar gezicht. Met een handschoen voor haar mond kroop ze het kleine eindje naar Masons tent. De verantwoordelijkheid om in deze omstandigheden medische zorg te bieden was de zwaarste die ze ooit in haar leven op zich had genomen.

Mark lag te doezelen, met een dik ingepakte Rix naast zich.

'Ligt het aan mij of is het hier een beetje koud?' merkte Rix schertsend op.

Finch luisterde opnieuw naar Masons borst, controleerde zijn pols en scheen met haar lamp in zijn ogen. Zijn toestand was niet verslechterd en zijn ademhaling ging veel moeitelozer.

Mason zag er echt Engels uit, dacht Finch, met zijn brede, roodachtige gezicht en zijn stugge, kleurloze haardos. Door het gewicht dat hij in de loop van de expeditie had verloren, lagen zijn zware botten dicht onder de verweerde huid.

Ze nam zijn hand en hield die tussen de hare. 'Met die hoest moet je echt naar beneden. Morgenochtend.'

'Ik hoest al vanaf Namche.'

'Weet ik. Het spijt me. Het wordt er hierboven niet beter op, en het zou snel erger kunnen worden.'

'Ik wil proberen de zuidcol te halen,' zei hij.

'Ik denk dat dit niet verstandig is.'

'Uiteindelijk beslist hij toch zelf?' vroeg Rix.

'Alleen als zijn beslissing geen gevolgen heeft voor de andere klimmers die hem misschien moeten redden of helpen. Misschien moeten we er met Al over praten.'

'Al vindt het goed dat hij morgen meegaat, als hij dat wil.'

'Wat vind je er zelf van, Mark?'

Mark knikte. 'Ik ben geen slappeling. Dat weet Al.'

Finch aarzelde. Daar had je weer dat onuitgesproken meningsverschil tussen hen. Natuurlijk wilde Al zoveel mogelijk cliënten naar de top brengen. De reputatie van George Heywoods bedrijf, alsook de zijne als gids, hing ervan af.

'Niemand zegt dat je een slappeling bent,' zei ze rustig. 'Maar wil je je leven ervoor in de waagschaal stellen?'

Al deze mensen, dacht ze, allemaal door verschillende motieven bij elkaar gebracht op deze gevaarlijke rotsen met een en dezelfde ambitie, zijzelf incluis. Luisterend naar de wind en kijkend naar Mark Masons grimmige gezicht leek die ambitie van nul en generlei waarde.

'Ik beslis nadat ik wat heb geslapen,' zei Mason op vastberaden toon.

Er restte Finch niets anders dan weer de duisternis in te kruipen. Al had gegeten in de tent die Sam nu met Ken deelde en hij kwam op hetzelfde moment naar buiten. Hij stak zijn hand uit om Finch houvast te geven, toen ze werd overvallen door de kracht van de wind die van de richel boven hen omlaagraasde en een geluid maakte als van een sneltrein in een tunnel. Ze schreeuwde iets tegen hem over Masons toestand, maar besefte hoe absurd het was om te proberen op deze ijsstrook, met de zwarte afgrond een meter van haar vandaan, met elkaar te praten. Ze wees naar Marks tent en maakte een wiegend gebaar met haar handpalm naar de richel. Al knikte. Hij wist hoe de situatie was. De licht-

bundel van zijn koplamp gleed over haar gezicht toen hij dichterbij kwam en met een handschoen even haar jukbeen aanraakte.
Er verspreidde zich een warmte vanuit haar ribbenkast die in haar
ledematen leek te vloeien.

Hij trok zijn hand terug en wees naar boven. De vier tenten en
acht mensen in de groep namen alle beschikbare ruimte in beslag.
Al moest nog honderd meter verder klimmen naar de volgende richel en met Pemba en Mingma een sneeuwbivak delen. Trappend
in het sneeuwijs liep hij naar het vaste touw, haakte zich vast en
begon te klimmen. Zijn lamp maakte een geel vlekje in de sneeuw
die van de hoogten naar beneden dwarrelde. Finch keek hoe de
man, die ze met elke vezel van haar lichaam en alle facetten van
haar bewustzijn liefhad, zich langs de ijzige rots omhoogtrok, terwijl de wind probeerde hem eraf te trekken en in de ruimte te
slingeren. Angst en kou belegerden de warmte die Al haar had bezorgd. Na nog een blik op zijn verdwijnende lamp ritste ze de flap
van haar tent open en kroop naar binnen. Ze ontdeed zich van
haar schoenen, klimijzers en pak en de rest bedekte ze met haar
slaapzak.

De nylonhuid over haar hoofd fladderde en trilde in de wind. Ze
had gedacht dat Sandy al sliep, maar het duurde slechts even toen
hij zijn hand op haar schouder legde en even kneep. Het was een
gebaar van kameraadschappelijke warmte, en ze was er dankbaar
voor.

Het lukte Finch een paar uur te doezelen, die werden onderbro-
ken door misselijkmakende rusteloosheid. Ze realiseerde zich dat
de wind was gaan liggen. Even later, zo leek het, was Ken bij de
tentflap.

'We gaan naar boven. George was op de radio. Het weerbericht is
goed, heldere lucht. Je hebt vijfenveertig minuten om iets te drinken en te eten.'

'En Mason?'

'Ja, hij ook. Hij zegt dat hij zich goed voelt. Al heeft hem het groene
licht gegeven, als je het ermee eens bent.'

Ze ging rechtop zitten, waarbij elke spier protesteerde, en hield
toen haar hoofd vast. Sandy bewoog zich en kreunde ook. Hun
uitademingen van een hele nacht zaten bevroren op de binnen-

kant van de tent; het leek wel een grot van een boosaardige ijsfee. Ze staken de brander aan, smolten moeizaam wat sneeuw voor de thee en aten ieder een müslireep en een handjevol gedroogd fruit. Daarna kroop Finch naar Masons tent.

Hij was bleek, maar ademde ontspannen en de hoest was minder. 'Ik wil het,' hield hij vol. Tegen beter weten in gaf ze haar toestemming.

Om vier uur 's morgens vertrok de groep uit kamp III, met Ken voorop en Sam als hekkensluiter. Pemba en Mingma waren al aan het klimmen en Al sloot zich aan bij de rij toen deze voorbijklauterde.

De zuidcol, bespikkeld met de verschillende kampen, was de meest onheilspellende plek die Sam ooit had gezien. Het gebied was weids, zo groot als twee of drie sportvelden; aan de noordkant begrensd door de Kangshung-wand, die doorliep tot in Tibet en aan de zuidkant door de Lhasa-wand. De zuidoostrichel wees grimmig in de ene richting, de route naar hun vergelegen doel, en in de andere richting lag de piek van de Lhotse.

Uitgeput bereikten de Mountain People in de middaguren een voor een kamp IV. Hun tenten stonden te wachten op een uitspansel van ijs dat door de wind tot een lelijke, grijze glans was gepolitoerd. Het was gepokt met rots- en sneeuwbulten, afgewisseld met afgedankte zuurstofcilinders en roestende blikjes, en het afval werd in alle hoeken en gaten geblazen, om vervolgens in de oneindigheid weg te dwarrelen. Op sommige plekken waren sneeuw en ijs geel van de urine en bedekt met bevroren uitwerpselen. De kampen van de drie andere expedities bevonden zich op andere bewoonbare delen van de col, en hun bewoners bewogen zich langzaam en lethargisch tussen de tenten door. Hoewel het een mooie dag was en de zon aan een heldere hemel stond, was de beukende wind een geduchte vijand. Vanaf de toprichel blies een enorme, zijdeachtige banier van sneeuw over Tibet.

'Welkom op de zuidcol,' schreeuwde Al, toen Sam de laatste twintig meter naar het kamp wankelde.

'Godsamme,' was Sams reactie. Hoe hard hij ook naar adem hapte, de lucht leek volkomen zonder zuurstof en voeding te zijn. Ze zaten op 8000 meter hoogte.

Ted en Vern waren al bij hun tent. Bijna dubbelgeslagen in de wind kroop Rix in de beschutting van zijn tent. Sandy volgde hem op de voet.

Al was smeltsneeuw aan het hakken toen Sam eraankwam en naast hem hurkte. 'Waar zijn Finch en de anderen?' schreeuwde hij. Het was alsof de beklimming hem had gehersenspoeld. Het laatste uur was hij niet in staat geweest te denken of zich iets te herinneren, was hij zich alleen maar bewust geweest van de pijn om zijn ene voet op te tillen en dan de andere. Nu hij zijn doel had bereikt, bedacht hij zich dat Finch nog steeds onderweg was.

Al gebaarde hem mee te gaan in de tent en gaf hem iets te drinken. 'Oké, het is goed met me,' hield Sam vol. 'Ik wil weten waar zij is.' Al bestudeerde hem. 'Natuurlijk.'

Hij haalde de radio uit zijn binnenzak. 'Ken? Dit is kamp IV. Ken, kun je me de laatste stand van zaken doorgeven?'

Hij drukte op de knop en er klonk een gekraak van atmosferische storing. Sam stelde zich voor hoe Ken, hangend aan het vaste touw in zijn klimgordel, naar zijn handset greep. Er waren nog veel erger dingen die hij zich kon voorstellen, maar hij zette ze opzettelijk uit zijn gedachten.

Na een lange pauze klonk Kens stem. 'Kamp IV, kamp IV. We zijn nog steeds aan het klimmen. Mason is er slecht aan toe, maar hij komt vooruit. Pemba is net bij ons gekomen. Over.'

'Ik heb Pemba naar beneden gestuurd om te zien of hij kon helpen,' zei Al tegen Sam.

'Waar is *Finch*?' herhaalde Sam.

'Ken, hallo, Ken. Hoe zit het met Buchanan?'

'Houdt zich goed. Ze wil bij Mason blijven.'

Sam sloot zijn ogen. Ze had de kracht om die beklimming te doen en tegelijkertijd op een ander te letten. Ze verbaasde hem telkens opnieuw en op allerlei manieren. Als hij deze vrouw niet kon krijgen, dacht hij, kon hij zich niet voorstellen hoe hij ooit met een andere zou kunnen leven. En het was zeker dat hij haar niet kon krijgen, omdat ze verliefd was op Al Hood.

'Oké, Ken, goed. We hebben hier een drankje voor je.'

'Geweldig. Sluiten.'

Al schoof de radio weer op zijn plek. Hij hield zich even bezig met het aansteken van de brander en een pan met sneeuw boven de vlam te houden. Toen keek hij Sam recht aan. 'Maak je niet al te druk. We zijn aan het klimmen. Dat vergt concentratie.'

'Ik heb altijd geweten dat ik het haatte.'

Al begon te lachen. Wanneer de fronslijnen zich ontspanden, zag hij er jong uit. 'Ik denk dat je jezelf verloochent. Je vindt het geweldig.'

'Misschien. Luister, Al, het spijt me. Ik kan het niet helpen dat ik me zo bezorgd over haar maak. Ik weet dat het nergens toe leidt. Ik weet hoe het tussen jou en haar zit. Ze heeft het me verteld. Ik vind dat je...' Hij zocht naar het juiste woord om alles te omschrijven wat hij van Al vond, maar zijn vermoeide brein liet het afweten. 'Geluk hebt,' eindigde hij effen.

De brander helde over op de schuine vloer van de tent. Al zette hem recht en hield de pan op zijn plaats. Het duurde lang om genoeg sneeuw te smelten voor een drankje. Ditmaal keek hij Sam niet aan. 'Denk je dat ik dat niet weet?'

'Nee.'

Al knikte. 'Het verbaast me niets dat je van haar houdt. Het zou me meer verbazen als het níét zo was. Het is vreemd hoe deze dingen werken. Heeft ze je verteld hoe we elkaar hebben ontmoet?'

Sam schudde zijn hoofd. Hij wilde gaan liggen, zijn slaapzak om zich heen trekken en een jaar lang slapen. Hij wilde naar buiten gaan om te kijken of Finch al in aantocht was. Hij wilde niet horen hoe zij en een andere man verliefd waren geworden, ook al was Al die andere man.

Hij mocht Al heel graag, besefte hij, en bovendien had hij bewondering voor hem. Hij had hem zelfs anders over zijn vader doen denken. En over bergen en de indringende, verleidelijke uitdaging die ervan uitging.

'Ik zal het je een keertje vertellen,' zei Al. 'Wanneer we ergens achter een biertje zitten en niet samen met Rix en Jackson bevriezen op de zuidcol. Ga nu even kijken hoe het met onze cliënten is, wil je? En controleer of Mingma en de jongens voldoende water voor iedereen op hebben staan.'

Sam hees zich gehoorzaam uit de tent. Hij was hier om te doen wat Al hem zei. *Beklim de Everest...* als hij nog een greintje energie over had gehad, zou hij nu hebben moeten lachen om de licht-zinnigheid waarmee ze dat had gezegd, niet wetend waar ze het over had.

Een uur later legden Finch en de anderen de laatste paar meter naar het kamp af. Mason schuifelde, aan weerszijden onder-steund door Ken en Pemba. Zijn hoofd hing voorover op zijn borst, alsof hij niet meer de kracht kon vinden om het overeind te houden. Finch ploeterde voort in hun kielzog. Bij elke stap had ze het gevoel dat haar klimijzers zich aan het ijs vastklampten.

Al en Sam kwamen hun tegemoet. Sam sloeg zijn armen om haar heen, terwijl Al zich om Mark Mason bekommerde. 'Je bent er. Het is goed. Je hebt het gehaald.'

De zon gleed achter de Pumori. Finch duwde de bril van haar ogen en vocht om adem. Ze was bang te stikken. Haar natte uit-ademing door haar gezichtsmasker was bevroren tot een tweede masker van ijs.

'Hier is de tent, en warme thee,' zei Sam.

Ze kon niets zeggen. Ze rukte aan het masker totdat Sam het voor haar van haar mond trok. Ze gilde het uit van de pijn toen er huid meekwam. Hij gaf haar de fles met thee in haar handen en hielp haar om hem recht te houden terwijl ze dronk.

Finch proefde warmte en suiker en zoog gretig. Alleen de meest elementaire gewaarwordingen waren er nog – pijn, kou, dorst en honger. Ze liet zich door Sam naar de tent brengen en hij zette haar neer om haar beenkappen, klimijzers en plastic schoenen uit te trekken. Hij trok de binnenschoenen uit en voelde aan haar sokken. Ze waren nat en ijzig, maar niet bevroren. Hij maakte zijn onderpak open en nestelde haar voeten onder zijn oksels. Ze lag achterover tegen iemands rugzak en dronk. Het was twaalf uur geleden dat ze iets had gegeten, en het citroensap uit de waterfles in haar rugzak was alles wat ze had gedronken. De beklimming was eindeloos en afgrijselijk geweest.

Als gezicht verscheen in de tentopening. Ze probeerde naar hem te glimlachen, maar haar lippen waren zodanig gebarsten dat haar glimlach een pijnlijke grimas werd.

'Hoe is het met haar?' vroeg hij Sam.

'Jammerlijk,' zei Finch.

'Verbazingwekkend,' zei Sam tegelijkertijd.

'Ga even naar Mason kijken als je zover bent.'

Haar vijfde zintuig kwam terug, weliswaar in een verdorde en aarzelende versie, maar toch nog gezaghebbend. Verantwoordelijkheid. 'Ik kom zo.' Ze haalde haar voeten uit de warmte van Sams oksels en ging zitten om haar schoenen weer aan te trekken. Mark lag weer languit op zijn slaapzak. Finch was de hele dag binnen zijn gehoorsafstand gebleven, maar toch schrok ze bij het zien van zijn ingevallen gezicht en glazige ogen. Al had hem aan de zuurstof gelegd. Hij was net klaar met een hoestbui in het gezichtsmasker. 'Kan niet ademen. Het is alsof ik verdrink...' zei hij, naar adem snakkend.

Zwijgend overhandigde Al haar de medicijndoos. Finch maakte een injectie dexamethason klaar en een tweede met nifedipine, en diende ze toe. Ze had hier geen stethoscoop, dus legde ze haar oor tegen Masons borstkas en luisterde lange tijd.

Finch liet een glimlach van geruststelling zien die ze niet voelde. 'Ik stop je een paar uur in de zak. Is dat oké?'

Zijn ogen liepen over van angst, maar het lukte hem te knikken. Al ging de tent uit, terwijl Finch hem zo comfortabel mogelijk installeerde. Even later kwam Al terug met een oranjekleurige canvas ritszak. Hij maakte hem open en streek iets glad wat op een opblaasbaar luchtbed leek. Finch en Al hielpen Mark samen in de zak.

'Ik kom zó terug,' stelde Finch hem gerust. 'Hier is het raampje. Zo kunnen we de hele tijd naar elkaar kijken,' en ze sloot de luchtdichte rits.

Al sloot een voetpomp aan en begon te pompen. Iemand zou de hele tijd moeten blijven pompen om de ontwikkeling van kooldioxide te voorkomen. In tien minuten was de zak vol lucht. Mark lag languit en staarde met grote angstogen door de patrijspoort. Hij zag eruit alsof hij in zijn doodskist lag. Finch wist dat hij zich panisch moest voelen. De verhoging van de atmosferische druk in de zak stond gelijk aan een hoogtevermindering van 450 meter, maar claustrofobie was onvermijdelijk. Ze leunde tot dicht bij het raampje en zei geruststellend: 'Je zult je nu snel wat beter gaan voelen. Al en ik blijven bij je.'

Beiden hadden ze hun aandacht bij Mark. Ze wachtten in stilte en hielden nu hun tegengestelde meningen voor zichzelf. Al nam radiocontact op met George om hem te waarschuwen dat er vanuit het basiskamp misschien een evacuatiehelikopter zou moeten komen.

Ken kwam binnen. 'Hoe is het met hem?'

Finch zei: 'We moeten hem naar beneden brengen.'

De gidsen keken elkaar aan. 'Ken, jij neemt Pemba en Mingma, en zodra het licht wordt gaan jullie met hem op weg. Neem niet het risico om eerder te beginnen. Ik ga samen met Sam de rest van de groep leiden.'

'Oké.'

Met de andere cliënten was het, gezien de hoogte, goed en nu aten ze en rustten ze uit. Ken meldde zich. 'De zuidcol lijkt verdomme het Hilton wel,' zei hij. Kens persoonlijke voorkeur ging uit naar snel en vrij, het tegenovergestelde van Georges zwaargewicht-tochten.

Na nog een uur vond Finch dat Mark moest worden bevrijd. Al draaide een kraantje om teneinde de kamer te laten leeglopen en de patiënt weer uit zijn metabolische doodskist te bevrijden. Hij bleef stil liggen, terwijl Finch nogmaals aan zijn borstkas luisterde. Zijn ademhaling ging weer wat makkelijker, maar ze legde hem weer aan het zuurstofmasker.

'Je moet vannacht bij mij slapen, Mark,' zei ze. 'Rix kan naar Sandy gaan.'

Hij hoestte zwakjes. 'Wat een verspilling!'

Al lachte. 'Wacht maar. Wanneer je terug bent in het basiskamp voel je je weer als negentien. Zo voelde ik me altijd.'

Finch legde de compressiekamer aan de kant. Ze hield haar ogen neergeslagen, maar kon het niet helpen dat ze moest blozen. De ongerijmdheid, de plaats, de tijd en de omstandigheden. Maar niettemin bleef hij haar dat gevoel geven.

Ze bleven nog een uur bij Mark en controleerden zijn ademhaling. Al zei niets, en Finch wist dat hij aan een andere tent moest denken en aan een andere doodzieke klimmer. Hij had toen geen compressiekamer gehad, noch een arts of een team van sherpa's om hem te helpen. De K2 alpinistisch beklimmen was óf het toppunt van moed, zoals ze eens had gedacht, óf de definitie van waanzin. Ze keek naar Als grimmige gezicht. Voor het eerst maakte zijn vasthoudendheid haar boos en voelde ze tevens een innige liefde voor hem. 'Ga een paar uurtjes slapen,' zei ze. 'Kom dan terug om me te helpen hem weer in de zak te leggen.'

Al deed wat ze voorstelde. Slaap was een veiligheidsfactor voor morgen.

Finch lag naast Mark en doezelde weg, maar ze werd om de zoveel minuten weer wakker om naar zijn ademhaling te luisteren. Toen Al terugkwam, legden ze hem weer twee uur in de compressiekamer en kreeg hij nog een injectie nifedipine en dexamethason. Het was een lange nacht, en de kou en het eindeloze gehuil van de wind maakten er een eeuwigheid van.

De volgende ochtend voelde Mark zich zwak, maar helder en rustig. Net als de anderen wist hij dat afdalen zijn enige kans was om te overleven. Finch en Rix hielpen hem in zijn schoenen en winddichte pak. Hij at niets, maar kreeg wel een liter warme citroen naar binnen. Ken en de sirdars stonden bij de tent te wachten.

'Laten we gaan, makker,' zei Ken.

Mark stond op. De sherpa's namen hem tussen zich in en Ken ging voorop. Al maakte zich vast aan het touw boven op de Lhotsewand en maakte zich klaar om de rest omlaag te leiden. Tegelijkertijd gingen de andere drie klimsherpa's de andere kant op om in een sneeuwgrot hoog op de toprichel een noodkamp met zuurstof en voedsel op te slaan.

In de namiddag bereikten de gezonde klimmers kamp I op de rand van de ijswand. Al en Finch bleven daar op Mason en zijn begeleiders wachten en de rest ging verder met afdalen. Ken meldde over de radio dat het heel langzaam ging omdat Mark nauwelijks in staat was om te lopen. Ze droegen hem min of meer tussen zich in. Al stond door de verrekijker naar hen te kijken toen ze het keteldal afstrompelden. 'Kom op, kom op, je kunt het,' mompelde hij. De helikopter stond klaar op de landingsstrook in Namche.

Toen ze bij de ijswand kwamen, was Mark meer dood dan levend. Finch gaf hem nog twee injecties en ze begonnen aan de hachelijke afdaling tussen de ijstorens en spleten door. Mark kon nauwelijks op de been blijven. Ze moesten alle vijf helpen om hem overeind te houden en langs de touwen naar beneden te laten zakken.

Al nam weer contact op met George. 'Laat de helikopter komen. Binnen een uur zijn we beneden.'

Dat was onredelijk optimistisch, dacht Finch. Maar toen ze door de laatste ijskloof afdaalden, hoorde ze het zwakke, zoemende geluid van de helikopter.

Vijftien minuten later werd Mark erin gehesen. 'Bedankt,' prevelde hij uitgeput tegen Finch. In dat ene woordje lag meer dankbaarheid dan ze ooit in heel wat tien minuten lange toespraken had gehoord.

'Je hebt de zuidcol gehaald.' Ze glimlachte tegen hem. Bij zichzelf dacht ze dat hij het nooit had moeten proberen en dat Al het nooit had moeten toestaan.

'Maar net,' gaf hij toe.

Vijf minuten later was de kleine machine een stipje in de lucht.

De zon was ondergegaan toen de groep vanaf de helikopterlandingsplaats terugging naar het kamp. George en Dorje kwamen hen tegemoet, met een derde man. Adam had een zelfgemaakte label voor op zijn trui gemaakt waarop stond 'Sam McGrath'.

Sam nam hem van top tot teen op. 'Shit, ik heb met het gewicht lopen sjouwen.'

'Je bent een klootzak,' kaatste Adam terug. 'Een opportunistische, gluiperige klootzak. Als je weer op adem bent gekomen, krijg je een dreun.'

'Is al gebeurd,' zei Sam droog.

Mingma liep rechtstreeks naar het vuur op het *puja*-altaar en pookte met een verse jeneverbestak in de as.

Later, toen ze in de mess-tent hadden gegeten en met een vleugje whisky in hun zwarte thee op Marks en hun eigen gezondheid hadden gedronken, en op het verdere succes van het topoffensief, zat Finch in de medische tent. Ze had in het logboek een rapport geschreven over Masons toestand en zijn evacuatie. Haar bezorgdheid over hem was minder geworden, maar ze kon haar gedachten niet afhouden van de col en de dreiging die ervan uitging.

Er waren faxen en e-mails voor haar, maar ze kon er nog niet toe komen ze te lezen.

Ze zat met de bundel papieren op haar schoot toen Al binnenkwam. Hij pakte ze uit haar handen en raakte met zijn wijsvinger de rauwe huid om haar mond aan, veroorzaakt door het aftrekken van het gezichtsmasker. 'Ik kan je niet eens kussen zonder je pijn te doen,' mompelde hij met zijn gezicht tegen haar haren. Ze draaide haar hoofd af en ging een eindje van hem verwijderd zitten.

'Finch, wat is er?'

'Mark Mason had nooit naar boven naar de col moeten gaan. Je had niet moeten zeggen dat hij mee kon, en ook ik had mijn toestemming niet moeten geven.'

Al wreef met de rug van zijn hand over zijn voorhoofd. 'Ja, ik weet het. Ik weet ook wat je denkt. Ik zag het daarboven aan je gezicht. Maar Mark is een cliënt. Hij heeft ervoor betaald om een kans te krijgen. En hij heeft de col gehaald omdat hij het wilde, en hij is weer helemaal naar beneden gekomen. Het komt nu allemaal weer in orde.'

'Gaat het daarom? Dat hij heeft betaald en een punt op de berg heeft gehaald, omdat jij en ik zijn leven op het spel hebben gezet?' Plotseling stond ze tegen hem te schreeuwen.

Al zuchtte. 'Luister. Wij zijn hier niet twee tegenover elkaar staande partijen. Ik ben maar een gids en jij bent arts, maar we proberen hetzelfde te bereiken. En dat is om mensen die het willen zo hoog mogelijk te laten klimmen, waarbij we onze ervaring gebruiken om hun risico's tot een minimum te beperken. Daar word ik voor betaald. Maar we kunnen dat verdomde risico niet helemaal uitsluiten. Mason kon doen wat hij heeft gedaan, hij heeft ervoor gekozen. Ik ben blij dat hij de col heeft bereikt, en nog blijer dat we hem weer beneden hebben gekregen. Jij en ik hebben goed werk verricht. Waar zouden we nu nog over zeuren? En bovendien, als hij daarboven was gestorven, zou ik nog hetzelfde denken.'

'Denk je ook zo over Spider?'

Hun ogen ontmoetten elkaar.

Heel rustig zei Al: 'Ja. Hij heeft gedaan wat hij wilde doen, net als Mason. En het ging alleen om Spider en mij, alleen om ambitie. Heel simpel. Niet gecompliceerd door geld, zakelijke belangen of amateurs die een foto van zichzelf willen hebben op de top van de Everest. Ik ben trots op hetgeen we op de K2 hebben gedaan. Als dat niet zo was, denk ik niet dat ik met mezelf of met zijn verlies zou kunnen leven. En er gaat geen dag voorbij dat ik zijn stem niet hoor.'

Finch boog haar hoofd. Ze begreep wat hij zei, ook al kon ze de wil erachter niet begrijpen. Toen keek ze op en glimlachte tegen hem, vol liefde. 'Het spijt me. We staan aan dezelfde kant. Maar ik ben slechts een amateur.'

Hij sloeg zijn armen om haar heen en hield haar vast. 'Ja. Maar een heel professionele. Luister, zullen we ervandoor gaan?'

'Ja.'

'Morgen?'

'Ja. Waar zullen we heen gaan?'

'Wat zou je zeggen van Pheriche, om te kijken hoe het met Ang gaat?'

'Verdorie. Ik dacht dat je Venetië of het Caribisch gebied zou zeggen.'

'Venetië? Dat wordt dan volgend jaar,' zei hij, nu ook glimlachend.

10

'Een paradijsje,' zei Finch. 'Vergeleken met de truck.'

Hier waren bomen, en de bemoste takken ervan hingen als haarlokken naar beneden. De paden waren glibberig van de modder en de lucht was zó dik van levenssappen en dauw dat het leek alsof hij een welige deken van vocht op hun huid en tongen achterliet.

Finch en Al hadden het kamp verlaten en waren terug door het dal gelopen. In de kliniek in Pheriche informeerden ze naar Ang en werden verwezen naar het huis van zijn neef.

De sherpa zat roerloos bij een mestvuur in een rokerige hut. Maar hij ontving hen met een brede lach en trok toen zijn eens ontwrichte schouder op, tot deze bijna zijn oor raakte. 'Zie je? Weer helemaal heel.' Hij lachte.

Er liep een plooi van een vers, roze litteken van de brug van zijn neus tot in zijn haarlijn. Finch draaide zijn gezicht naar het licht zodat ze het kon bekijken. 'Inderdaad,' stemde ze in. 'En hier?' Ze wees naar zijn ribben.

'Nog lastig met lachen.'

'Moeilijk, dus.'

Ang bleef de hele tijd lachen.

'Weer heel gauw aan het werk, heel gauw. *Chang* drinken, gokken, moet roepies verdienen.'

Ang was de soberheid zelf, en het grapje diende om zijn nood te verbloemen. Dat wist Finch heel goed. Terwijl ze samen thee dronken en toen Al de andere kant opkeek, stopte ze hem een beetje geld toe. Toen het tijd was om weg te gaan, ging Ang mee naar buiten in het zonlicht om afscheid te nemen, en met de hand boven zijn ogen keek hij hen na toen ze het pad afdaalden.

'Hij heeft geluk gehad,' zei Al.

'Deze keer wel.'

Later op de dag bereikten ze het dorpje Deboche met zijn mossige bomen en stenen muurtjes. Hier was een theehuis, verscholen onder een steile welving van de helling.

De sherpa-eigenares was blijkbaar een bewonderaar van Al. Ze schikte de kralen en vlechten in haar haar en ontdeed zich van de juteschort die ze over haar rode rok droeg voordat ze zijn hand tussen de hare nam. 'Namaste, meneer,' glimlachte ze koket. 'Eindelijk bent u terug.'

'Ik kom altijd terug, didi.'

De vrouw schonk hem een wetende glimlach. 'En vandaag hebt u uw vrouw meegenomen.'

Al hield zijn hoofd schuin.

'Ik geef u een speciaal plaatsje. Kom maar mee.'

Ze volgden haar naar buiten over het smerige lapje grond waar de familiejak in het afval stond te grazen. Ze beklommen een paar stenen treden naar de bovenste verdieping van een schuur en de houten deur gaf krakend toegang tot een kleine slaapkamer. Het raam was een gat in de muur dat uitkeek op de bergen. De houten vloer was op sommige plekken verrot en van beneden steeg een sterke jakgeur op. Er waren twee slaapbanken, een tafel en stoelen en een stenen haard met een keurige stapel hout ernaast.

'Dank je,' zei Al ernstig, en hun gastvrouw trok zich terug.

Ze stonden in het midden van de vloer en keken om zich heen. Het licht dat door het raam scheen, verlichtte een smalle bundel stofdeeltjes en liet de rest van de kamer in de schaduw. Nu ze hier stonden, waren ze even onzeker van elkaar.

'We kunnen verder gaan naar Namche...' begon Al.

Finch schudde haar hoofd. Namche zat vol met klimmers, mensen die Al kenden of over hem hadden gehoord. Ze kon hem niet met anderen delen.

'Goed,' glimlachte hij.

Hij knielde voor de haard en stak twijgjes en aanmaakkrullen aan, pookte ze op tot een hete, oranje gloed en legde er toen de takken omheen. Van het natte hout stegen dichte rookpluimen op, die zich met het stof vermengden, zodat Finch in haar zere ogen begon te wrijven. Op de plekken waar haar huid door zon en wind niet rood was, was hij grijs van het vuil, en haar haren waren hard en dof. Ze kon zich niet herinneren wanneer ze voor het laatst in een spiegel had gekeken of schone kleren had gedragen, maar dit was allemaal niet belangrijk, omdat ze zichzelf voor Al had meegenomen. Met de kalmte van absolute zekerheid keek ze toe hoe hij het vuur vertroetelde. Ze wilde nergens anders zijn, ze had niets anders nodig om voor te vechten, omdat deze man hier was. Dit besef deed haar ogen nog groter worden en ze gingen door de rook nog meer steken.

Na al het scepticisme dat ze op haar vrienden had losgelaten toen zij uiting gaven aan hetzelfde gevoel, na de vergeefse pogingen met Michael Dickinson en Ralf, en een half dozijn anderen, was het haar in alle eenvoud en volkomenheid overkomen. Ze strekte haar hand uit en raakte de welving van zijn ruggengraat aan toen hij zich over de haard boog. Hij was stevig, als een rots of een zware houtsculptuur.

Het vuur had nu een matrode kern. Hij nam haar gezicht tussen zijn handen en hield het vast.

'Ik hou van je,' zei hij. Hij raakte met zijn duim de hoek van haar mond aan en bracht een glimlach te voorschijn.

'En?' zei hij plagend.

'En je weet dat ik van jou hou. Schaamteloos. Vanaf het moment dat je op de Baltoro verscheen en eruitzag als een bezetene. Dorstig en stervend van de honger, en wanhopig.'

De herinnering aan die dag deed hen beiden huiveren.

Plotseling vulde de door het vuur verlichte kamer zich met de geest van de dode man en van legio anderen, en zonder gezicht, zonder stem stonden ze in de schaduwen.

'Stop met klimmen,' fluisterde Finch plotseling. 'Ik wil niet dat het jou ook overkomt.'

Het was bijna alsof hij Jen hoorde praten, dacht Al.

Hij begreep dat dit het punt was waar alles om draaide, zoals het moeilijkste punt van een beklimming, waarmee hij zou moeten afrekenen voordat hij verder kon. Het was een combinatie van een fysiek en mentaal probleem: óf zich overgeven en de sprong wagen en dus een val riskeren, óf zich blijven vastklampen aan het bestaande houvast en een makkelijker alternatief proberen te vinden.

Hij had nooit de sprong naar Jen gewaagd.

Hij had zich nooit overgegeven aan een leven zonder klimmen, en dus had hij haar verloren. De wijk nemen, de belofte van de ene naar de andere expeditie uitstellen, jaar in jaar uit, had de makkelijkste route geleken, maar uiteindelijk was het uitgelopen op een catastrofe. Jens liefde was tot op de draad versleten geraakt en gerafeld en was toen helemaal geknapt, als een oud touw dat ten slotte te veel gewicht moest dragen.

'Het zal niet weer gebeuren,' zei Al, zoals hij dit duizenden keren tegen zijn vrouw had gezegd.

'Dat is niet genoeg,' zei Finch. 'Je kunt dit niet zeggen, omdat het niet op zekerheid is gebaseerd.'

Het punt waar alles om draaide.

Een leven opgeven dat bestond uit risico's, die hij begreep en waarmee hij zó lang had geleefd dat hij zich niets anders meer kon voorstellen. Of haar verliezen, wat zeker zou gebeuren, omdat Finch geen Jen was en hem zelfs niet de tijd zou gunnen die zijn vrouw hem had gegeven.

'Deze tocht,' zei hij, naar haar knieën kijkend, ze bijna aanrakend, en omhoog naar Finch' pluizige fleece jack en de rits bij haar keel, met zijn gevlochten lipje. 'Alleen nog de Everest voor ons beiden en daarna niets meer. Hoewel ik niet weet waarvan we dan moeten leven.'

Of 'voor', zou hij eraan hebben kunnen toevoegen. In heel zijn denkende leven had hij geleefd voor de bergen en onder de mensen die hun kort en bondige taal spraken.

'We vinden wel iets.' Ze glimlachte, haar gezicht stralend van overtuiging. Ze was zo zeker van zichzelf, dacht hij. Zo onberoerd door de wereld en zo vol zelfvertrouwen. De gedachte dat haar iets zou overkomen wat dit zelfvertrouwen zou doen wankelen was als een wrede duim die op een kneuzing drukte. Hij hief haar gezicht weer op en kuste haar, voorzichtig en denkend om haar geschonden mond, de fragiliteit van haar hals en de kleine, gebogen beenderen van haar schouders.

'Hier.' Hij spreidde hun winddichte jacks op de vloer en ging met opgetrokken knieën liggen. Ze krulde zich als een poes op en legde haar hoofd op zijn buik, en samen keken ze naar het vuur. Buiten, in feite heel dichtbij, maar voor hen een heel eind weg, waren de geluiden van kinderstemmen en blaffende honden.

'Ik zou graag willen horen, als je het niet erg vindt om het te vertellen, dat wil zeggen, als het niet te opdringerig of te pijnlijk is, waarom je huwelijk is stukgelopen.'

Finch had het gevoel dat er uit de wirwar van zijn levensgeschiedenis honderden losse einden staken. Er was tijd, volop tijd om alles te ontrafelen, maar nu ze dit eindje toch te pakken had, trok ze eraan.

'Jen werd moe van het wachten op mij. Ze had er genoeg van om Molly uit te leggen waarom ik er niet was en om zowel vader als moeder voor haar te zijn. Maar het was de onzekerheid die ons huwelijk ondermijnde. Ze haatte het wanneer ik weg was. Ze zei dat ze, als ze aan me dacht, nooit wist of ik nog in leven was. We werden ouder, en ze kon nooit begrijpen waarom ik geen winkel in bergsportartikelen begon of in de bouw ging werken.'

Finch dacht aan de wind en de zuidcol, en Mark Masons angst voor de dood door in het afvalwater van zijn eigen longen te verdrinken. 'Ik geloof dat ik het ook niet begrijp.'

'Maar jij bent hier.'

'Juist daarom, omdat ik het heb gezien.' Haar gezicht stond somber, en Als vingers gleden tussen de strengen van haar haar en verstrakten toen.

'Toen ik na Spiders dood thuiskwam, was Jen onverzoenlijk. Hij was ook haar vriend, ze waren altijd heel erg op elkaar gesteld. Ik was wel eens jaloers op hem. Ze zei tegen me: *nu is het genoeg*. Wat betekende: genoeg doden, valpartijen, lawines, oedeem, verdwijningen. Maar ik ging weer met een expeditie mee en toen weer, omdat dat nu eenmaal mijn leven was. Daaraan ontleende ik mijn identiteit.'

Finch bewoog zich en draaide haar hoofd om, zodat ze elkaar konden aankijken.

'Nee, oké. Ik ging omdat mijn verlangen om het te laten gebeuren niet sterk genoeg was. En het verlangen om thuis te zijn was sowieso niet meer hetzelfde, omdat ik jou had ontmoet.'

'Ik wilde niet dat het iets met mij te maken had,' zei ze droevig.

'Natuurlijk wilde je dat niet. Maar het was wel zo.'

Ze dacht hierover na en keek in het vuur.

'Jen heeft me verlaten, heeft Molly meegenomen, is naar haar vader gegaan en is daarna voor zichzelf begonnen. Ze is daar goed in. Twee jaar na onze scheiding.'

'Heeft ze iemand anders?'

Onder haar oor, met een minimale, haast onmerkbare rimpeling van de huid van haar wang, voelde ze zijn spieren spannen.

'Ik weet het niet. Misschien.'

'En jij, vanaf het moment dat we elkaar hebben ontmoet?'

'Ja. Net als jij mannen hebt gehad. Het doet er niet toe.'

Het was nu een spelletje geworden. Ze waren elkaar nu op subtiele wijze aan het uitdagen en elkaars seksuele leven aan het aftasten. Zijn hand ging van haar schouder naar haar borst. Ze bleef even stil liggen, strekte zich toen uit op haar rug en voegde zich naar zijn hand.

Even later rolden ze in elkaars armen.

'Ik ben zo vuil,' zei Finch, met haar open mond op de zijne. 'En het kan me niets schelen.'

Hij ritste haar jack open. 'Geurtjes, zeep, keurig verzorgde nagels, make-up. Allemaal kunstgrepen. Ik hoef ze niet. Ik wil alleen jou.'

'Zeep niet. Zeep is goed.'

'Doe je kleren uit.'

Afgezien van de gloed van het vuur was de kamer donker. Het was er bovendien koud, met het raam zonder glas dat nu een kil, blauw vierkant was, en de tocht die door de kapotte planken kwam. Finch ging staan om haar kleren van zich af te schudden, die nu overal om haar heen op de grond terechtkwamen. De kou deed er niet meer toe, ze had er weken mee geleefd en het was haar voortdurende schaduw. Ze was zich bewust van de bleekheid van haar huid en de zich scherp aftekenende botten eronder. Het leven hoog in de bergen, met een hoog energieverbruik en weinig eten, had een aanslag gepleegd op haar spieren, omdat de vetreserves al waren verbruikt. Ook Al was naakt. Hij was een en al zwart-wit, zwarte haren en baard en een huid die er net zo uitzag als die van haar, en de hare nu aanraakte.

'Als er een bed was, zou ik zeggen: "Kom erin".'
De banken waren niet meer dan houten planken.
'Wat bedoel je? We kunnen kiezen uit twee. Het is een hele luxe.'
Hij lachte, en de diepe, warme vibratie vulde haar mond en haar keel.
'Vergeleken met de truck.'

Er waren jaren in te halen. Finch en Al bleven drie nachten in de schuur in Deboche en ze praatten en sliepen, en als de zon scheen, gingen ze wandelen in de bergen. Finch kwam meer te weten over Als jeugd in Liverpool. Hij vertelde haar over zijn zus Cath, die vijftien jaar ouder was dan hij.
'Cath keek altijd naar mij uit. Ik was dol op haar.'
'Zie je haar nog vaak?'
Al keek de andere kant op. 'Niet zoveel. Het zou wel moeten, ik wou dat het zo was. Het klimmen kwam ertussen. En de mannen met wie ze omging.'
Hij veranderde het onderwerp naar de eerste keer dat hij en Spider naar Noord-Wales gingen en de rotsen zagen. De jaren daarna bestonden uit een aaneenschakeling van steeds zwaardere beklimmingen. Pas toen hij dertig was, nam Al de moeite om zich officieel als gids te kwalificeren, zodat hij cliënten kon meenemen en commerciële groepen kon leiden. Daarvoor was het klimmen pur sang op de eerste plaats gekomen en had hij geleefd van alles wat er daarna kwam.
'Jen had meestal een baan. Als de nood heel hoog werd,' zei hij.
'En ze klom zelf ook, tot Molly kwam.'
'En toen?'
'Je hebt niet veel nodig, zoals wij leefden.'
'Was je gelukkig?'
Ze zaten aan de tafel in de schuur. In een theehuis hadden ze gebakken aardappelen en een mysterieuze kerrieschotel gegeten, en daarna had Al blikjes bier meegenomen en kaarsen aangestoken, die hij in de hoeken had neergezet. Deze schaduwrijke ruimte bevatte alles wat ze nodig hadden, een compleet universum.
'Soms. Met Molly, toen ze klein was. Ik herinner me een dag dat ik met haar naar het strand ging, alleen wij tweeën. En veel vaker

naar de bergen. Zelfs naar de K2. Voor de rest was er veel rusteloosheid. Als ik thuiskwam, keek ik hoe ik de tijd kon vullen en
wilde dan weer weg. Alleen om de kick die ik ervan kreeg. Ik was
altijd op zoek naar een ervaring die echter zou zijn dan de werkelijkheid.'

Finch bleef hem strak aankijken tot hij begon te lachen.

'Je vindt dat ik onzin uitkraam, of dat ik als een junkie naar de
volgende shot uitkijk.'

'Nee, dat is niet zo.'

Ze had hem meer verteld over Vancouver, de medische faculteit
en haar werk in het buitenland, en daarna over haar terugkeer
naar huis. Hij had naar haar geluisterd en in zijn verbeelding het
grootse huis met het uitzicht op de Sound gezien en haar aristo-
cratische vader en elegante moeder, en de grote, zelfverzekerde
broers. Hij begreep volkomen waarom ze de McKinley moest beklimmen en de Everest moest proberen. Om zich te ontdoen van
al dat gewicht van patriarchale privileges en broederlijke affectie.
Om zichzelf te worden.

Ze liet hem zelfs de e-mail zien die ze van Suzy had gekregen toen
ze op de zuidcol zaten. 'Het is gek, ik heb al die jaren voor baby's
gezorgd en nu krijg ik er zelf een, en pas nu begrijp ik wat het is.
Finch, je moet veilig thuiskomen. Dit is iets groters dan een berg.
Ik wil dat je weet wat het is. Een heel nieuw leven maken.'

'Ik denk dat er iets in zit,' mijmerde Finch.

Haar gelaatsuitdrukking werd wazig en naar binnen gekeerd, ook
al bleef ze naar hem kijken. De gedachte aan een nieuwe besten-
digheid en alle inherente mogelijkheden van hun toekomst deed
hem huiveren van een duizeling die hij op de meest geïsoleerde
en hachelijke richel nog nooit had ervaren. Hij wachtte tot het
verdween, strekte toen zijn hand uit en legde die over de hare.

'Heb je haar over mij verteld?'

'Nee. Ik heb niemand ooit over jou verteld, zelfs Suzy niet. Ik heb
je voor mezelf gehouden.'

'Was jíj gelukkig?'

'Niet ongelukkig. Maar ik denk dat ik nu pas begrijp wat het betekent. En wanneer je eenmaal weet wat geluk is, kun je het niet
meer vergeten. Ook al is het er misschien niet altijd.'

Op haar manier was ze net zo behoedzaam als hij. Hij was zo ontwapend dat hij abrupt opstond en zijn stoel omverstootte. De bons trilde na en maakte de hond in de ruimte onder de vloer aan het blaffen. Hij sloeg zijn armen om haar schouders en hield haar tegen zich aan. 'Ik hou van je. Een van de redenen waarom ik van je hou, is dat je kunt zeggen wat je voelt. Er zit niet een steen in je mond die je belet het uit te spreken.'

'Steen?' herhaalde ze vaag. Ze stond op en legde haar mond op de zijne. Met haar handen op zijn heupen trok ze hem dichter tegen zich aan. Buiten was het weer donker. Ze voelde zich vrij, los van alles, op drift van geluk. Nog één nacht en dan zouden ze weer naar het kamp moeten, en daarna zouden ze vrij zijn om samen te beginnen aan al het andere.

De volgende dag liepen ze door Namche, en Al belde naar George. Ze spraken lang met elkaar, terwijl Al tegen de deurstijl van de eenvoudige ruimte leunde en afwezig met de punt van zijn schoen door de stukjes afval maaide. Finch zat buiten gehoorsafstand en keek naar de stroombedding van de rivier, waar de middag haar vrachtje dikke wolken uit de warme diepten liet opstijgen.

'Alles is in orde daar,' meldde Al toen hij weer te voorschijn kwam. Ze liepen weer terug door de hoofdstraat en doken onder de kleren en tweedehands bergsportartikelen door, die van onder de lage dakranden van de winkels te koop werden aangeboden. 'Mason voelt zich weer goed en vliegt morgen naar Londen.'

'Fijn,' zei Finch rustig. Ze vond nog steeds dat hij ontzettend veel geluk had gehad.

'Jouw jongens, Sam en Adam, gedragen zich als een stelletje kwajongens.'

Het kostte haar geen moeite het zich voor te stellen, en de gedachte deed haar glimlachen, hoewel ze in de afgelopen twee dagen nauwelijks aan Sam McGrath had gedacht. 'De mijne?'

'Wijs hem niet af,' waarschuwde Al haar.

Die vermaning deed haar even pas op de plaats maken. 'Dat was ook niet mijn bedoeling.'

'Hij had het er met me over. Over jou, liever gezegd. Hij zei dat hij wist hoe het tussen jou en mij zat, en het speet hem dat hij gevoelens voor je had, maar hij kon het niet helpen. Het gebeurde toen we op de col waren en jij er nog niet was, en het was zonder meer duidelijk dat hij het in zijn broek deed van bezorgdheid om jou.'

'Dat wist ik niet.' Er was toen zóveel gebeurd dat er geen ruimte meer over was voor Sam. Ze had de gedachte aan zijn toewijding weggestopt in een doosje met een etiketje 'puberale fixatie' erop. Maar Sam was geen puber, maar een volwassen man. 'Ik heb hem niet gevraagd om me achterna te komen of zich bij de groep aan te sluiten.'

'Dat weet ik. Als het er makkelijker van wordt, hij is hier misschien hoofdzakelijk vanwege jou gekomen, maar om andere redenen gebleven. De welbekende piekhonger begon aan hem te knagen. Hij beweert dat hij het voor zijn vader doet, maar ik weet dat hij voor zichzelf klimt. Je kunt alleen voor jezelf klimmen. Er is geen andere opdrachtgever.'

'Je mag hem wel, hè?'

Al had half aan Molly zitten denken. Hij bedacht zich hoeveel hij van haar hield en betreurde zijn vele malen van niet aanwezig zijn en verbroken beloften.

'Ga niet,' had ze hem de laatste keer gesmeekt. 'Ik moet,' had hij herhaald, zoals hij altijd deed.

Hoe kon dat nu veranderen? Misschien zou het enige verschil zijn dat hij dezelfde beloften nu tegenover een andere vrouw verbrak. Vrouw, dochter, minnares.

'Ja, ik mag hem,' zei hij.

Misschien zou Molly iemand vinden zoals Sam. De gedachte aan haar met een partner vond hij prettig, een man die voor haar zou zorgen.

'Wat zijn de anderen aan het doen?' vroeg Finch.

Ze zaten op de steile helling die hen naar dezelfde plek bracht waar hij Finch achterna was gelopen op de rustdag in Namche, dicht bij de plek waar ze voor het eerst de Everest had gezien. Vandaag was er geen uitzicht en de pieken waren gehuld in wolken. Het weer was tijdelijk slechter geworden en hij had van George gehoord dat twee of drie van de andere expedities hun klimmers van de col en verder hadden teruggehaald. Slecht weer en gedwongen wachten maakten de 'topdrukte' alleen maar groter wanneer de omstandigheden zodanig verbeterden dat er weer pogingen konden worden ondernomen. Er klommen dan te veel mensen met te veel beperkingen.

'Rix en Sandy zijn samen aan het ouwehoeren en klagen tegenover de anderen dat ze te lang moeten wachten en hun tijd verspillen.'

'Sandy is oké,' zei Finch, denkend aan de manier waarop hij haar in de tent een schouderkneepje had gegeven.

'Vern en Ted hebben de Kalapathar beklommen en zijn aan het trainen, waarschijnlijk om hun klimijzers te slijpen.'

'Ze zijn fel. Het betekent heel veel voor hen.'

'Jullie zijn allemaal fel. Anders zouden jullie niet zover zijn gekomen.'

Ze liep met haar handen in haar zakken en keek naar de hellende grond vóór haar. Ze kwamen bij een *mani*-muur en liepen er met gebogen hoofd langs. Op de paden was het veel drukker dan toen ze er een maand geleden over liepen. Jakken en trekkers baanden zich een weg omhoog naar de hoge vallei.

'Wat is er?' vroeg Al na een lange stilte.

Het was dezelfde vraag die haar had beziggehouden op de avond toen Mark Mason met de helikopter was weggebracht.

'Waar trek je de lijn tussen hun geestdrift en je eigen professionele ambitie en de grenzen van onaanvaardbaar risico?'

Toen hij onmiddellijk antwoordde, wist ze dat hij er lange tijd over had nagedacht.

'Risico heeft twee aspecten. Er is het objectieve – het weer, de hoogte, lawines, omstandigheden. We weten allemaal dat het daarboven gevaarlijk is, we accepteren het allemaal en proberen het gevaar te minimaliseren door voorzichtig te zijn. Dat is verstandig bergbeklimmen. Het tweede aspect is persoonlijk van aard, diep verborgen in ieder van ons, en voor ieder die de bergen in gaat weer anders. Voor jou, mij, Rix, Sandy Jackson, wie dan ook. Het is wat risico voor ons persoonlijk betekent en van hoe dichtbij we de dood in de ogen willen zien om ons doel te bereiken. Voor Spider en mij was het de K2 op alpinistische wijze. Je weet wat dat heeft gekost. Voor Mason was het de zuidcol en hij heeft het gehaald. Het risico was enorm, maar het was van hem alleen. Zijn spel met zichzelf maakte alles moeilijker voor mij, voor jou en Pemba en de anderen, maar we accepteerden die mogelijkheid toen we het karwei op ons namen. En voordat je er weer over begint, ik heb Adam in Namche teruggestuurd omdat ik wilde dat hij weer fit genoeg werd om zijn spel te spelen.'

'Het risico was van Mark alleen,' herhaalde Finch zachtjes. 'En dat van Spider en van jou ook? En hoe zit het dan met Spiders vrouw? En met Jen en Molly?' En mij, had ze eraan kunnen toevoegen.

Hij wierp haar een korte blik toe en hoorde de twee woorden, ook al had ze die niet uitgesproken. 'Ik ben een bergbeklimmer,' zei hij. Simpel, onbewogen, en – naar Finch begreep – zonder compromis. Hij geloofde misschien dat hij het voor haar kon opgeven, was het misschien wel van plan, maar ze wist dat hij het nooit zou kunnen. Niet zolang hij nog zijn schoenen kon aantrekken en de ene voet voor de andere kon zetten. Hem ondanks dat accepteren was haar eigen risico. Toen begon Al te lachen. 'En jij bent arts. Jij redt levens. Het kan ook nauwelijks anders dat we niet hetzelfde denken.'

'Het spijt me,' zei Finch, met een tikje boosheid.

'Niet doen. Je hebt het recht op je meningen. We hebben ieder ons eigen werk hier, dat is alles. En ik sta bij je in het krijt voor de manier waarop je voor Mason hebt gezorgd.'

'Je staat helemaal niet bij mij in het krijt...' begon ze ongelovig, maar hij liet haar niet uitspreken.

'Mag ik misschien trots op je zijn? En mag ik je wat vragen? Waarom praat je over de cliënten als "hen"? Beschouw je jezelf niet meer als een van hen? Want als er íémand in staat is de top te bereiken, ben jij het wel, Finch. Jij en Sam McGrath. Ik zeg dit niet omdat ik van je hou en omdat ik vind dat Sam een goeie vent is, die ik best als schoonzoon zou willen, maar omdat het mijn professionele mening is.'

Hij had gelijk in wat hij over risico's zei, dacht Finch.

Het was de essentie van de ervaring, en de cliënten wisten dit. Afgezien van hun overdaad aan dollars was dit het wat hen in de eerste plaats trok. Voor haar lag het anders, zij voelde de stuwkracht van geluk. Het veranderde de kleuren van haar innerlijk landschap en had een even radicale invloed op haar emotionele eetlust als Suzy's zwangerschap op haar fysieke eetlust. Opeens had het risico zichzelf overbodig gemaakt.

Niets van dit alles was Als verantwoordelijkheid, behalve dat hij in de eerste plaats bestond, bij haar was gekomen en alles voor haar had veranderd.

Ze bleef staan en keerde zich naar hem toe. 'Al, ik bekritiseer niets van wat je doet. Ik ben ervan onder de indruk en heb er ontzag voor. Ik vind dat je onbegrijplijk dapper bent, vanaf het moment dat je me hebt verteld wat jou en Spider is overkomen. En voor geen goud in de wereld zou ik willen dat het anders was.'

Hij pakte haar vast. Zijn aanraking zette haar in vuur en vlam en ze keek naar de rotsen, het gras en de kraaien die in de lucht rond-cirkelden, en ze verlangde naar de veilige beschutting van hun schuur en naar meer tijd en naar het eind van de expeditie, dat hen vrij zou maken.

'Ga met me mee, nu,' fluisterde hij, nadat hun monden elkaar even hadden ontmoet en ze zich weer van elkaar hadden losgemaakt. Ze begonnen weer te lopen, het stenige pad op naar Deboche.

Later lagen ze in elkaars armen, in de duisternis.

Het raamgat was een net zichtbare rechthoek van een doorzichti-ger duisternis, duidelijker omlijnd door de koude tocht die er recht doorheen trok. Finch huiverde en hij sloot haar steviger in zijn armen.

'Koud?'

De waarheid lag dichter bij angst. Hij rook het aan haar huid en kuste haar wangen en strakke schouders om haar te sussen. 'Ga slapen. Je bent nu veilig.'

'Het is niet alleen om mij...'

Het is voor ons. Voor het gladde, volmaakte ei van dit geluk, dat ik nooit meer kan vergeten nu ik het in mijn hand heb gehouden.

'Ga slapen,' fluisterde hij opnieuw.

Zoek vergetelheid.

Twee dagen later waren ze weer op weg naar het basiskamp, door de nederzettingen van de andere expedities, anderen groetend en luisterend naar het laatste nieuws. De Zuid-Amerikanen hadden, ondanks het weer, twee klimmers op de top gebracht. Het Indiase leger zat hoog op de Lhotse. Er was nog een drager gewond geraakt op de ijswand, en er waren meningsverschillen over de stevigheid van de vaste touwen.

'Niets nieuws onder de zon,' mompelde Al.

De Mountain People zaten gerangschikt om hun tentencirkel. Ze hadden de blik van klimmers die meer dan genoeg hadden van hun verplichte vrije tijd op een heuveltje van zanderige rots en ijs. De terugkeer van de leider en zijn dokter voorzag in een niet geringe afleiding.

Sandy zat te meesmuilen en Rix maakte een zinnelijk gebaar dat heimelijk was bedoeld voor Al, maar ook door Finch werd onderschept. Ze wierp hem een strakke blik toe. De twee Amerikanen verwelkomden hen, en George schonk koffie uit de vacuümketel die in de mess-tent stond.

Sam en Adam hadden zitten pokeren met Pemba en Dorje. Ze hadden geschreeuwd en Adam riep 'Hé, man,' maar ze hielden op toen ze de nieuw aangekomenen in het zicht kregen. Sams ogen gingen meteen naar Finch en wendden zich toen af. Zijn gelaatstrekken waren zacht en onduidelijk, bijna vormloos.

Er viel een korte stilte, tot Adam zijn kaarten in elkaar schoof en ze op tafel wierp. 'Dat was dan dat,' zei hij.

George kwam binnen met de weersverwachtingsfax, en de rest van de cliënten volgde. Nu Al terug was, leek het of er gegarandeerd iets zou gebeuren. Finch trok zich terug en ging achter de groep zitten, terwijl Al en George samen ruggenspraak hielden. Ze kon de achterkant van Sams hoofd zien en een stukje van zijn nek, waar zijn boord was omgeslagen. Er was een lijn waar de gebruinde huid abrupt overging in wit, en het zien daarvan deed haar plotseling beseffen dat hij een man was, een op zichzelf staande persoonlijkheid die ze maar half kende, met zijn eigen vrachtje verwachtingen en dromen.

Ze verlegde haar blik snel naar George. Allen wachtten vol spanning.

'Goed. Vandaag is het de tweede mei. Ik heb hier het weerbericht voor de middellange termijn, en voor de moesson uit is er een periode van helder weer op komst. Jullie zijn allemaal fit, uitgerust en geacclimatiseerd. We blijven nog twee dagen in het basiskamp...'

'Waarom wachten als we startklaar zijn?'

De geluiden van protest werden geleid door Sandy, maar George legde ze met een blik het zwijgen op. '...om twee andere expedities ruimte te geven hun poging te wagen, en op vijf mei vertrekken jullie naar de top. Dit is geen race, en alle kampen hebben genoeg voedsel en zuurstof om vertraging door weer en persoonlijke redenen op te vangen. Ik hoop echter dat jullie op acht mei allemaal op de top van de berg staan.'

Opeens werd er collectief de adem ingehouden en vervolgens klonk er een koor van gejuich.

'Wauuuw, eindelijk wordt het echt,' zei Sandy. 'We gaan het maken, jongens!'

Finch slipte weg van de geestdrift in de mess-tent. Ze kroop in haar eigen tent en haalde een stuk papier te voorschijn om een fax naar Suzy te schrijven. Het was wel wat laat om haar hier iets over te vertellen, maar ze wilde dat haar vriendin wist over Al. 'Lieve Suzy,' schreef ze. 'Dit zal je overvallen, en je voelt je misschien gekwetst of boos omdat ik je niet eerder iets over deze man heb verteld. Als dat zo is, dan spijt me dat, maar weet dat ik je nu alles wil vertellen. Over twee dagen vertrekken we om naar de top te klimmen. Over een week, denk ik... hoop ik... zullen we hier terug zijn.'

Ze vertelde het verhaal over haarzelf en Al, ondertekende toen de brief met: 'Denk aan je met liefde, F.' Ze vouwde het vel op zonder nog eens over te lezen wat ze had geschreven en legde het weg om het de volgende ochtend te verzenden.

De vijfde mei, om halfvier 's morgens, was de rij bergbeklimmers klaar om voor de laatste keer het basiskamp te verlaten. George, Dorje en de basissherpa's schudden hen om de beurt de hand toen ze achter elkaar vertrokken.

Adam salueerde, zijn gezicht donker van teleurstelling. Hij was nooit volledig geacclimatiseerd en ook nu werd hij geplaagd door hoofdpijnen en ademnood. 'Succes,' zei hij tegen ieder van hen.

'Zelfs jij,' voegde hij Sam toe.

Finch had een telefoontje van Suzy gehad. 'Ik voel me gelukkig omdat jij je zo gelukkig voelt,' had Suzy gezegd. 'Nu wil ik alleen nog maar horen dat je weer veilig bent teruggekomen. God zegene je.'

Al liep voorop toen ze bij de ijswand kwamen, Ken achteraan. Het was een kristalheldere nacht, met een koude sterrenlaag die de lucht verbleekte.

11

De wind gierde over de zuidcol en dreef verse sneeuw van de rotsen bijeen tot een stevige witte muur. Om op zeeniveau zes stappen tegen zo'n wind in te lopen zou kracht en vastberadenheid hebben gevergd, maar op 8000 meter hoogte vroeg de inspanning om elk onsje spieren en wil tegelijkertijd. Diep hakkend met zijn ijsbijl om zichzelf te verankeren kroop Al Hood op handen en knieën van tent tot tent. De kleine koepels stonden te beven en te trillen en bogen zich onder de aanval van de storm.

Het was zeven mei, vier uur 's middags. Het zou nog acht uur duren voordat de 'topdag' aanbrak.

In de eerste tent zat Vern Ecker op zijn hurken bij een brander en probeerde sneeuw te smelten. Ted Koplicki legde de onderdelen van zijn uitrusting naast zijn lege rugzak. Steeds weer pakte hij de jumar op, legde hem dan weer naast zijn waterfles en verlegde de krachtvoerrepen van het ene eind van de rij naar het andere. Hij fronste zijn wenkbrauwen en zat in zichzelf te mompelen. Al ritste de flap open en kroop naar binnen, waarmee hij de orde van het uitgestalde verstoorde.

'Ik heb iets vergeten.' Ted schudde zijn hoofd. 'Stel dat ik onderweg ben en het niet bij me heb, dan kan ik het verdomme wel schudden. Handschoenen, bril, eten, jumar. Eten, bril, handschoenen...'

Al zei: 'Probeer wat te slapen, met zuurstof. Op stand vijf, oké? Heb je je flessen voor morgen?'

Ted pakte uit de uitstalling een gezichtsmasker met slangen en keek verward om zich heen. 'Ehh, ja, daar gaan we dan.'

In de hoek van de tent lagen vier drie-kiloflessen. Iedere cliënt zou er twee meenemen en in het noodkamp bij de zuidtop was er voor ieder nog een opgeslagen.

'Om middernacht graag startklaar. Droom prettig, en succes.' Al schudde ieder de hand en kroop achterstevoren de tent uit. De twee Amerikanen zouden het wel halen, dacht hij. Over hen maakte hij zich geen zorgen.

Rix en Sam McGrath lagen in hun slaapzak. Ze hadden al gegeten, voorzover ze het naar binnen konden krijgen, en hadden hun zuurstofmaskers al op. Rix wreef zich in zijn handen en staarde omhoog naar het heen en weer schuddende tentdak. De hele constructie schommelde alsof ze bij de minste of geringste windtoename van haar ankers zou worden losgeslagen en meegezogen naar Tibet. Al kwam binnen, samen met een vlaag sneeuw, en de twee mannen kwamen half overeind om naar hem te luisteren. Hij moest schreeuwen om boven het huilen van de storm uit te komen.

'Deze wind moet voor de ochtend gaan liggen. Er ligt een massa verse sneeuw, maar het weerbericht is goed; daarom vertrekken we om middernacht. Zorg ervoor dat je klaar bent.'

'Ik ben nu al klaar.' Rix' ogen glinsterden, en telkens sloeg hij zijn vuist tegen de palm van zijn andere hand.

Al keek hem goedkeurend aan en wendde zich toen tot Sam.

'Voel jij je fit?'

'Alles in aanmerking genomen, ja.' De lange klim terug naar de zuidcol was geen lolletje geweest, maar makkelijker dan de eerste keer. Als hij hoger wilde komen, moest het gauw gebeuren, en snel. Deze hoogte en nog hoger was niet bedoeld als menselijk leefklimaat. Gezien de zwaarte van zijn ledematen en zijn langzaam, warrig werkende hersenen was dat voor Sam zo klaar als een klontje.

Al knikte. 'Zorg dat je wat rust krijgt, alle twee. En succes.'

'Wacht,' zei Sam. Een blik had hem ervan overtuigd dat Rix al in een soort trance met zijn gedachten bij de overwinning was. 'Ik neem aan dat ik het aan jou te danken heb dat ik zover ben gekomen. Ik wilde je bedanken dat je me de kans geeft nog verder te komen.'

Al keek hem recht aan. 'Je hebt het zelf gedaan. Vanaf hier weet niemand echt wat er kan gebeuren. Als er morgen iets scheef gaat, om welke reden dan ook, zal ik ervoor zorgen dat ik je meesleep, en Ken.'

Sam glimlachte. 'Dat is een compliment. Een groot compliment.' Hij stak zijn hand uit en Al schudde hem. In plaats van hem los te laten, hield hij hem steviger vast. 'Als iemand in de groep extra hulp nodig heeft en ik ben er niet meteen om die te geven...'

Hij zei niet haar naam, omdat dit niet nodig was.

'Ik zal er zijn.'

'Dank je. Ik hoop dat je wat kunt slapen,' zei Al.

Finch en Sandy hadden van soeppoeder een brouwsel gemaakt en nu zaten ze dit, naast elkaar gehurkt in de krappe ruimte, op te drinken. Finch vouwde haar vingers in elkaar om de mok en staarde naar haar hoopje bezittingen. Haar schoenen waren stijf bevroren. De plastic overschoenen moesten ergens tijdens de tweede beklimming van de Lhotse-wand zijn gaan lekken. Waarschijnlijk had ze, door vermoeidheid of onachtzaamheid wegens zuurstofgebrek, bij het aantrekken de veters verkeerd vastgemaakt of haar klimijzers verkeerd bevestigd en waren er sneeuw en ijs binnengedrongen. Ze zat zich te bedenken dat, als ze de schoenen een paar uur in haar slaapzak hield, ze misschien voldoende zouden zijn ontdooid om ze morgen te kunnen gebruiken.

Als haar brein beter had gewerkt, had ze de bevroren schoenen tot rampgebied uitgeroepen. Onder normale omstandigheden wist ze hoe belangrijk het was om elke ochtend te beginnen met voeten die warm en droog konden worden genoemd. Maar nu was ze te uitgeput en verward, en terwijl ze de schoenen in haar slaapzak stopte, accepteerde ze die lusteloos als nog een bron van ongemak.

De beklimming terug naar de col was al vervaagd tot iets wat alleen maar bestond uit een afschuwelijke kou en ademnood. Ze voelde zich veel vermoeider dan de eerste keer toen ze hier was, en ze was zich ervan bewust nu waarschijnlijk de zwakste van de groep te zijn. Stel dat Mason nu hier was? vroeg ze zich af. Stel dat er iemand anders ziek wordt? Er kwam geen antwoord in haar op. Een gestommel bij de tentflap ontpopte zich als Al. Hij sleepte zijn gewicht naar binnen en hurkte neer in de krappe ruimte om hun het weerbericht en de instructies voor de start te geven.

'Alles klaar? Alles in orde?' vroeg hij hun beiden.

De lijst met spullen die niet in orde waren, leek Finch te lang om op te sommen. In plaats daarvan knikte ze mat, en schuifelend op zijn knieën door de smerige chaos van gemorst eten en ijzige bovenkleding kwam hij dichterbij.

'Zeker weten?' Zijn baard glinsterde van de puntjes ijs, en even ontmoetten hun ogen elkaar. Hij keek haar niet aan zoals hij in de vallei had gedaan, maar met de scherpe blik van een gids die een cliënt en klimmer taxeert. Voor vanavond was ze een van de vele kandidaten die naar de top en weer omlaag moest worden geloodst. Maar dit was de laatste keer. Hij had het haar toch beloofd, beneden in de door het vuur verlichte schuur?

'Ja, zeker weten.'

'Sandy?'

'Ja.'

Hij gaf Sandy een klopje op de schouder en nam toen even Finch' wang in zijn handschoen. 'Je kunt het,' zei hij.

'Is het de moeite waard?' mompelde ze.

Toen was er plotseling de blik van de man achter het masker van zijn professionele zorg. 'Jij bent de enige die dat kan beantwoorden.'

Ze worstelde even met die gedachte en liet ze toen los. Het enige wat ze wilde, was afdalen, warm zijn en zich niet nog hoger de berg opzeulen.

'Succes, alletwee.' Al trok de capuchon van zijn pak strakker om zijn gezicht, klaar om de wind weer in te gaan.

'En jij ook,' riep Finch hem na, te laat, toen de wervelende sneeuw hem weer had opgeslokt.

Sandy was te moe om meesmuilend insinuerende opmerkingen te maken. Finch keek naar zijn tranende, roodomrande ogen en gebarsten, ontvelde lippen, en hoe zijn huid zich over de zich scherper aftekenende botten leek te hebben gespannen. Ze wist dat ze er net zo uitzag, of misschien nog erger.

Nog één dag en dan konden ze hier weg.

Ken was bezig spullen in de hoeken van zijn gidsenrugzak te stouwen.

'Is iedereen oké?'

Al schoof over de stapels plunjezakken naar zijn eigen kant van de tent, wreef over zijn baard en voelde het schurende ijs. 'Ja, en jij?'

Na de darminfectie was Ken nog niet helemaal de oude. 'Het gaat. Ik heb met Pemba en Mingma gepraat, zoals je me vroeg. Ze vertrekken om elf uur en zetten het spoor uit. Namje en de Dos Santos-jongens gaan zich met de touwen bezighouden.'

De Mountain People deelden de topdag met een Argentijnse groep. Hun hoofdgids had twee van zijn sherpa's opdracht gegeven samen met die van Al de schade te herstellen die de vaste touwen door de wind en de storm hadden opgelopen.

'Oké. Wil je wat drinken?' Ken schudde zijn hoofd. 'Ga dan wat slapen, maat.'

De andere man trok zijn bivakmuts over zijn borstelige schedel en rolde zich op in zijn slaapzak. Al trok zijn rugzak naar zich toe en haalde er een waterdicht tasje uit. Daarin zat een foto van Molly, toen ze vijf was, zittend op een strand; haar mollige beentjes en armen waren bedekt met zilverzand en haar pijpenkrullen dansten in de wind. Dan was er nog Spiders oude karabines, glimmend door het vele gebruik, die hij in de truck aan Finch had laten zien. Toen hij het horloge en het zakmes had meegenomen naar Spiders vrouw, had ze hem gezegd hem te houden. De karabines was langer in Spiders leven geweest dan zij. Het was Al die erbij was geweest toen Spider hem op zeventienjarige leeftijd in een kroeg in Capel Curig behendig van de riem van een luidruchtige gelegenheidsklimmer had gejat.

'Aan hen die hebben zal worden gegeven,' had Spider gemompeld toen hij hem in zijn zak had laten glijden. 'En dan zullen we van hen nemen.'

Al streek de foto glad en deed hem in de binnenzak van zijn onderpak. Hij schroefde de karabines dicht en weer open en haakte hem toen met een ervaren beweging van vinger en duim aan zijn klimgordel. Hij was te oud om te gebruiken, maar het was zijn talisman. 'Spider, ik mis je nog elke dag,' zei hij hardop.

Ken verroerde zich niet. Het gebulder van de wind overstemde alles.

Finch lag in elkaar gedoken in haar slaapzak. De schoenen waren een smeltend ijsblok dicht bij de holte van haar maag. De kou sloeg toe als een stalen gesel en drong door tot in de kern van haar lichaam. Het zuurstofmasker dat over haar mond en neus zat geklemd, gaf haar het gevoel dat ze zou stikken, maar de kracht van haar verstand was nog net voldoende om te weten dat, als ze het van haar gezicht trok, de lucht om haar heen zoveel ijler zou zijn dat ze als een vis op het droge naar adem zou liggen snakken. Ze sloot haar ogen en dwong zichzelf langzaam en regelmatig te ademen. Achter haar klapperde het tentdoek, en de wind leek nog heviger te worden.

Misschien nog vijf uur, en dan was het tijd om op te staan en zich klaar te maken. Finch verwachtte niet dat ze zou slapen, maar ze ontspande haar ledematen en probeerde tenminste uit te rusten.

Toen het donker werd, nam de wind geleidelijk af.

Om elf uur gingen de klimsherpa's op weg, gevolgd door het groepje dat de touwen zou controleren. Met tegenzin worstelden de bergbeklimmers zich uit hun slaapzak en knaagden met droge mond en een misselijk gevoel aan wat brokjes voedsel. Ze maakten water warm dat ze 's middags met veel moeite hadden gesmolten, dronken en vulden hun thermosflessen. Finch stopte de hare in de binnenzak van het shirt van haar onderpak, waar hij een lichte gloed van warmte door haar verkilde botten verspreidde. Ze deed een paar droge sokken aan en trok de gedeeltelijk ontdooide schoenen en plastic overschoenen aan, biddend om een wonder dat ze niet weer tot een stijve massa zouden bevriezen.

Sam was aangekleed en klaar voor vertrek. Hij keek op zijn horloge en probeerde een blik op Rix' hoogtemeter te slaan. Luchtbelletjes van verwachting en angst borrelden op in zijn buik. Nu het eindelijk zover was en de hoogste top op de wereld binnen bereik lag, realiseerde hij zich dat er geen andere plek op aarde was waar hij liever zou willen zijn. Als hij Finch Buchanan niet kon krijgen, werd dit gedeeltelijk goedgemaakt door samen met haar deze wrede en prachtige berg te overmeesteren.

Rix zat ernstig naast zijn rugzak gehurkt, met zijn vuisten om de steel van zijn ijsbijl geklemd. Zijn ogen leken glazig en hij zat aan één stuk door te mompelen: 'Kom op. Kom op.' Om tien voor twaalf kropen ze de tent uit en sloten hem af.

De wind was nog behoorlijk hevig, al was hij in kracht afgenomen.

Over de rotsen en het ijs joegen draaikolken van stuifsneeuw en verzwakten de lichtbundels van hun koplampen. De temperatuur was -32°C. Vern en Ted maakten werktuiglijk wat grapjes met Ken, terwijl Al over zijn radioset zat gebogen voor een laatste gesprek met George in het basiskamp.

'Je hebt er dus een goeie dag voor,' kraakte Georges stem. 'Later kan het misschien wat gaan sneeuwen. Ga naar boven, en succes.'

'Wij gaan. Uit.'

De groep verzamelde zich. Ze zagen eruit als een rijtje ruimtevaarders in hun dikke, gewatteerde pakken en met hun gezichtsmaskers, en hun bewegingen waren net zo onbeholpen.

Al zei: 'Laatste controle. Heeft iedereen alles wat hij nodig heeft?' De enorme hoofden knikten als robotten. Hij ging van de een naar de ander en controleerde de bevestiging van hun zuurstofflessen en regulators, om er zeker van te zijn dat de zuurstoftoevoer functioneerde en juist was afgesteld.

'In 's hemelsnaam. Zijn jullie van plan ons naar boven te dragen?' vroeg Rix met een rauwe stem van de zenuwen. 'Laten we gewoon gaan.'

'Hou je kalm,' zei Al.

Hij deed een stap naar achteren, zodat iedereen hem kon zien. 'Kunnen jullie me horen?'

De hoofden gingen weer langzaam op en neer. 'We blijven zo lang mogelijk bij elkaar als groep. Ik ga voorop en Ken sluit de rij. De volgorde is Ted, Vern, Finch, Sam, Rix, Sandy. Dat kan veranderen naargelang het tempo waarmee ieder klimt en hoe vaak je rust nodig hebt.'

Sam draaide zijn hoofd om teneinde naar Finch te kijken. Al had haar aan zijn hoede toevertrouwd en ze stond met gebogen hoofd en bestudeerde blijkbaar het smerige ijs voor haar voeten.

'Pemba, Mingma en Namje zullen ons op de zuidtop opwachten. Meer zuurstof en noodvoorraden bevinden zich in kamp v, daar net onder, en je zult ze zien als we erlangs komen. Dan is er nóg iets. Het belangrijkste. Om twee uur gaan we terug. Na die tijd gaat niemand nog een stap hoger. Wáár je ook bent, wanneer het twee uur is, ga je naar beneden. Begrepen? Ted, Vern?'

Mompelend stemden ze ermee in. Sandy, Finch en Sam knikten weer.

Rix trapte met zijn voet in het ijs.

'Rix?'

'Laten we gaan, verdomme. Ik bevries hier.'

'Kalm, tijger,' waarschuwde Vern.

Al keek naar de grote, donkere bult van de richel die oprees van-uit de vlakke tafel van de col. Hij ontspande zijn schouders onder de riemen van zijn rugzak en deed een stap vooruit. 'Veel plezier,' riep hij hun toe.

Achter elkaar liepen ze over de col en stapten door de cirkeltjes van het licht van hun koplampen. De Argentijnse groep was al op weg, en het schijnsel van gele puntjes gaf aan waar ze zich bevond.

Het vlakke ijs werd een helling van sneeuw en brokkelig rotsge-steente. Finch' klimijzers gleden uit over een glad rotsblok maar met haar ijsbijl hield ze zich overeind. Die kleine inspanning deed haar even haar adem inhouden en naar lucht happen in haar ge-zichtsmasker. Het was een angstig moment voordat ze zichzelf weer onder controle had. De afstand tussen haar en Vern was al te groot, en ze voelde dat Sam haar vlak op de hielen zat. Ze boog haar hoofd en trok grimmig de ene voet voor de andere. In haar lethargische toestand was het een enorme inspanning. Eén stap en dan weer eentje. Eén stap, waar geen eind aan kwam. De hel-ling werd langzaam maar zeker steiler. Stukken rots wisselden zich af met diepe, verraderlijke sneeuw. Nu ze de open col achter zich hadden gelaten, was de wind tenminste minder bedreigend. Op de een of andere manier ging er een uur voorbij. Finch bleef denken: dit is nog maar het makkelijke stuk. De helling zou veel steiler worden. Door haar bril tuurde ze naar boven, en de licht-bundel van haar lamp maakte een zwakke, gele baan tegen de zwarte lucht. De richel hing boven haar en bracht hun contouren terug tot nietige, kruipende vlekjes. Na twee uur hadden ze drie-honderd meter geklommen. De wereld bestond uit niets anders dan het dodelijke gewicht van haar ledematen, de meedogenloze helling vóór haar en de afgrond van ruimte aan weerszijden. Haar voeten waren gevoelloos geworden.

Toen ze voor het eerst de gebochelde, grijze vorm in de sneeuw voor zich en links van de rij voetstappen van de klimmers zag, dacht Finch dat het een rots was. Haar lichtbundel gleed ernaartoe en verlichtte een schoen. Geel plastic en de aan flarden gescheurde overblijfselen van een neopreen overschoen.

De dode man lag op zijn zij, en de wind of zijn laatste stuiptrekkingen hadden stukken kleding van zijn bovenlichaam gescheurd. Zijn rug en schouder waren naakt, grijs, en net zo stijf bevroren als zijn vreselijke omgeving. Zijn hoofd was verborgen door een capuchon, die met een touw was vastgebonden.

Er lagen meer lijken op de berg, sommige zoals ze voor de laatste keer waren neergevallen, andere begraven onder grote bergen ijs en sneeuw. Finch wist dat ze er waren, en ze had zelfs geglimlacht om de macabere grappen over dood vlees. Maar dit was het eerste lijk dat ze van dichtbij zagen. De deerniswekkende aanblik bracht haar worstelende stappen tot stoppen, en ze was niet in staat haar hoofd af te wenden en het lijk over te laten aan de waardigheid van de duisternis. Ze stond daar gewoon en keek hoe de wind aan de draden van zijn kleren rukte, en in haar verbeelding zag ze zijn bevroren gezicht.

Plotseling wist ze dat het Spider moest zijn. Uitputting en zuurstofgebrek brachten haar in verwarring, maar verleenden de verwarring een stralende, bovennatuurlijke helderheid. Dit was Als vriend, en hij lag nog steeds op de plek waar Al hem had achtergelaten. Ze kon er niet zomaar aan voorbijlopen. Ze móést hem aanraken, op de schouder, en zich ervan vergewissen dat hij dood was. Als hij nog leefde, moest ze hem helpen. En als hij werkelijk dood was, zou ze tegen hem zeggen dat hij niet alleen was, omdat ze hier allemaal bij hem waren.

Ze ging van het spoor af en stapte meteen in diepe sneeuw. Ze strompelde nog twee passen verder en bleef naar Spider kijken. Iemand riep haar naam en ze draaide zich om, met de bedoeling hen weg te wuiven. Dit was privé, haar eerste ontmoeting met Als vriend.

Er kwamen twee mensen achter haar aan, een van boven en een van beneden. Een derde zwaaide met zijn arm en beduidde haar terug te gaan naar het spoor. Dat moest Rix zijn. De twee mannen waren nu bij haar. In hun maskers zagen ze er hetzelfde uit, maar het waren Sam en Ken. Ergens in haar achterhoofd wist ze het.

Sam nam haar bij de arm, maar ze wees naar achteren, onverstaanbaar door haar masker roepend: 'Hij heeft geen kleren. Hij heeft hulp nodig.'

De mannen keken elkaar aan. Ken liep achter om haar heen en draaide de regulator van haar zuurstofcilinder hoger, om de toevoer te verhogen. Hij verwijderde zijn eigen mondstuk. 'Het is een Duitser, hij is vorig jaar tijdens de afdaling gestorven. Kom mee. Blijf lopen. Je doet het prima.'

Ze liet zich weer op koers sturen. De ene stap na de andere, en weer een. Geleidelijk stroomde de extra zuurstof door haar heen en drukte de vreemde, kristalheldere verwarring op de achtergrond. Ze had een tekort aan zuurstof. Natuurlijk was het Spider niet. Hij lag op de K2. Dit was niet eens dezelfde berg.

Vern was weer ver voor haar uit, en Al was zó ver dat ze hem niet eens meer kon zien. De berg was ook zo groot. Hun aanwezigheid in deze desolate woestenij had totaal geen zin. De Everest boezemde haar nu angst in en ze haatte hem, met de laatste reserves van haar krachten.

Sam keek toe hoe ze boven hem omhoogliep. Ze ging langzaam, maar wel goed. Het zien van het lijk had haar uit haar evenwicht gebracht, maar nu moest ze bij machte zijn geweest hem uit haar gedachten te zetten.

Achter Rix kwam Sandy Jackson, die veel moeizamer klom. De ene keer zette hij de vaart erin, zodat hij bijna tegen Rix opbotste, de andere keer stond hij bijna stil en leunde op zijn bijl, alsof hij te uitgeput was om nog een volgende stap te zetten. Ken moest hem in de pas houden en aanmoedigen, maar met een lusteloos gebaar van ongeduld wuifde Sandy zijn hulp van de hand. Hij keek voortdurend om zich heen, omhoog om te zien waar ze heen moesten en achterom om na te gaan hoever ze waren gevorderd.

Rix deed het weer anders. Vanaf het moment dat ze op weg waren gegaan, had hij zich met een robotachtige vastbeslotenheid voortbewogen. Gespannen hield hij zijn blik op zijn doel gericht.

Sam was opgelucht dat hij tot dusver geen echte moeilijkheden had ervaren. Door de extra zuurstof had hij zich een beetje sterker gevoeld dan beneden op de col. De helling was tot nu toe niet al te steil, en hij schepte er zelfs een zeker genoegen in zich erop te bezinnen waar hij was en waarheen hij wilde.

Nepal links van hem, Tibet rechts. Boven de zuidpiek en de top zelf. Nog acht uur misschien en dan zou de top van hen zijn. *Van mij en van Finch.*

Hij merkte dat hij een onsamenhangende dialoog met zijn vader voerde. *Het spijt me dat ik nooit heb gedaan wat je wilde. El Capitan en die andere grote klimmers met wie je me altijd bang maakte toen ik klein was. Ik wou dat ik het had gedaan. Maar dit slaat toch alles, vind je ook niet?*

Dicht bij zijn schouder hoorde hij Mike grinniken. *O ja, beslist. Wacht maar tot de zon opkomt, jongen, dan zie je hoe al die pieken onder je een gouden kleurtje hebben gekregen.*

Je bent nog nooit hierboven geweest, vader. Hoe weet je hoe het ochtendgloren eruitziet?

Ik weet het omdat ik het in mijn dromen heb gezien. Ik kan niet meer klimmen, maar ik kan nog steeds dromen.

Wat droom je nog meer?

Dat jij het nog beter zult doen dat ik het ooit heb gedaan. Ze zeggen toch dat talent een generatie overslaat?

Of het zou natuurlijk mijn dochter kunnen zijn.

En Finch klom voor hem uit, het oerbeeld, de sterkste vrouw die hij ooit had gekend.

Het gegrinnik was er weer. Michael was onaangepast.

Vrouwen bleven beneden in het kamp, als ze überhaupt al meegingen.

Sam werd door Rix ruw uit zijn mijmering opgeschrikt. De man kwam naast hem en duwde hem bijna aan de kant. Boos wees hij met zijn bijl naar Finch.

'Wat scheelt haar?' bulderde hij door zijn gezichtsmasker. 'Waarom gaat ze zo langzaam? Weet jij hoe laat het is? Ik wil haar voorbij.'

'Je weet wat Al heeft gezegd. Ze doet het goed.'

'Wat weet jij daar verdomme van?'

Rix was razend. Niets zou hem de weg naar de top versperren.

Ken kwam eraan en Sam liet het aan de gids over om de man tot de orde te roepen. De lucht werd grijs en de sterren vervaagden.

Finch' voeten waren volkomen verdoofd. Een afbeelding in een boek over zwarte zwellingen door bevriezing bleef in haar gedachten rondspoken en vermengde zich met het beeld van het ijskleurige vlees van de dode klimmer. Er leek geen lucht door haar masker te komen en de worsteling om adem te krijgen werd zó wanhopig dat ze het met een handschoen van haar gezicht rukte. Meteen snakte ze naar adem en werd bevangen door verstikkingsangst. Op de een of andere manier kreeg ze het voor elkaar het ding weer over haar kin te drukken en zoog weer adem naar binnen. Ze bleef waar ze was en Sam was naast haar. Rix kwam voorbij, keek niet eens naar hen, stootte zijn bijlsteel in de sneeuwholten en trok zich omhoog.

'Al?' hoorde Finch zichzelf zeggen.

'Hij wacht op ons op de zuidpiek. Kom op, Finch.'

De langzame marteling begon opnieuw.

Al rustte met Ted en Vern in de kleine sneeuwpan, dicht bij de plek waar de sherpa's de noodvoorraden en zuurstof hadden achtergelaten. Naast hem gaven Pemba en de anderen een waterfles aan elkaar door en zaten tsampa-pap te eten. Het was licht geworden. Het vergezicht van een dozijn sneeuwpieken dat zich onder hem verhief werd verguld door de schuinvallende stralen van de opkomende zon, en de Kangshung-gletsjer ver beneden in Tibet lag nog als een groot, bruin tapijt in de schaduw. Dit was het hoogste punt dat hij ooit op de Everest had bereikt. In hem dwarrelden gevoelens van verwachting, maar hij bracht ze tot zwijgen en richtte zijn aandacht op de cliënten.

Het was halfzeven. De twee Amerikanen hadden, zoals verwacht, vrij sterk geklommen. De rest van de cliënten was onderweg; dichtbij kon hij Rix zien, die zich over zijn bijl kromde, en uit elke lijn van zijn lichaam sprak een ijzeren wil. Onder hem was Finch, een klein figuurtje in het rood. Haar te zien, deed zijn hart in elkaar krimpen. De jongen zat haar vlak op de hielen, en Sandy Jackson en Ken volgden op niet al te grote afstand. Dit was een sterke groep. De tijd ging te snel, maar ze zouden het allemaal halen, ongelukken voorbehouden.

Al keek omhoog over de uitgestrekte, witte massa van de Kangshung-wand, naar de getande lijn van de noordoostrichel. Rix hees zichzelf de laatste drie meter omhoog en zonk toen naast hem in elkaar in de sneeuw.

'Hoe laat is het?' vroeg hij hijgend, toen hij wat was bijgekomen.

'Nog op schema,' stelde Al hem gerust. Hij hield niet van dit soort wanhoop. Hij gebaarde naar Rix dat hij zijn zuurstoffles moest verwisselen. De lege flessen zouden hier worden achtergelaten en door hem en de sherpa's op de terugweg worden meegenomen. Mingma en Pemba waren alweer op weg naar de hoogste richel en de vaste touwen op de Hillary Step, en Namje bleef achter bij de groep. De Step was het laatste grote obstakel vóór de top zelf. De sherpa's waren nog maar nauwelijks vertrokken of Rix begon achter hen aan te stuntelen.

'Blijf hier wachten,' zei Al bevelend.

Finch kwam strompelend op hen af. Een eindje van Al vandaan viel ze op haar knieën in de sneeuw en toen voorover op haar handen. Hij liet zich naar haar toe glijden en controleerde de regulator van haar fles. Er zat een bobbel van bevroren druppeltjes op. Hij deed zijn eigen masker af, en verwijderde het hare en drukte het goede op haar gezicht. Ze hapte naar lucht en staarde hem met grote, verschrikte ogen aan.

'Je Z was bevroren. Nu zul je je weer beter gaan voelen.'

Sam kroop naast haar. 'Dat had ik moeten zien. Ik had het moeten controleren.' Hij probeerde haar met zijn armen te ondersteunen, maar ze drukte hem vermoeid weg.

'Laat haar rusten.'

'Drinken,' kon ze nog net uitbrengen. Al ritste haar pak open en vond de fles. Met grote teugen dronk ze van de warme thee. Sam maakte haar regulator schoon en sloot hem aan op een nieuwe fles.

Sandy en Ken kwamen aan bij de sneeuwpan en gingen op hun hurken zitten om uit te rusten; Sandy met hangend hoofd en snakkend naar adem. De gidsen overlegden met elkaar, terwijl de zon de schaduwlijnen terugdrong naar de verre rotsen.

231

'Laten we gaan,' zei Al.

'Ja, baas,' antwoordde Ted. De rest stond met tegenzin op en vormde schuifelend een rij.

Niet verder, dacht Finch. Alsjeblieft, niet verder. Maar haar ledematen gehoorzaamden nog steeds aan een onbewust bevel diep binnenin haar hersenschors. Ze deed een aantal stappen, die haar bijna alles kostten van wat er nog van haar reservekrachten over was, en klauterde omhoog naar de zuidpiek. Een eindje van haar vandaan verhief zich een smal uitsteeksel, en de overhangende sneeuwrand was van onderen zó uitgesneden, dat het leek alsof er een enorme golf op het punt van breken stond en een grote schuimbui in de lucht zou sproeien. Boven, in de verte, was een klif. De Hillary Step. De miniatuurfiguren van de Zuid-Amerikaanse klimmers zwoegden ernaartoe.

Ze bewoog zich als een robot, met pijn in haar hoofd en borst. Haar verdoofde voet gaf haar het gevoel alsof ze steenblokken met zich meezeulde. Na enkele martelende momenten vertraagde haar tempo, en toen bleef ze helemaal staan. Het zou zo heerlijk zijn om te gaan liggen en uit te rusten. Alleen liggen en alles laten ophouden. Iemand boog zich over haar heen: masker, bril, ogen. Trok haar wreed overeind.

Toen hij zich omdraaide, zag Al wat er gebeurde. Hij knikte tegen Namje om verder te gaan met de twee Amerikanen en ging terug. Hij moest om de richel heen, omdat Rix niet eens naar hem keek, laat staan ruimte voor hem maakte.

'Finch, hoor je me?' Ze knikte, en hij probeerde in haar ogen te kijken. 'Je kunt het. Ik weet dat je het kunt. Je moet gewoon doorgaan.' Nu bewoog haar ingepakte hoofd zich in de andere richting, wat *nee* betekende. 'Ja, je moet!'

De jongen, Sam, was aan haar andere kant. 'Ze is uitgeput. Haar zuurstof staat op vier liter per minuut, daar zal ze niet genoeg aan hebben.'

'Er is meer.'

Sam ademde zwaar. 'Verdomme. Luister naar haar. Ze wil niet.'

'Finch?'

Langzaam hief ze haar hoofd op en keek naar Al. Hij hield haar gezicht in zijn handen. Er plakten donkere veren van haar op haar wangen en hij probeerde ze weg te vegen. Hij vergat Sam, Ken en Jackson die op hun ijsbijlen leunden.

'Ik hou van je,' zei hij. 'Kom met me mee.'

Hij kon het niet zien, maar hij wist zeker dat er een zachte glimlach over haar gezicht gleed. Ze strekte haar armen uit en hij trok haar weer overeind.

'Volg mijn voetstappen.'

Sam pakte hem bij de arm en schreeuwde boven de wind uit: 'Neem haar niet mee naar boven.'

Beiden negeerden ze hem. Finch ging al achter Al aan en Sam draaide zich om naar Ken voor steun, maar de andere gids haalde alleen zijn schouders op. Al viel niet tegen te spreken.

'Je bent een blok aan het been, geen gids,' schreeuwde Sam naar hem. 'Zie je dan niet dat ze niet meer kan?'

Al draaide zich nauwelijks om. 'Neem je plaatsen in.'

De beklimming was veel steiler, en de richel maar een paar passen breed. De zon wierp zijn monsterlijke schaduwen tientallen meters over de afgrond. Vlak achter Finch waakte Sam over elke beweging die ze maakte, in plaats van naar weerskanten te kijken. Hij had nog geen duizeligheid gekend, maar nu voelde hij hoe de gapende muil aan hem begon te knagen.

Finch was een warboel van verbroken draden, herinneringen, vragen en gezichten, alle vertekend door gebrek aan zuurstof. Wat er nog van haar denkende deel over was, had zich onthecht van het protesterende lichaam. Ze klom naast iemand anders, een andere vrouw, die voor een deel bestond uit Suzy met haar gebroken glimlach en voor een deel uit haarzelf, maar stokoud en verschrompeld en krom van pijn.

De minuten en uren gingen voorbij. Ze kwamen bij een serie bijna verticale rotstrappen met vaste touwen die zich omhoogkronkelden. De klimmers haakten zich er vermoeid aan vast en begonnen zich al schuivend omhoog te werken. Rix' tempo vertraagde merkbaar. Finch had haar hoofd nog niet opgeheven van de rots en het ijs voor haar en ze leek zich alleen door haar wilsinspanning te bewegen. Toen Sam zijn arm op haar schouder legde, maakte ze een verschrikte beweging.

'Finch? Zeg wat. Wil je terug?'

Het geluid dat uit haar masker kwam, was een zucht.

Het was bijna elf uur toen ze de torenhoge Step bereikten. Overeenkomstig Als instructies stonden Vern en Ted met de twee sherpa's aan de voet te wachten. Blijkbaar hadden ze daar al een tijdje gestaan, want ze maakten een ongeduldige indruk. De Argentijnse groep had zich al langs de vaste touwen omhoog gezeuld.

'Dat is goed, prima. Nu kunnen we direct verder gaan,' zei Al. Zijn bezorgdheid over de langzame vorderingen hield hij voor zich.

Pemba ging voorop, gevolgd door Ted en Vern.

Toen Rix aan de beurt was, vergat hij zijn veiligheidslijn. Al moest hem met geweld terughalen en vasthaken. 'Wees voorzichtig,' waarschuwde hij.

Rix' vorderingen op de vijftien meter hoge klif verliepen angstaanjagend langzaam. Na elke beweging omhoog bleef hij een halve minuut futloos in zijn klimgordel hangen. Pemba stond vanaf de richel behoedzaam toe te kijken.

Finch zat onder bij de klif als een hoopje in elkaar gedoken. Even was alle aandacht op Rix gericht. Alsof ze net ontwaakte uit een diepe slaap ging bij haar even een lichtje van logisch denken op. Ze was in de war door gebrek aan zuurstof, dat was alles. Geen hoofd- en borstpijn, althans niet noemenswaard. Maar ze wist zeker dat ze niet verder kon, ze kon de Step niet beklimmen.

Met haar gehandschoende vuist stompte ze tegen de schoen. De volle draagwijdte van de ramp drong langzaam tot haar door. Er zat geen gevoel in, niets, hij was bevroren. In het gunstigste geval moest ze in de eerste fase van bevriezing verkeren. Aan het ergste moest ze hier niet denken. Als ze probeerde door te gaan, zou ze sterven.

Even ging er een schok door haar heen. Ze deed haar zuurstofmasker af.

'Ik kan het niet,' zei ze hardop. 'Ik kan het niet.'

Het was de eerste keer dat ze het had gezegd. Was dit de eerste keer in haar leven dat ze het zei? Meteen voelde ze zich zwak en opgelucht en raakte ze in een soort vervoering. Ik kan het niet. Ik kan het niet. Ik kan het niet. Er gebeurde niets. De hemel scheurde niet open. Ze hoorde zichzelf lachen. Onmiddellijk waren er mensen die zich over haar heen bogen. Mingma's mond dicht bij haar gezicht, die een vraag stelde. Sam pakte haar voet en legde die op zijn schoot om de overschoensluiting te controleren. Al hield haar bij de schouders vast.

'Ik kan het niet,' herhaalde ze, en nu huilde ze in plaats van te lachen.

Ze keken naar haar voet.

'Waarom heb je het me niet gezegd?' schreeuwde Al, die haar klimijzer en overschoen losmaakte. 'Je schoen is bevroren. Hij moet nat zijn geworden.'

'Gisteren,' gaf ze toe.

Al en Sam knielden ieder aan een kant. Hun gezichten begonnen te vervagen, veranderden van vorm. Ze werden Caleb en Marcus, die een spelletje speelden; ze plaagden haar en hielden iets voor haar verborgen dat van haar was.

'Geef me de muis,' smeekte ze. Waarom staarden ze haar zo aan? Ze hadden een geheim, nu keken ze elkaar aan en gaven elkaar een teken.

Toen werd Al weer Al, op het moment dat hij haar gezicht tussen zijn handen hield. 'Finch, luister naar me. Je moet direct naar beneden. Mingma zal je naar de col terugbrengen. Daar kom ik bij je.'

Hij maakte haar rugzak los en haalde er een plastic tandenborstelhouder uit met een injectiespuit erin. Ze moest voorover in de sneeuw gaan liggen en ze deed het zonder te protesteren; ze voelde zich nu warmer, zelfs slaperig. Ze trokken aan haar kleren en ze voelde het prikje van de naald in haar heup.

'Het is dex, Finch.'

Dexamethason, voor oedeem. Bevroren voet, hersenvocht. Ha. Dokter, dokter.

Als gedachten gingen razendsnel. Jezus, Jezus Christus, hoe had hij dit kunnen laten gebeuren? Ze had bevriezingsverschijnselen, ze was in de war. Een uur geleden had ze nog zo sterk geleken. Was dat zo? Of had hij dat alleen maar gewild? Hij had haar de top gegund. Dit samen met haar te delen, omdat hij van haar hield, en het was het beste wat hij haar kon geven, maar in plaats daarvan had hij haar in ernstig gevaar gebracht.

Zou het allemaal nog eens gebeuren? Het gewicht van een lijk in zijn armen. Ga niet dood, ga niet dood, toen hij wist dat het al te laat was. Spider.

Geen tijd om hier nu aan te denken. Laat het deze keer niet te laat zijn. Maak het goed, zorg dat ze weer op de been en naar beneden komt.

'Ze moet staan. Mingma, maak haar vast aan het touw.'

Tussen hen in hesen ze haar overeind en maakten haar vast aan de sherpa.

'Ik ga met haar mee,' zei Sam. Hij wierp nog even een blik op de steile rotswand die boven hem uittorende en draaide zich toen om.

'Niet nodig, ik zal op haar passen,' zei Mingma. 'Jij gaat klimmen.'

Hij had jarenlang op de Everest gewerkt, maar was nog nooit helemaal tot aan de top geweest. De top halen zou zijn reputatie alleen maar ten goede komen, zodat hij in de toekomst meer loon zou kunnen vragen, maar er kwam geen klacht over zijn lippen.

'Nee,' drong Sam aan.

Finch leek weer bij zinnen te komen. 'Ik wil niet dat je meegaat. Ga mee naar boven.'

'Ik ga met jou mee.'

Al aarzelde, en probeerde een snelle beslissing te nemen. Hij was kwaad op zichzelf, furieus en ontsteld dat hij Finch – juist *Finch* – met bevroren voeten zo ver en zo hoog had laten komen. Maar met de zelfbeheersing van een lange ervaring legde hij zijn woede en liefde het zwijgen op om helderder te kunnen denken.

Hij zou het liefst zelf met Finch naar beneden gaan, en het was geen wonder dat Sam dit ook wilde. Het was uitgesloten dat Al de rest van de groep in de steek zou laten, maar zijn verstand en ervaring zeiden hem dat er ook geen enkele reden was om Sam te laten meegaan. De jongen hield van Finch en zou alles voor haar overhebben, zelfs zijn kans om de top te beklimmen. Dat was goed. Al was er blij om. Maar hij wist beter dan Sam zelf hoe belangrijk het voor hem was om deze berg te beklimmen.

Hij kon het makkelijk doen. Het zou nog slechts een kwestie van een paar uurtjes zijn. Mingma was de beste die er was, en Finch zou weer in kamp iv zijn wanneer de jongen en de anderen van de top terugkwamen. Hoe ernstig Finch' voeten er ook aan toe waren en wat zijn eigen verantwoordelijkheid daarin ook was, om Sam zijn kans op de top ervoor te laten opgeven zou haar kansen op geen enkele wijze groter of kleiner maken.

Met alle autoriteit die hij in zijn stem kon leggen, zei Al: 'Jij blijft bij de groep. Je moet een klus afmaken.'

Rix had eindelijk de top van de klif bereikt. Pemba maakte hem los van het touw en gebaarde naar beneden dat de volgende klimmer zich kon vasthaken en omhoog kon komen. Sandy en Ken zaten een beetje terzijde uit hun fles te drinken en wachtten op de oplossing van het probleem. De ochtendzon was sterk en verwarmde, ondanks de wind, hun hoofden.

'Vooruit, ga,' snauwde Al tegen Sam. Even keken ze elkaar aan. De beloften die Sam had gedaan, waren nu met elkaar in tegenspraak. Om te doen wat hem werd gezegd, voor het welzijn van de expeditie en om op Finch te passen, wát er ook mocht gebeuren.

'Dwing me niet het van je te eisen,' zei Al. Hij had de beslissing genomen, nu, en hoe rustiger hij werd, hoe zekerder hij zich voelde. Maar er was een lange pauze voordat Sam zich liet overhalen.

Ten slotte legde hij een onbeholpen hand op Finch' schouder. 'Wees voorzichtig.' In dit geval had de waarschuwing iets overbodigs, maar ze knikte gehoorzaam. Toen draaide hij zich met een ruk om en stapte naar het bungelende eind van de lijn. Hij gaf een ram met de voorpunten van zijn klimijzers en begon te klimmen.

'Vooruit,' zei Al rustig tegen Mingma en Finch. En tot Finch alleen voegde hij eraan toe: 'Mingma zal voor je zorgen tot ik terug ben op de col. Ik ben gauw terug. En dan...' Haar wijdgeopende, bange ogen sloten zich in de zijne, alsof ze vertrouwen en geruststelling uit hem wilde zuigen. En dan, dacht hij. Maar hij maakte de zin niet af. De belofte ontglipte hem als een vis in het diepe water.

De woordenwisseling had hen allen moe gemaakt. Mingma en Finch begonnen zich, verbonden door het bloedrode touw, uit de voeten te maken. Het touw ging strak staan en hield haar in toom als een hond aan een ketting, en smekend strekte ze een hand naar hem uit. Hij strompelde naar haar toe, pakte haar vingers vast en probeerde haar te kussen, maar haar gezicht was afgeschermd door het zuurstofmasker.

'Je moet naar beneden om je voeten te laten verzorgen. Ik moet de anderen naar de top brengen. Wacht nog een paar uur op me, dan hoeven we nooit meer van elkaar gescheiden te zijn. Ik beloof het je.'

Hier, hier was de belofte, die als een vis weer aan de oppervlakte kwam. Hij kon zelfs niet zien of ze huilde of glimlachte. Haar ogen waren nu ondoorzichtig, ondoorgrondelijk achter de bril, en ze ontglipte hem en hij wilde niets liever dan met haar meegaan, in plaats van deze andere mensen hoger en verder op deze meedogenloze berg te brengen.

Mingma trok voorzichtig aan het touw. Finch wankelde zichtbaar, en ten slotte raakte ze met haar handschoen Als gezicht aan. Langzaam ging ze een stap van hem vandaan, toen nog een stap. Hij bleef kijken tot een bolle ronding van de richel haar hoofd aan zijn blik onttrok.

Al klom terug naar de rest van de groep. Niemand had acht geslagen op het tafereeltje met Finch. Niemand had ergens anders tijd voor dan voor zichzelf. Nu was het ieder voor zich. Overleven of sterven.

Sam was bijna bij de top van de Step. 'Nu jij,' zei Al kortaf tegen Sandy.

'Hij is ook behoorlijk afgepeigerd,' mompelde Ken, toen de Australiër zich moeizaam aan het touw had vastgemaakt. 'Net als ik. We worden te oud voor dit soort spelletjes, makker.'

Al keek omhoog om te zien hoever Sandy was gekomen, en toen naar het punt waar hij Finch uit het oog had verloren. 'Dit is mijn laatste. Dat heb ik al tegen Molly gezegd.'

Uit zijn warme binnenzak haalde hij de walkie-talkie om George te melden dat Finch was omgekeerd.

Op de top van de Hillary Step was geen enkel teken te zien van de rest van de groep. Het was twaalf uur geweest, en Pemba was de Amerikanen en Rix voorgegaan naar de top.

'Laten we gaan,' zei Al. 'Jackson, kom achter me aan.'

Sam begon te tellen. Tien stappen, wankelend van uitputting en dan een rustpauze. Weer tien stappen en snakken naar adem.

De richel leek op de ruige ruggengraat van een enorm, wit schepsel dat oprees vanuit de diepten van een bodemloze zee. Ze liep in een boog omhoog, ver van hem vandaan, in de blauwe oneindigheid. Toen hij omlaagkeek, zag Sam een paar witte wolkpluimen die vanuit de Khumbu opstegen. Daarbeneden waren de tenten van het basiskamp, nietige, gekleurde stipjes op de uitgestrektheid van de gletsjer. Misschien stond George door zijn verrekijker te kijken hoever ze waren, zoals hij en de anderen naar klimmers van eerdere expedities hadden gekeken.

De laatste richel had zo hoog, zo ver weg geleken, en nu was hij bezig ze te beklimmen. Sam voelde een rilling van opwinding langs zijn ruggengraat gaan. Hij was niet met Finch naar beneden gegaan, maar het was te laat om daar nu spijt van te hebben, en het enige merkwaardige gevoel dat hem nog restte, was dat hij het aan Al te danken had dat hij verder was gegaan.

Tien stappen, rammen met zijn klimijzers en zich aan de steel van zijn ijsbijl optrekken. Rusten en dan weer tien stappen.

Rix was boven hem, maar hij bewoog zich niet meer. Zijn metgezellen, Ted en Vern, met Pemba, gingen nog steeds gestaag op de top af.

'Moe,' mompelde hij toen de anderen hem hadden ingehaald. 'Even rusten.'

'Kom op,' zei Sandy. Hij ging op zijn automatische piloot, zijn ogen naar boven gericht.

'Jij gaat verder met Ken en Namje,' beval Al.

Al controleerde Rix' tweede zuurstoffles en zag dat die bijna leeg was, omdat de man de toevoer op het maximum had gezet. Zijn eigen tweede fles zat nog onaangeroerd in zijn rugzak; hij verwisselde ze en liet de lege in de sneeuw staan. Op de zuurstof die nog in zijn eerste fles zat, moest hij naar de top en weer terug naar de voorraad in kamp v.

'Het is halfeen,' waarschuwde hij Rix. Hij ging zó langzaam dat de kans uitgesloten was om vóór de terugkeertijd de top te halen.

'Wat kan mij verdomme die tijd schelen,' gromde Rix. 'Ik ben tot hier gekomen en ga verder.'

'Je hebt nog dertig minuten,' zei Al, en ging hem voor. Er kwamen hen afdalende klimmers tegemoet, de succesvolle Argentijnse groep. Er volgde een korte uitwisseling van gelukwensen en bemoediging toen ze voorbijgingen.

Om tien voor twee deden Pemba en de twee Amerikanen hun laatste stap naar de top. Door ontzag bevangen, keken ze naar de oneindigheid van grillig zilver, blauw en sepia, en toen naar elkaar. 'We hebben het gehaald!' schreeuwde Ted. Ze sloegen hun handen tegen elkaar en haalden hun camera's te voorschijn.

Pemba hurkte neer en raakte met zijn vingertoppen eerbiedig de kruin van de wereld aan. Hij sloot zijn ogen in gebed.

Tien minuten later waren ze weer op de terugweg. De nevel in de Khumbu-vallei had zich nu verdikt. Om twintig over twee kwamen ze Ken en Sandy tegen. Sandy Jackson zat vast aan een touw, en het zag ernaar uit dat Ken hem optrok.

'De tijd dringt, Ken,' waarschuwde Pemba hem.

'Al is ook nog aan het klimmen,' mompelde Sandy. Hij schudde zijn hoofd heen en weer. 'Nu ik er zó dichtbij ben, kan ik het niet opgeven.'

Verder op de richel stonden Namje en Sam te wachten, terwijl Al en Rix heftig met elkaar stonden te discussiëren. De wind werd sterker en ze moesten schreeuwen om zichzelf verstaanbaar te maken.

'Het is nog honderd klotemeters. Dat is alles. Rot op jij. Ik ga alleen.' Rix stond amechtig te tieren. Hij deed een paar passen opzij, begon de helling op te strompelen en waggelde te dicht langs de afgrond. Nog een onvoorzichtige stap en de overhangende rand zou afbreken en hij zou honderden meters langs de wand van de Kangshung naar beneden storten.

'Kom terug,' brulde Al, terwijl hij hem achternadook. Zwaaiend stonden ze in een onbeholpen omarming, slechts enkele centimeters verwijderd van de vergetelheid.

'Slechte plek,' mompelde Namje met een asgrauw gezicht. 'Heel slecht.'

Sam stond verstijfd van hulpeloze angst. Ze keken toe hoe de twee mannen drie en toen vijf stappen achteruit deden, terug in de rij van schoenafdrukken. Rix had zichzelf losgerukt en was weer aan het klimmen, met zijn gezicht blindelings naar zijn doel gewend.

Al hield zijn hand tegen zijn masker. Toen Sam bij hem kwam, maakte hij een vermoeid gebaar. 'Hij is door het dolle heen. Ik kan hem niet tegenhouden, dus móét ik wel achter hem aan.'

'Ik ga ook mee,' zei Sam. Er was nu geen tijd of ruimte meer voor tegenspraak.

'Namje?'

Evenals Mingma was de jongeman, sinds de lawine die Ang bijna het leven had gekost, in zichzelf gekeerd geweest.

'Ik wacht hier.' Hij hurkte neer in de luwte van een rots.

Ze begonnen zonder hem aan de laatste beklimming. Sam bleef vlak achter Al en bewoog zich in hetzelfde ritme, alsof ze tot hetzelfde organisme behoorden. Al zat Rix vlak op de hielen, en elke stap was langzamer dan de vorige. Pemba en zijn groep kwamen hen tegemoet. De Amerikanen verkeerden in een overwinningsroes, en hun opgetogenheid accentueerde alleen maar de grimmigheid van de klimmers die nog omhoog zwoegden.

'Ik weet het, ik weet het.' Al schoof de protesten van Pemba terzijde.

Om kwart voor drie bereikten Ken en Sandy Jackson de top. Sandy was zó uitgeput dat hij nauwelijks leek te weten waar hij was. Ken haalde zijn camera uit de binnenzak van zijn pak en nam de overwinningsfoto. Tegen die tijd was het drie uur. Ken zag hoe Al en de anderen zich omhoog werkten. In het ergste geval waren ze twintig minuten van hen vandaan.

Toen ze er eindelijk waren, was het halfvier, en Rix was meer dood dan levend. Ken en Sandy hadden de top alweer verlaten en waren aan de afdaling begonnen.

Aan de westelijke horizon zonk de zon door een groen waas, en de oostelijke wand van Pumori was leigrijs. Boven hen was de lucht nog steeds blauw met zweempjes van dieppurper, en de opstekende wind deed een nevel van stuifsneeuw opwaaien, die glinsterde met puntjes van iriserend licht. In alle richtingen onder hen lagen wel duizend pieken, met tongvormige uitlopertjes van enorme gletsjers. Het Tibetaanse plateau strekte zich als een bruine woestijn uit naar de lavendel-grijze horizon.

De drie mannen stonden in stilte te staren. De top zelf was groot genoeg om er met z'n drieën op te staan, dicht bij elkaar. Een gehavend gebedsvlaggetje, dat iemand daar had neergeplant, fladderde in de wind.

'O God, dank u,' fluisterde Rix. Alle grootspraak en woede waren weggesmolten, en hij stond openlijk te huilen. De wind blies spran-kelende druppeltjes tranen en slijm de ruimte in.

De top was de wereld. Sam draaide zich om en Al legde zijn arm om hem heen. Even bleven ze zo staan, elkaar half ondersteu-nend. Hun gevoelens waren wederzijds. Ze wisten het verschil in jaren en ervaring uit en bevestigden de band die hen oversteeg. Woorden waren niet nodig. Op dat moment van goddelijke open-baring waren alle pijn en moeite vergeten die de beklimming hen had gekost. Ze hadden dit samen gedaan. Het zou hen altijd blij-ven verbinden.

Het blauw van de lucht vervaagde snel tot een mysterieus groen. Het was laat.

Twee uur geleden zou hij er geen bezwaar tegen hebben gehad wat langer te blijven, om ook zelf van zijn overwinning te ge-nieten, maar nu vermande Al zich en gebaarde hij zijn metge-zellen hun camera's snel te voorschijn te halen. Hij had de foto van Molly uit zijn binnenzak willen halen om haar de top te laten zien, maar daar was nu geen tijd meer voor. Hij maakte een foto van de andere twee in een overwinnaarspose en liet zich op zijn beurt zelf fotograferen. De opkomende wind baarde hem zorgen. Het was tijd om aan de afdaling te beginnen. Eindelijk waren ze klaar. Al wees met zijn vinger naar de slang van de ri-chel. Naar beneden, naar beneden. Een waarschuwend gegons begon aan zijn op scherp staand bewustzijn te knagen. De zuur-stof in zijn cilinder begon op te raken. Vijf. Naar beneden, naar kamp v.

Sam bleef nog treuzelen. Hij draaide in een kringetje rond en sloeg het panorama op in zijn gedachten. Het licht had een zachte glans gekregen. Het leek alsof het elektriserend was geworden.

'Michael en Mary McGrath,' zei hij zachtjes, maar de wind en de stuifsneeuw rukten de woorden uit zijn mond en wisten ze uit. Hij herhaalde hun namen, en ditmaal schreeuwde hij ze de galmende lucht in. Een gevoel van triomf verdreef de uitputting uit zijn be-wustzijn. Hij voelde zich vrij van aardse banden.

Al was al twintig stappen de richel afgedaald en wenkte hem met een dringend gebaar. Sam bleef nog vijf seconden en begon toen met tegenzin aan de afdaling.

In Mingma's kielzog stak Finch de ijzige woestenij van de col over. De weg naar beneden was haar bijna te veel geworden. Ze bewoog zich onbeholpen op haar gevoelloze voeten, maar de sherpa had haar bij elke stap op de langzame weg omlaag, langs de richel en de vaste touwen, begeleid. Zonder zijn hulp zou ze tientallen malen zijn gevallen. Nu werden de tenten nog maar een paar meter verderop zichtbaar in de wervelende stuifsneeuw. De wind nam onheilspellend in kracht toe en er pakten zich wolken samen, die zich verspreidden over de rand van de col.

Nog tien stappen en ze was bij de tent, waar Mingma knielde om de ingang open te maken. Op handen en voeten kroop ze naar binnen en viel meteen op haar slaapzak in elkaar. Zich realiserend dat ze alleen was en dat Al en Sam en de anderen de hachelijke afdaling nog moesten maken, bad ze een gebed zonder woorden tot God of tot de wrede berg zelf, *alsjeblieft*, voordat ze door uitputting in een toestand van verdoving raakte.

Ze wist niet hoeveel later het was toen Mingma terugkwam met warme thee en haar in zittende houding liet drinken. De wind was tot dezelfde gierende kracht toegenomen als de nacht daarvoor, en hoewel de Zuid-Amerikanen dichtbij waren, kon ze nog maar net de herrie van hun geschreeuw horen. Het klonk meer als een waarschuwing dan als een feest.

'Zijn ze terug?'

De afdaling naar de col, de rust en het vocht hadden haar denken helderder gemaakt. Haar verwarring had plaatsgemaakt voor een snijdende angst, die een domper zette op de opluchting over haar eigen overleving. Al. Waar was Al?

'Nog niet,' zei Mingma op volkomen neutrale toon. 'De wind is weer sterk. Nu gaan we naar je voeten kijken.'

Het was een lastig werkje om de schoenen uit te trekken en de ijzige sokken van haar huid los te maken. De linkervoet kwam te voorschijn als geel- en leerachtig, alleen oppervlakkig bevroren. Maar de rechter was hard en compact als een stuk wit vlees dat net uit de vriezer was gehaald.

'Slecht,' zei Mingma op fluitende toon.

Finch was weer voldoende bij zinnen gekomen om haar eigen toestand te kunnen inschatten. Met de nodige afstandelijkheid nam ze de schade zorgvuldig op. Ze dacht dat de linkervoet zich weer door langzame ontdooiing zou herstellen, maar de tijd zou moeten uitwijzen hoe het met de andere zou gaan. In elk geval wist ze dat er hier niets kon worden gedaan. Zelfs als ze over voldoende warm water beschikten om er de voet in onder te dompelen, zou het onmogelijk zijn om op broos, opgezwollen, ontdooid weefsel te lopen. Ze zou op de een of andere manier zo snel mogelijk naar het basiskamp moeten om daar te worden behandeld. Ze pakte de vreemd uitziende voeten in haar slaapzak om ze te verbergen. Er waren dringender zaken.

'Wat kunnen we doen om Al te helpen?'

Mingma sloeg zijn ogen neer. Zijn brede gezicht was uitdrukkingsloos. 'Alleen wachten.'

Al en Sam daalden af met Rix tussen hen in. Na de beklimming en de top was alle wilskracht uit hem weggevloeid. Hij leek kleiner, futlozer. Ze kwamen voorbij de plek waar ze Namje hadden achtergelaten, maar hij was er niet meer. Als zuurstof was op. Alleen met een uiterste wilsinspanning kon hij zich nu nog concentreren. Namje was waarschijnlijk met Pemba of met Ken en Sandy Jackson meegegaan. Er was een rij voetstappen die naar de richel leidde, maar de wind was nu zó sterk en de spiralen van stuifsneeuw zó dicht dat ze moeilijk te volgen waren. De kleinste afwijking zou hen fataal worden. Kijk uit, kijk uit voor de overhellende stuifsneeuwrand.

Hij begon te denken aan de twee vrouwen. Finch en Molly. Jen en Finch. Stemmen. *Ga niet. Kom terug.*

Maar hij had het gedaan, hij was op weg naar beneden. De laatste keer. De moeilijkste. Hij zou er nu geen moeite mee hebben om ermee te stoppen. Waarom had hij ooit gedacht dat hij er niet mee kon stoppen, deze pijn en worsteling in te wisselen voor gemak en warmte?

In zijn brein leek een luik dicht te gaan. Hij keek om naar Rix en Sam, knipperde toen met zijn ogen en schudde zijn hoofd. Zijn blik weigerde nog steeds helder te worden. Zuurstof. Zijn lichaam schreeuwde erom. Naar de zuidpiek, naar het hoge kamp. Daar schuilen.

Wacht, er lag iets in de sneeuw. Oranje, een zuurstoffles. Een geschenk, een wonder. Laat me ademen.

Hij zat op z'n knieën te worstelen met zijn oude cilinder toen hij het opeens weer wist. Dit was Rix' lege fles, die ze op weg naar boven hadden achtergelaten. Hij pakte hem op en haakte hem aan een lus aan zijn klimgordel.

De twee anderen waren vlak achter hem. 'Verdwaald,' mompelde Rix. Sam zag er ook versuft uit. Ze waren alledrie uitgeput. Niet goed, het ging zo niet goed, en hij moest op hen passen.

Ze kwamen bij de Hillary Step. Al perste de laatste concentratie uit een knoop in zijn gedachten en keek toe hoe ze zich om beurten vasthaakten en naar beneden gleden. Nu was het zijn beurt. Spiders oude karabines rinkelde aan zijn klimgordel.

Ze kwamen bij elkaar aan de voet van de rotswand. Rix wankelde en snakte naar adem.

'Doorgaan, blijf dicht bij elkaar,' beval Al. 'Sam?'

'Oké,' mompelde hij.

Nog meer stappen naar beneden, in het wazige spoor van voetstappen. Er was nu verse sneeuw tussen de stuifsneeuw.

Finch hoorde hen aankomen, stemmen en metaalachtig gekletter, toen de wind heel even luwde. Met bonzend hart schuifelde ze op haar knieën naar de tentflap. Het waren Pemba met Ted en Vern. De Amerikanen waren halfgek van verrukking en opluchting.

'Hé, we hebben het gehaald. Maar net. Wauw. Het was iets onvoorstelbaars daarboven.'

'Allemachtig, da's pech, Finch.'

Ze keek recht in Pemba's ogen. Ze waren groot en zwart en voorspelden niet veel goeds.

'We zijn hen voorbijgekomen, ja. Ze waren nog aan het klimmen. Misschien was het halfdrie, drie uur.'

Nog aan het klimmen, zo laat. Met deze storm, die weer opkwam!

Alsjeblieft.

Ze leken nu eindeloos lang, moeizaam en ineengebogen hun hachelijke weg te zijn gegaan. Het licht was bijna verdwenen en de wind joeg de sneeuw horizontaal in hun bevroren gezicht.

Naar de zuidpiek en de holte daaronder. Zuurstof en voedsel, zelfs beschutting.

Toen Al weer omkeek, had Rix het opnieuw opgegeven. Hij zat in de sneeuw en kon geen woord meer uitbrengen. Sam stond een halve meter van hem vandaan, in elkaar gedoken om zich te beschermen tegen de wind. Al wikkelde het touw van zijn schouders af en maakte het uiteinde vast aan Rix' klimgordel. Hij hees hem overeind en begon hem als een hond aan de lijn vooruit te trekken.

Het was *onmogelijk* dat ze, zelfs in zijn toestand, met zuurstofgebrek, nog niet de zuidpiek hadden bereikt.

Wacht. Daar klonk het geluid van een fluitje. En iemand die uit de grijze muur opdook. Een Mountain People-uniform. Het was Namje, maar het gefluit kwam ergens anders vandaan.

'Baas. Sandy,' kon Namje nog uitbrengen.

'Waar is hij?'

'Weg. Hij is gewoon weg. Een minuut geleden nog vóór ons. Toen weg.'

Het gefluit kwam van Ken. Een minuut later kwam de gids over het spoor van de voetstappen aangestrompeld.

'Al. Godzijdank, makker. Jackson is verdwenen. Ik ben teruggegaan om hem te zoeken, maar alleen Namje was er. Ik heb de sporen gevolgd, er is niets. Hij kan me niet voorbij zijn gegaan.'

Rix zakte weer in elkaar en trok Al bijna mee. Al maakte de krachteloze bundel los, terwijl hij probeerde te bedenken wat er moest worden gedaan.

'Ken, jij neemt Rix aan het korte touw. Sam, jij gaat met Namje mee.'

'Nee.'

Iedereen was nu aan het eind van zijn krachten. Al haalde zijn schouders op. Hij haalde Spiders karabines van zijn klimgordel en begon ermee op de lege fles te slaan. Sam stak zijn hand uit naar Ken, die het fluitje erin legde. Hij duwde zijn masker opzij, bracht het naar zijn lippen en blies er een ijl geluid uit.

'Help Ken,' zei Al tegen Namje. Ken en Namje schuifelden naar beneden met Rix tussen zich in en lieten Sam en Al samen achter, die hun signalen in de exploderende lucht sloegen en floten.

Ze zetten hun zoektocht naar Sandy Jackson voort, al was het op een laag pitje. Door gebrek aan zuurstof en door uitputting en uitdroging konden ze niet meer logisch denken. Hun stappen gingen omlaag, hoewel ze zich er niet van bewust waren. Eindelijk zagen ze iets.

Boven hen was een flauwe rij van voetstappen, vervaagd door verse sneeuw, en afbuigend naar links en omlaag. Ze volgden die, tot Al plotseling terugdeinsde. Net zichtbaar, een meter van zijn schoenen verwijderd, bevond zich een gekarteld gat, met aan weerszijden de gladde rand van de richel. De sporen gingen rechtstreeks naar het gat, en daardoorheen zagen ze alleen maar ruimte.

Sandy was van het spoor afgedwaald, was door de richelrand heen gevallen en langs de Kangshung-wand in de diepte gestort. Hij moest dood zijn.

Sam greep Als schouder en trok hem weg van de afgrond. Toen ze van het directe gevaar weggekropen waren, knielden ze samen in de sneeuw en hijgden en kokhalsden door de plotselinge schok en de inspanning. Ten slotte hief Al zijn hoofd op. Op zijn knieën richtte hij zich op en keek naar zijn lege handen. Hij had Spiders karabines verloren en Sandy Jackson was weg.

Wat nu? Wat kon hij nu anders doen dan proberen het laatste restje wil om te overleven in stand te houden?

Maar er was iemand anders bij hem. Dat klopte, Sam was er.

Ze waren alleen op de berg. Dat klopte ook, maar op de een of andere manier kon hij het plaatje niet rond krijgen. Ze hoorden bij elkaar. Ze waren een helft van een geheel. Het werd donker. Ergens in de verte was hij zich ervan bewust dat hij niet wist waar ze waren. Hoever waren ze met de afdaling? Hoever was het nog om bij de col en Finch te komen?

Er waren meer stemmen en het geluid van meer mensen die het kamp binnenkwamen. Finch hoorde ze door haar verdoving van uitputting heen, en met haar bevroren voeten kroop ze weer moeizaam naar de tentflap. Ze zag Rix, die door Ken en Namje half door de sneeuw werd gesleept. Pemba en Mingma waren hen tegemoet gesneld. Toen Rix in zijn tent was gezeuld, riep ze zwakjes naar Mingma, en de sherpa kwam terug en knielde naast haar neer. 'Ik weet het niet, mevrouw. Ik zal Ken sturen.'

Eindelijk kwam Ken. Hij liep met gebogen hoofd, zodat ze zijn ogen niet kon zien. 'Hoe is met de voeten, dokter?'

Ze duwde zijn arm weg, wetend dat hij probeerde haar af te leiden. De angst bonsde in haar hoofd. 'Waar is hij?'

'Ze hebben de top gehaald, maar heel laat. Na Jackson en mij.' Natuurlijk, schoot het door haar heen, Sam was daar ook. 'Ze hadden Rix bij zich en hij kon het niet, maar hij wilde per se. Toen hebben ze ons op weg naar beneden ingehaald.'

Finch wachtte, met haar ogen gericht op wat ze van het gezicht van de gids kon zien. Als ze hen hadden ingehaald, waar waren ze dan nu?

'Het was Jackon. Ik ging terug om hem te zoeken, maar hij was weg.'

Ze luisterde terwijl hij vertelde. De wind werd luider en luider, maar elk woord liet aan duidelijkheid niets te wensen over. Al en Sam waren daar nog steeds aan het zoeken naar Sandy. En hier was Sandy's slaapzak, die als een hoopje naast de hare lag, zijn bundeltje extra kleren, natte sokken. Eindelijk keek Ken haar aan. Even. 'Maak je geen zorgen. Al brengt hen allemaal naar beneden.'

Finch knikte. 'Ja.'

'Ze moeten alleen een paar meter terug naar kamp v. Ze zaten er niet zo ver onder. Daar kunnen ze schuilen, als het moet.'

Ze ging weer liggen, zwevend tussen de dag die voorbij was en wat er zou komen. Haar gedachten waren een wirwar van angst en hoop; kleine, willekeurige, magnetische impulsen die samenklonterden en dan weer uiteenspatten. Ze was te uitgeput om goed na te denken.

Al en Sam kropen verder door de wind. Het licht was bijna verdwenen, beiden hadden geen zuurstof meer.

Erger kan het niet, zei Als verstand. De wind en de sneeuw hadden alle oude sporen uitgewist. We zijn verdwaald. Het weer wordt slechter. Het wordt donker. Kamp v vinden, en de zuurstof, voedsel en bivak. Tegelijkertijd werd hij gewaarschuwd door een ander flauw signaal in zijn bewustzijn, te ver weg. Je bent te ver afgedaald en het hoge kamp is boven je.

Hij stopte en Sam botste tegen hem op. Bij elkaar blijven. Voor Jackon kan nu niets meer worden gedaan, het enige waarop ze konden hopen, was om zelf in leven te blijven. Ze stonden hoofd aan hoofd, zich buigend tegen de wind in en omringd door desoriëntatie. Ongeveer een meter verder stak, als een paar schouders uit een mantel van sneeuw en ijs, een groot rotsblok omhoog. Al herinnerde het zich nu. Het was een heel eind onder de noodvoorraad bij kamp v, te ver verwijderd om erheen te klimmen, zelfs als ze de weg konden vinden.

'We moeten ons hier een paar uur ingraven,' zei hij tegen Sam. En Sam knikte met een futloos knikje. Samen knielden ze als om te bidden en begonnen uit de luwte van de rots sneeuw te scheppen. Het kostte een enorme inspanning om een klein hol te maken. Al worstelde om zijn rugzak open te maken en trok er een opgevouwen nylonbivakzak uit. Hij probeerde hem uit te spreiden, zodat ze erin konden kruipen, maar de storm deed er een greep naar. Hij werd uit zijn handen gerukt, en even zagen ze een lompe, blauwe vleugel die wegfladderde in het niets.

Uiteindelijk gingen ze in de ruwe beschutting van de sneeuwholte liggen. Ze drukten hun lichamen tegen elkaar en de wind vulde hun hoofd, terwijl de kou hun ledematen in een stijve omarming omsloot. Het was nu volkomen donker.

'Wakker blijven,' beval Al. 'Praat.' Hun gezichten, hun monden raakten elkaar bijna aan. Bijna als een kus.

Met een onduidelijke stem deed Sam wat hem werd gezegd. Michael, Yosemite, Wilding. Hardlopen, Mary, Fran, Seattle. Dromen, teleurstelling. Een vermoeide, onsamenhangende litanie.

'Nu jij,' zei Sam slaperig.

'Het is afgelopen,' zei Al.

Sam rook de flauwe warmte van zijn adem. Hij wachtte, maar er leek niets meer te komen.

'Nee. We komen beneden. Gewoon hier blijven en niet in slaap vallen.'

Er was weer de zucht van zijn uitademing. 'Jij komt beneden.'

'Jij hebt Finch,' zei Sam op dringende toon. 'Je kunt met haar trouwen. Samen kinderen krijgen.' In plaats van de sneeuw en de duisternis die in zijn ogen dwarrelden, zag hij het duidelijk voor zich. Een levendig beeld. Drie kindjes, Finch' donkere haar. Een tuin en een esdoorn in lentetooi. Hij kon de rijke geur van aarde, gras en bloesem ruiken.

De wereld lag op hem te wachten. Hij kon hem weer terugkrijgen. Het ijs en de wind achter zich laten. Terug naar zijn leven. Het was kostbaar, wát hij ook zou vinden.

'Finch,' zei Al, zo zacht dat Sam dacht dat het weer een uitademing was.

Ze klampten zich een uur aan elkaar vast, en nog een uur. De wind was als een derde, hun metgezel.

Hij dacht aan de fouten die hij had gemaakt. De andere jongen dood, Sandy. Finch met bevroren voeten, hij had haar te hoog laten gaan. De anderen op de berg, te laat. Toen liet hij het allemaal los, en liet de eindjes van zijn leven vallen die hij nooit aan elkaar had kunnen breien. De gebroken cirkels die nu gebroken bleven.

Het was Molly die hij achter zijn bevroren oogleden zag. Het meisje dat ze was geweest toen hij wegging, een jonge vrouw, opgekruld in zijn bed, de laatste nacht in Tyn-y-Caeau. Zwart haar dat over het witte kussen lag gespreid, warme huid.

Hij voelde zichzelf ook warmer worden.

Het was niet goed om je warm te voelen, niet hier. Niet zo slaperig, grote, vederlichte golven van slaap die over hem heen rolden. Niet belangrijk. Maar Sam, die was wel belangrijk. Finch en Sam. Natuurlijk.

Al duwde het getij van de slaap weg en probeerde zijn zware lichaam te verschuiven. Hij rolde zich boven op Sam en boog zijn rug en armen over hem heen.

In het basiskamp zat George Heywood bij de mess-tafel met zijn hoofd in zijn handen te wachten. Ken had vanaf de col contact met hem opgenomen en hem het nieuws verteld. Sandy Jackson was verdwenen. Al en Sam McGrath waren nog op de berg. Geen radiocontact gemaakt of ontvangen.

Ze moesten wachten tot het weer licht werd. Hen dan proberen te bereiken.

In de duisternis ontwaakte Finch uit een droom en zat meteen recht overeind in haar slaapzak.

De tent was leeg, alleen Sandy Jackons bezittingen lagen op een hoopje naast haar. Het kamp was stil. De anderen lagen allemaal in hun tenten, verslagen door uitputting en de storm. Verslagen door de berg zelf, die ze hadden willen overmeesteren.

Ze wist absoluut zeker dat Al dood was.

De lucht was wit, de kleur van ijs, de kleur van de kou zelf. Sams oogleden waren zwaar, bedekt met rijp, maar hij had zijn ogen gedwongen om open te gaan, en hij wist dat het echt de lucht was die hij boven zich zag. Er lag een gewicht op hem, dat hem naar beneden drukte. Hij draaide zijn hoofd om en hoorde het geritsel van de door ijs verstijfde pakken. Er lagen armen over zijn schouders, het gewicht van een lichaam. Als gezicht was dichtbij. Zijn baard was bevroren, zijn wangen, ogen en haar waren allemaal bevroren, en over zijn schouders lag als een beddenlaken of lijkwade een deken van sneeuw.

Langzaam, met veel moeite, probeerde Sams zuurstofarme brein uit de flarden dromen en delirium de werkelijkheid op een rijtje te zetten.

De dag was aangebroken. Ze hadden de hele nacht in de sneeuw gelegen. De man die hem beschermde, was dood.

Beweeg. De noodzaak dat er onmiddellijk iets moest worden gedaan, prikte als een naald in zijn verdoofde denken. Beweeg, nu het nog kan.

Als lichaam was stijf. Hij was zwaar, hard, als een blok hout. Sam gleed en kroop onder hem vandaan. De wind was weer wat gaan liggen. De richel liep in een bocht naar beneden, wreed maar zichtbaar. Zorg dat je beneden komt. Hier is verder niemand. Hij zou alle krachten die hem nog restten moeten vergaren en zichzelf naar de col moeten begeven, omdat dit de enige manier was om te overleven.

Een afgrijselijke, harde beslissing om te leven maakte zich van Sam meester. Hij knielde over de andere man heen en trok zijn rits open. Zijn vingers waren te verdoofd, hij leunde daarom over hem heen en zocht met zijn mond naar het kloppen van de hals-

251

slagader. Niets. De huid was bevroren. Het was alsof de warmte van Al in hem was overgevloeid.

Niet denken. De rits verder openmaken. De radio. Contact maken en vragen of ze hem tegemoetkwamen. Iets warms drinken, zuurstof.

De radio zat in de binnenzak van het onderjack. Sam trok hem eruit, realiseerde zich toen dat zijn handen te zeer bevroren waren om de knoppen te bedienen. Hij liet hem weer vallen en het apparaat gleed weg, steeds sneller over het gladde ijs. Waarom hadden ze hem gisteravond niet gebruikt? Ze waren te moe en te verward geweest. En wie zou er in de storm hebben kunnen komen?

Hier was nóg iets. Iets glanzends. Hij wilde zich al omdraaien, toen hij zag dat het een foto was. Hij verfrommelde hem in een bevroren hand en propte hem in zijn zak.

Nu op weg. Wankelend kwam hij overeind, en zonder nog eenmaal om te kijken, begon hij voort te sjokken. Naar beneden, naar beneden, weg van hier.

Vanuit het basiskamp sprak George op dringende toon met Ken. 'Kun je weer naar boven gaan? Neem Pemba, thee en wat eten mee. Ze zitten vast in kamp v te wachten.'

Ken hief zijn hoofd op. Hij dacht niet dat hij nog de kracht had om de beklimming nog eens te doen. De drie sherpa's zaten op een rijtje en bekeken hem afwachtend. De cliënten waren nog in hun tenten. Finch Buchanan was hun grootste zorg. Ze zou op de een of andere manier naar beneden en naar een ziekenhuis moeten worden gebracht.

'Ik kan hen niet oproepen, en jij ook niet, George. Wat vind je?'

Het antwoord kwam krakend uit de telefoonhoorn. 'Ik vind dat we tot het uiterste moeten gaan.'

'Ja.'

'Vraag Dos Santos of hij iemand heeft.'

'Ja.'

De Argentijnen hadden al aangeboden om assistentie te verlenen. Ze konden Finch en Rix helpen bij hun afdaling.

'Pemba en ik gaan over een paar minuten op weg.'

'Succes. Ken?'

'Ja.'

'Bedankt. Over en uit.'

De gids en de sherpa deden hun rugzakken vol met voedsel, warm drinken en de laatste twee zuurstofcilinders en begonnen aan de langzame tocht over de col naar de richel. Finch bleef op haar knieën in het isolement van haar tent.

'Hij is dood,' zei ze hardop tegen niemand.

Michael McGrath zat in zijn leunstoel in de keuken van het huis in Wilding. Op de tafel was een pot koffie koud geworden en de overblijfselen van een bijna onaangeraakt maal waren aan het stollen op een bord. Het licht buiten vervaagde tot een schemering en Michael had er al sinds het middaguur naar zitten kijken, zonder iets te zien. Er hing een drukkende stilte in het huis. Hij had de televisie niet aangezet en de radio niet afgestemd op het countrymuziekstation.

Toen het buiten bijna donker was en de zon achter de grote bomen aan de achterkant van het huis was gezonken, kwam hij overeind. Zwaar leunend op zijn stok liep hij naar de telefoon. Er lag een notitieblok naast, met een paar met potlood opgeschreven nummers. Sam had ze aan hem voorgelezen en hij had ze afwezig opgeschreven, wetend dat hij nooit een nummer in Nepal zou bellen om met mensen in het kamp aan de voet van de Everest te praten.

Maar de hele dag had hij al een onheilspellend gevoel in de holte van zijn maag gevoeld. De oude instincten, het bijgeloof en het zesde zintuig van bergbeklimmers waren weer in hem wakker geworden en kropen door het labyrint van zijn verbeelding. Hij moest met Sam praten, nu. Om hem raad te geven. Om hem moed in te spreken en te waarschuwen op zijn tellen te passen.

De satelliettelefoon zoemde in de communicatietent en Geroge Heywood nam hem met een zware hand op.

Michael stond in de stoffige gang uit het raam te kijken. De lichten van een auto kwamen de weg oprijden, zacht geel in de dikker wordende schemering, ze gleden langzaam over het huis.

'Uw zoon heeft gistermiddag de top bereikt,' zei de man.

George Heywood was zijn naam – Michael herinnerde zich hem vaag van jaren terug. Was hij niet die ernstige en voorzichtige jongeman geweest, geestdriftig maar op de rotswand niet op zijn intuïtie vertrouwend?

Wat konden herinneringen diep wegzinken, om zich vervolgens weer een weg naar de oppervlakte te banen!

'Ik ben bang dat hij nog niet terug is op de col. We hebben alle hoop dat hij de nacht in een hooggelegen kamp heeft doorgebracht, samen met de hoofdgids. Zodra we nieuws hebben van de groep daarboven, bel ik je, Mike.'

Langzaam legde Michael de hoorn weer neer. Zijn vingers sloten zich om de kop van zijn stok, maar hij bleef doodstil staan.

Kom naar beneden, zoon. Het is belangrijk. Ga nu niet weg, nóg niet, voordat ik een kans heb gehad je te zeggen wat je voor mij hebt betekend.

Hij heeft de Everest beklommen. Sam is erop afgegaan en heeft de smeerlap beklommen.

'Ik ga niet,' huilde Finch.

De grote Argentijn haalde gefrustreerd zijn schouders op. Hij was gekomen om de Amerikaanse met bevriezingsverschijnselen te helpen en nu wilde ze niet. 'Je moet! Je zet je voeten op het spel. Misschien jezelf wel.' Hij maakte een horizontale beweging over zijn luchtpijp.

Ze liet haar tranen de vrije loop, en het zout prikte in de barsten van haar wangen en mond. 'Ik kan niet zonder hem gaan. Eerst moet ik weten waar hij is.'

Mingma en de klimmer keken elkaar aan met een heimelijke blik, waarin de erkenning van haar verdriet besloten lag, maar niet de moed om deze onder ogen te zien.

'We vertrekken nu,' zei de man. Hij voelde zich niet op zijn gemak, maar zijn eigen behoeften hadden in zijn gedachten voorrang.

Finch legde haar handen op zijn armen en schoof hem toen zwakjes weg. 'Ga maar. Ik verander niet van gedachten.'

Hij knikte en ging weg. Mingma ging weer op zijn hurken naast haar zitten. Ted, Vern en Rix hadden hun bezittingen verzameld. Zwijgend stonden ze op een kluitje te wachten, sprakeloos, al de

lawaaierige bravoure lekte uit hen weg. Het was tijd om met de afdaling te beginnen. Ze waren allemaal te uitgeput om nog meer
uren op deze slopende plek door te brengen.

Met hangend hoofd ploeterde en strompelde Sam als een dronk-
aard voort. Soms gaf hij het op en gleed hij op zijn rug over de
ijzige helling, tot een instinct hem zei om zichzelf met de punt van
zijn ijsbijl een halt toe te roepen.
Hij was zonder gedachten en herinneringen. Het enige wat er nog
van zijn bewuste zelf restte, was een knoop van vastbeslotenheid.
Naar beneden, blijf doorgaan. Red jezelf. Blijf in leven.
Hij kwam langs een lijk. De andere dode man.
Ik niet. Ik ga niet dood.
Het licht werd sterker.
In de verre verte, een heel eind lager op de richel, zag hij twee nie-
tige figuurtjes. Hij kon niet zeggen of ze zich voortbewogen, het
waren niet meer dan stippen in het wrede landschap. Hij dacht
dat het hijzelf en Al waren.
Dat kan niet. Al is dood. Red jezelf. Blijf doorgaan, verdomme.
Doorgaan.
De figuren werden groter.

'Kijk,' zei Ken, naar boven wijzend. Er kwam een klimmer de hel-
ling af.
'Dat is een van ons, geloof ik,' zei Pemba.
'Maar één.'
Ze probeerden hun pas te versnellen.
Sam was nu zó dichtbij gekomen dat hij de uniformen van de
Mountain People kon herkennen. Zijn benen lieten hem in de
steek. Hij struikelde en viel voorover, zijn mond en ogen vulden
zich met sneeuw. Het was het moeilijkste wat hij ooit had gedaan:
zijn hoofd nog één keer optillen, in plaats van te blijven liggen
waar hij was gevallen.
Er gleed een arm onder zijn schouder, die hem steunde. Een an-
dere tilde zijn lichaam op en trok zijn capuchon naar achteren.
Zijn gezicht zat onder de sneeuw, zijn baard onder het ijs en zijn
bril was zwart voor zijn ogen.

'Het is Sam,' zei een stem.

Mingma knielde, maakte een fles open en drukte de warme drank in Sams hand, maar hij was te verdoofd om hem vast te houden. Het vocht stroomde over zijn benen. Mingma pakte de fles weer op en hield hem deze keer voor zijn mond. Zijn mond vulde zich met warmte en hij nam een weldadige teug.

'Sam, kun je me horen?' Ken Kennedy, zijn bleke gezicht grijs als het ijs. Een bevestigende knik.

'Waar zijn Al en Sandy?'

Proberend om een stem te vinden. Niet meer dan een gekras, maar hij zei het. 'Dood.'

In de stilte dronk hij nog een mondvol thee.

Ze maakten een nieuwe zuurstofcilinder voor hem klaar en hielpen hem bij het aansluiten. Hij ademde diep en het levensschenkende gas stroomde door zijn lichaam.

'Ben je in staat om verder te gaan?'

Nog een knik en hij stond op zijn benen, en pijnlijk liep hij tussen hen in.

Finch zag hen over de col aankomen. Sams langzame stappen kwamen recht op haar af, en bij de open flap van haar tent zonk hij in elkaar. 'Hij is dood.'

Haar ogen waren nu droog en hard. 'Ik weet het.'

Er waren handen die hen beiden wilden helpen, maar ze negeerden ze.

Sams mond bewoog, een onbeholpen poging waaruit zich bevroren woorden vormden. 'Hij heeft me gered.'

Finch keek in zijn ogen en registreerde wat ze daarin zag. Toen boog ze haar hoofd voorover, zodat haar voorhoofd even op zijn schouder rustte.

Ken gaf het nieuws door aan George Heywood. Het eerste wat moest gebeuren, was de overlevenden zo snel mogelijk beneden krijgen. Het evalueren van de situatie kon later gebeuren. Ze spraken kort met elkaar en vervolgens ging hij terug naar de aangeslagen groep om aanwijzingen te geven.

'We gaan nu meteen op weg naar het keteldal. De mensen van

Andrea Dos Santos wachten in kamp III om ons te assisteren. We maken een korte stop in kamp I en gaan zodra het licht wordt de ijswand afdalen. George zorgt dat er in het basiskamp een helikopter klaarstaat om Finch en Sam te evacueren, zodra we daar aankomen.'

Hij keek naar de nietszeggende gezichten. 'We moeten elkaar helpen.'

Rix was de enige die iets zei. 'We kunnen het. Dat heeft Al ons laten zien, en we moeten het nog een keer doen.'

Ze stelden zich zwijgend op een rij. Met Pemba voorop en Mingma en Namje die Sam en Finch ondersteunden, zetten ze zich in beweging. Rix, Ted en Vern sjouwden met hen mee en Ken vormde de achterhoede van wat er nog van de Mountain People-expeditie over was.

De telefoon rinkelde opnieuw in Wilding, Oregon. Het kostte Michael enige minuten om erbij te komen, maar de beller liet hem rinkelen.

'Hij leeft en is op de col, Mike. Ze brengen hem nu naar beneden.'

'En?'

'Hij is de hele nacht op de berg geweest. Onderkoeling, bevriezing. Ik weet nog niet hoe ernstig. Maar hij heeft de afdaling grotendeels zonder hulp gedaan. Hij is heel sterk. Twee andere mensen hebben het niet gehaald.'

'Dat spijt me,' zei Michael.

Toen hij had neergelegd, bleef hij staan waar hij stond en keek uitdrukkingsloos naar het ruwe gras, waar Mary's tuin eens was geweest, en de lege weg. Een oude man met een gehard gezicht en een kreupel lichaam, die niet wist wat hij moest doen met het onhandelbare besef hoeveel hij van zijn enig kind hield, en zich afvroeg waarom hij hem dat nooit had kunnen vertellen.

Angus Buchanan zat in zijn zwarte, leren stoel in zijn kantoor in een bronzen glastoren in Vancouver. Hij nam het dringende telefoontje aan dat zijn secretaresse had doorgeschakeld en luisterde naar het nieuws.

'Zodra we haar naar het basiskamp hebben gebracht, staat er een helikopter klaar om haar over te brengen naar het ziekenhuis in Kathmandu,' zei George tot slot.

'Nee.'

Angus' gedachten gingen bliksemsnel. Hij was een man die gewend was om, omgeven door asblond hout, inleg, fineer en politoer, verantwoordelijke beslissingen te nemen. Finch wist het misschien niet, maar ze was zijn lieveling, zijn dochter die hij aanbad en bewonderde, en hij zou, indien nodig, de hele wereld bewegen om haar een minuut eerder thuis te krijgen. 'Ik wil dat ze rechtstreeks hierheen wordt gebracht. Hongkong en dan naar Vancouver. Het zal op z'n hoogst twintig uur langer duren. Ik zal het regelen met de luchtvaartmaatschappijen.'

'Natuurlijk,' zei George.

Bij het krieken van de dag verlieten ze, na een donkere onderbreking in kamp I, de bescherming van hun tenten en begonnen aan de laatste afdaling van de ijswand. Finch moest voor het grootste gedeelte worden geholpen. Het weefsel van haar voeten begon te ontdooien en ze moest haar tanden op elkaar zetten om het niet uit te schreeuwen. Sam werd, toen ze lager kwamen en hij kon eten en drinken, steeds sterker. Hij deed het op eigen kracht, opgesloten in zijn eigen stilte. Toen ze de vlakte van de gletsjer bereikten, hoorden ze het zwakke gegons van de helikopter die op weg was naar de Khumbu.

Finch werd naar de medische tent gebracht. Ze kwamen langs Als dichtgemaakte tent en ze draaide haar hoofd om, slechts even. Adam Vries stond ernaast, zijn zonnige gezicht donker van de schrik. Op het stenen *puja*-altaar lagen de takken van de jeneverbes nog steeds te smeulen.

In de tent gaf ze zichzelf een diamorfine- en een antibioticum-injectie en maakte er nog twee klaar voor onderweg. Ze deed haar schoenen uit en pelde de sokken van het weefsel. De huid was donker en gezwollen. Met behulp van George en Dorje maakte ze de huid droog en wond haar voeten in een schoon verband.

'Waar is Sam? Ik moet naar zijn voeten en handen kijken voordat ik ga. Hij heeft ook een injectie nodig.'

'Met Sam komt het wel goed. Hij is taai.'

Hij heeft me gered. Dat heeft Al gedaan. Ze las het in Sams ogen. De blik die erin lag, was nieuw, met een onpeilbare diepte van verdriet en ontzag, waar voordien alleen de ongedwongen glinstering van plezier was geweest.

De helikopter landde en de rotors deden vlagen sneeuw opwaaien, wat in miniatuur een nabootsing was van de omstandigheden op grotere hoogte. Iedereen draaide zijn hoofd om. Op deze hoogte kon de machine maar één passagier meenemen. Finch moest eerst gaan. Met haar armen over de schouders van George keek ze, toen ze haar optilden, nog eenmaal naar de top van de berg. Toen draaide ze zich om naar Sam. Hij stak zijn hand op en forceerde een glimlach. Een huivering van herkenning ging door haar heen en verbond hen met elkaar.

Ze waren verbonden door wat ze hadden gezien en doorleefd, en de verbinding was gesmeed door Al. Ze konden die niet verbreken, zelfs niet als ze zouden willen.

George hielp haar op de stoel en maakte haar riemen vast. De piloot knikte en praatte in zijn microfoon.

'Het spijt me,' zei Finch.

Haar woorden gingen verloren in het geraas van de motoren. De helikopter verhief zich, schommelde heen en weer en bracht haar toen weg naar de vallei.

Sam zonk in elkaar op een rots, zijn handen hingen los tussen zijn knieën. Zijn vingers en tenen waren bevroren en Dorje maakte pannen met water warm om ze te gaan ontdooien. Toen het lawaai van de helikopter was weggestorven, maakte de verlatenheid van de plek hun persoonlijke stilte en wanhoop nog sterker. George Heywood vroeg hem: 'Vertel me eens precies wat er is gebeurd.'

Sam vertelde het allemaal, met als laatste het lichaamsgewicht van Al dat boven op hem lag.

Toen hij was uitgepraat, zei George: 'Ik moet het Als vrouw gaan vertellen.' Hij liep weg, en zijn schoenen maakten een krakend geluid op het gruis en het ijs.

Adam kwam naast hem zitten, maar geen van beiden zei iets. Afwezig stak Sam zijn hand in de zak van zijn jack, waarop nog steeds Adams naam stond, en haalde er het verfrommelde stukje glanzend papier uit. Hij knikte tegen Adam om het uit zijn verdoofde hand te pakken. De andere man streek het glad en samen keken ze ernaar. Het was een foto van een klein meisje op een strand, met haar haren in de wind en lachend in de camera.

'Zijn dochter,' zei Adam.

'Doe het weer in mijn binnenzak,' zei Sam. 'Ik neem het mee naar Engeland om het haar te geven.'

Dorje kwam met de pannen warm water en Adam hielp zijn vriend om zijn voeten erin te zetten.

Na een uur werd het gezoem van de helikopter weer hoorbaar, en een paar minuten later tekende de zwarte stip zich af tegen de blauwe lucht.

Adam hielp Sam in de stoel. De klimmers stonden in een sombere cirkel en staken hun hand op. George was nog in de communicatietent.

'Ik zie je weer in de vs, makker,' zei Adam. De piloot startte opnieuw de motoren en voor de tweede keer steeg de machine voorzichtig op van de gletsjer.

Zonder invloedrijke vrienden of familie die voor hem konden beslissen, ging Sam naar het ziekenhuis in Kathmandu. Tegen de tijd dat hij daar aankwam, was Finch al onderweg naar Hongkong.

12

De vrouwen van andere klimmers hadden haar verteld dat ze bijna wisten wanneer hét telefoontje kwam.

Bij het eerste gerinkel deed Jen haar ogen open. Op de wekker was het kwart over vijf. Buiten was het al licht en de vogels waren aan het zingen in de oude seringenboom, die ongesnoeid tegen de achterkant van het huis stond.

Ze pakte de hoorn op en luisterde naar de directeur van de Mountain People expeditie, die het nieuws vanaf de voet van de Everest doorgaf. De kamer was vol met vogelgeluiden.

'Juist,' zei Jen rustig aan het eind van het verhaal. 'Bedankt dat u 't me vertelt.'

'Ik vind het zo erg voor u,' antwoordde George.

'Dank u. Al en ik zijn namelijk gescheiden.'

Waarom moest ik dat nu zeggen? vroeg ze zich af.

'Al heeft een moedige beslissing genomen. Een jonge klimmer heeft de nacht overleefd omdat Al hem met zijn lichaam tegen de ergste kou heeft beschermd.'

Jen boog haar hoofd en dacht erover na. De stem aan de andere kant moest vragen of ze nog aan de lijn was. Ze bedankte hem nogmaals beleefd. Nu zei de man dat hij haar opnieuw zou bellen, later op de dag, wanneer ze wat tijd had gehad om zichzelf weer onder controle te krijgen, om over de praktische dingen te praten.

'Ik ben thuis,' zei ze tegen hem, alsof ze er anders niet altijd was.

Jen stond op en deed haar jurk en slippers aan. Ze ging stil langs de deur van Molly's kamer. Ze zou haar voorlopig nog laten slapen. Om wat krachten op te doen om de klap van het verdriet te kunnen verdragen. Jens hart kromp in elkaar van medelijden met haar dochter. Het was de eerste reactie die ze voelde op het telefoontje, waarvan ze altijd had geweten dat het vroeg of laat zou komen.

De keuken was kil in het vroege ochtendlicht. Twee katten sprongen van de sofa en kronkelden zich om haar enkels, omdat ze wilden eten. Ze opende de koelkast en vulde hun bakken, vulde toen de ketel en zette hem op. Ze maakte een kop thee voor zichzelf, ging bij het achterraam staan en ademde de geur in van de roze geraniums op de vensterbank. Al had nooit in dit huis gewoond, en dus waren de hoeken en alkoven zonder herinneringen.

In plaats daarvan dacht ze aan zijn lichaam, de contouren die in haar geheugen lagen en het offer dat hij had gebracht voor de andere klimmer. Door hem tegen de kou te beschermen.

In de grote dingen was Al altijd dapper en edelmoedig geweest. En elke beslissing die hij had genomen in al die jaren dat ze hem had gekend, was altijd doordacht geweest.

Jen dronk haar thee en keek naar de vogels en de tuin. Zelfs vandaag, een dag na zijn dood, was ze nog boos op hem. Vooral vandaag. Om halfacht zette ze een pot verse thee en bracht een kop naar boven. Het was een gelukkige toevalligheid dat er vannacht geen gasten in het huis waren geweest. Ze klopte op Molly's deur en opende hem; de geur van haar kind met daaroverheen de geuren van parfum, wierookstokjes en gymschoenen kwam haar tegemoet. Ze ging rechtop zitten, klaarwakker, zodra Jen haar schouder aanraakte. Jen zette de kop thee heel behoedzaam op het nachtkastje.

'Het is vader, hè?'

'Ja.'

'Wanneer?'

'In een storm, gisteravond. Hij heeft de top bereikt, maar tijdens de afdaling werden ze overvallen door het weer. Ze hebben het ons pas verteld toen ze het zeker wisten, toen de mensen met wie hij samen was weer beneden waren.'

Molly's gezicht leek zich te ontbinden. De gladde huid ging rimpelen en haar mond viel open. Jen nam haar in haar armen en hield haar tegen haar schouder. Molly huilde alsof het verdriet haar binnenstebuiten zou keren, en haar dochters verdriet raakte Jen in de diepten waar Al zelf niet meer kon komen, en ze huilde

262

haar eigen brandende tranen. De thee in het gebloemde kopje werd koud.

'Wat kunnen we doen?' jammerde Molly in haar ondraaglijke pijn. 'Ik wil hem terug. Ik wil mijn vader.'

'Ik weet het,' fluisterde Jen. Ze dacht na over de reikwijdte van haar eigen bankroet, haar onvermogen om op eigen kracht verdriet te hebben nog daargelaten. Al was altijd Molly's lieveling geweest, dacht ze. Evenals Molly altijd de hare was gweest, vanaf de dag van haar geboorte.

Wat een geluk dat ik haar heb. Haar armen sloten zich steviger om haar heen en ze krulde haar vingers om de zwarte strengen van haar haar.

De eerste storm was uitgeraasd en Molly hing slap in haar armen. 'Waar is hij?'

'Ergens boven de zuidcol.' Jen vertelde wat er was gebeurd. Molly was nog niet in staat om de betekenis van hetgeen hij had gedaan in zich op te nemen.

'Wat zal er met hem gebeuren?'

'Daar moeten we over beslissen. Of we willen dat ze... proberen hem beneden te krijgen en zijn lichaam naar huis laten vliegen. Of dat hij daar blijft, omdat hij op een plek is waar hij van hield.'

Molly rukte zich los uit haar armen en rende naar het raam. Met een ruk trok ze de gordijnen open en schreeuwde door het glas, alsof de Everest er vlak voor stond: 'Nee, ik wil niet dat hij daar blijft. Hij hield er niet echt van, hij deed het voor het geld. Verdomde bergen. Klotebergen. Ik haat ze. Ik wil niet dat ze hem houden.'

'Oké.' Het was beter om haar te laten geloven wat ze wilde. Maar zoals Al nooit een ondoordachte beslissing nam, zo deed hij nooit iets wat hij niet wilde.

Het meisje ging weer naar bed. 'Mam, het spijt me ook voor jou. Hij zei dat dit de laatste keer zou zijn. Je bent nog achter hem aan gerend toen hij wegging, weet je nog?'

'Ja, ik weet het nog.'

Ze sloegen hun armen om elkaar heen en legden zich neer in de beschutting van Molly's dekbed, waarop nog steeds de vaal geworden kinderrijmpjes stonden.

13

Het ziekenhuis was Finch niet onbekend. Hier hadden zij, Suzy en Dennis stage gelopen, en ze kende de versleten tegels op de achtertrap die leidde naar de koffiekamer van de medisch studenten in het souterrain en de stoffige kleine slaapkamers, waar de interne studenten tussen de nachtbelletjes door een dutje probeerden te doen. De geur van poetsmiddelen en antiseptica in de gangen viel haar niet eens op, omdat ze er zo lang mee had geleefd.

Ze had liggen dommelen, en toen ze wakker werd en Dennis naast haar zag zitten, was ze niet verbaasd, omdat hij hier hoorde. Het duurde nog zo'n twee seconden langer voordat de draden van bewustzijn kortsloten en ze zich realiseerde dat er iets ongewoons aan de hand was, waardoor alles op z'n kop kwam te staan.

Ze lag in een bed. Ze was een patiënt. Toen ze zich dit bewust werd, kwamen alle andere herinneringen terug en stapelden zich om haar heen op, en voordat ze het kon onderdrukken, ontsnapte haar een zuchtje dat klonk als een snik. Ze haatte het om wakker te worden en opnieuw haar intrek te moeten nemen bij haar verdriet. De pijn in haar gekwetste voeten was niet gering, maar het was niets in vergelijking met de kwelling om het zich steeds weer opnieuw te moeten herinneren.

Dennis' hand verstevigde zijn greep om de hare. 'Hai,' zei hij rustig. 'Ik zou wel eerder zijn gekomen, maar het was een paar dagen alleen maar familie.'

Finch herstelde zich en glimlachte naar hem. 'Jij bent familie. Dank je voor de bloemen.'

Hij keek naar de reeks vazen. 'Je zou een bloemenwinkeltje kunnen beginnen.'

'Dennis, ik ben zo blij je te zien,' fluisterde Finch.

Hij tilde haar hand op en wreef de knokkels tegen zijn wang. Dit lieve gebaar bracht haar bijna weer van streek.

'Hoe is het met de voeten?'

'Nog te vroeg om iets te zeggen,' was haar simpele antwoord. Men was bang voor gangreen, en haar eigen inschatting was dat ze van geluk mocht spreken als ze de tenen van haar linkervoet zou houden en haar hele rechtervoet. Ze was in staat om hier objectief naar te kijken, net zoals ze de fysieke pijn kon verdragen. Het was veel makkelijker dan met de herinneringen van de topdag en de dag daarna omgaan.

'Mag ik even kijken?'

Ze bewoog haar benen onder de dekenboog die haar benen beschermde tegen het gewicht van de dekens. 'Weet je zeker dat je het wilt?'

'Ik denk dat ik het wel aankan.'

Ze verwijderden de boog en haalden het verband van haar voet om ernaar te kijken. Dennis zette zijn gewone bril af en verving hem door zijn klinische bril, een gewoonte waarvan ze vele malen getuige was geweest, en ook dit gebaar was haar weer tot steun. Samen bekeken ze de kwetsuren.

De linkervoet was helemaal bedekt geweest met enorme blaren, die nu wegtrokken. Elke teen was een dikke zwelling van donker, verkleurd weefsel. De rechtervoet was helemaal zwart en het vlees was verschrompeld. De tenen stonden krom als een dierenklauw.

'Lieverd,' zei Dennis ten slotte.

Finch kon wel omgaan met de praktische kant van haar letsel, maar zijn medeleven kon ze niet verdragen. Vanaf het moment dat ze thuis was gekomen, had ze in een maalstroom van schuld en verdriet verkeerd. 'Er ligt schoon verband in de kast, daar,' wees ze.

Ze bedekten de zwart geworden voeten met lagen van antiseptisch wit. Toen het werkje af was, liep Dennis naar het raam en keek naar buiten. 'Het is een mooie dag. Wil je even de frisse lucht in?'

Haar glimlach was zijn beloning. 'Ja, graag.'

Hij vond een rolstoel, en samen kregen ze haar erin en sloegen een deken over haar benen. De helft van de mensen die ze onderweg voorbijkwamen, kende Finch, en hoewel ze elke groet beantwoordde, zag hij dat ze terugschrok voor de voortdurende stroom van bezorgde vragen en goede wensen.

Het was een heldere middag, warm voor midden mei. Dennis koos een pad door de ziekenhuistuinen dat langs rozenstruiken en bedden met verbena's liep. Finch zuchtte van opluchting en liet haar hoofd achterovervallen, zodat de zon koperen schijven achter haar gesloten oogleden smeedde. De zware lucht rook naar gemaaid gras en bloemen. Aan het eind van het pad stond een bank, in een hoek van de tuinmuur, met uitzicht op de Berrard-baai en de glinsterende muren en ramen van Noord-Vancouver, op de kustlijn aan de andere kant. Dennis zette de rolstoel op de rem en ging toen op het bankje ernaast zitten. Ze keken naar het snelstromende water en de rood met witte zeilen van de jollen die eroverheen vlogen.

Het was zo veilig en geruststellend hier, dacht Finch. Het was zoiets kostbaars en moois om te leven, een onverdiend geschenk, en het was leeg omdat Al dood was. Ze merkte dat ze zichzelf afvroeg, zoals ze al heel wat keren had gedaan in het ziekenhuisbed, hoe Jen en Molly Hood met hun verlies omgingen. Haar oogleden werden zwaar van de tranen, die op haar wangen druppelden, en vermoeid veegde ze die weg.

Dennis zag dat ze huilde. 'Ik denk dat elke beslissing over een amputatie zo lang mogelijk moet worden uitgesteld,' zei hij. 'Niet dat ik een expert ben. Ik weet zeker dat Amos Faulkner dat het beste weet.'

Faulkner was de arts die Finch onder zijn hoede had. Hij was met name gespecialiseerd in dermatologie, en zijn grootste hobby was golf. Bergbeklimmers waren voor hem mensen die hij met een zekere afkeuring en ongeloofwaardigheid bekeek.

Finch wreef met de rug van haar handen over haar ogen. 'Het gaat niet om mijn voeten. Behalve dat ik blij ben dat het niet nog veel erger is. Ik ben blij dat ik nog leef, wat ik helemaal niet heb verdiend. In al de tijd die ik erover heb kunnen nadenken, ben ik alleen maar tot de conclusie gekomen dat het niet zozeer egoïsme was om te proberen de Everest te beklimmen. Het was meer een luxe. En het verlies...'

Dennis zei: 'Je hebt verdriet. Ontkenning en dan boosheid. Boosheid op jezelf, op dit moment.'

'Verdriet,' herhaalde Finch. Het leek zo'n klein woord voor de immensiteit van het verlies. Voor de bataljons herinneringen die in haar hoofd rondmarcheerden en het lege exercitieveld van de toekomst. 'Ja. Niet om mijn voeten.'

'Ik heb gisteravond met Suzy gesproken. Toen ik wist dat ik vandaag naar je toe kon. En ze vertelde me dat je verliefd was op de man die is gestorven.'

'Een van hen,' zei ze. 'Er zijn twee mensen gestorven. Een van hen was een jongeman uit Australië. De andere was Al.'

'Waarom heb je niemand van ons hier iets over verteld voordat je erheen ging? Weten Clare en Angus het? Het Droomteam?'

Het Droomteam was Dennis' benaming voor de Buchanan broers. Finch' gezicht vertrok. 'Nee.'

'Finch, waarom niet?'

Hij was volhardend – ze wist hoe Dennis de meest afwerende patiënt de waarheid kon ontfutselen.

Ze fronste haar wenkbrauwen en liet haar handen leeg en met de palmen naar boven op de deken over haar knieën rusten. Hoe verkeerd was alles geweest, dacht ze. Hoe vastbesloten was ze geweest om zichzelf te bewijzen en zich te onttrekken aan de bezorgdheid van haar familie, sterk en succesvol in haar eigen recht.

Al was een onderdeel van die vastbeslotenheid geweest. Hij stond los van alles en was een geheim, alleen haar geheim, en de escalatie van haar klimambities was haar persoonlijke toegangsweg naar hem geweest. Ze had over het geheim gewaakt, had het zelfs voor Suzy verborgen gehouden, en ze had Ralf als dekmantel gebruikt. Misschien, dacht Finch, had ze zelfs opzettelijk hun scheiding verlengd tot vijf jaar, als een middel om hem uitsluitend voor zichzelf te houden.

En toen was hij binnen een paar dagen dood.

Het definitieve van de dood had ze niet in de hand, en nu werd ze blootgesteld aan verlies. Haar gezicht vertrok weer, deze keer bijna in een grimas om haar eigen fouten. Al, het spijt me. Ik heb spijt van mijn eigen ijdelheid en domheid. Van de verspilling.

En bovendien, Al was haar ook niet komen zoeken. Misschien om dezelfde redenen, die te maken hadden met de behoefte aan privacy en de dingen in de hand te willen hebben. Wat lijken we op elkaar, dacht ze.

'Waarom ik het jou en Suzy niet heb verteld? Hij was getrouwd toen ik hem ontmoette. Hij heeft me niet gevraagd om... om met hem verder te gaan. We gingen ieder een andere kant op.'

Maar dat was niet waar. We wisten beiden dat er een volgend hoofdstuk zou komen, wanneer we er klaar voor waren.

Dennis keek naar haar, wachtend.

Ze ademde diep. 'Nee. Goed. Ik dacht dat ik... sterk was. Dat ik niemand nodig had. Jullie zouden me raad hebben gegeven, me hebben gezegd het te vergeten of dat ik het anders moest doen.'

Misschien was het toegeven van dit alles een begin om het weer goed te maken.

Ze bedekte haar gezicht met haar handen en begon te huilen, echte tranen, de eerste die ze hier had geplengd. Het huilen escaleerde in een enorm, verscheurend gesnik.

Dennis bleef wachten, keek naar de boten op de baai en liet haar huilen. Finch snikte en veegde met de deken haar ogen af, en hij pakte een schone zakdoek uit zijn zak en gaf haar die.

Hij kende het mechanisme maar al te goed. Toen Stephen stierf, die met een andere homoseksuele man had samengewoond en niet eens Dennis' partner was geweest, was Finch er geweest om hem terzijde te staan. Ze was sterk geweest, zoals altijd.

'Zorg dat ze gaat praten,' had Suzy hem gisteravond gezegd. 'Ze zal tegenstribbelen, natuurlijk, maar ze heeft het nodig.'

'Ik kan me niet voorstellen hoe het was,' zei hij, toen het huilen bedaarde.

'De dood?' vroeg ze ongelovig.

'De berg.'

Ze ademde diep in, en toen nog eens, en bracht haar gezicht weer in de plooi om verder te praten. 'Ik haatte het. De onverzoenlijkheid. De manier waarop we er allemaal tegenaan gingen.'

Hij lachte flauwtjes. 'Ik dacht dat het een uitdaging voor je zou zijn in plaats van je afschuw op te wekken.'

'O, dat was ook zo. Voor alle mannen. Nee, niet alleen voor de mannen, voor mij ook. Opgefokt, koortsachtig, gehypnotiseerd door het verlangen hem te overwinnen.'

'Hmm. En Al?'

'Hij wilde hem beklimmen. Maar het was zijn werk. Heel moeilijk en gevaarlijk werk, slecht betaald en zeer veeleisend. Het was zijn verantwoordelijkheid om ons omhoog en weer omlaag te brengen, en dat was zijn hoofddoel. Dat heeft hij gedaan en zo is hij gestorven.'

Verspilling, met fout op fout, maar toch ondanks en ook juist vanwege de fouten heeft hij zijn werk tot het eind toe gedaan.

Deels door haar eigen verkeerde inschatting had ze geloofd dat hij ermee zou ophouden en de bergen de rug zou toekeren, alleen omdat zij het wilde. Of zelfs omdat zijn dochter het wilde. Na jaren met hem getrouwd te zijn geweest, had Jen dat begrepen en ze had het niet langer kunnen verdragen.

Er kwam weer een vraag terug, de vraag die ze in al die uren in het ziekenhuisbed had ontweken en die voortdurend in haar onrustige dromen weer naar boven kwam. Had Al geweten dat hij nooit van de bergen zou scheiden en was hij zelfs onbewust te ver de Everest opgeklommen? Zodat hij in plaats van het ene het andere offer kon brengen?

Ik weet het niet, gaf ze zichzelf als antwoord. Ik zal het nooit weten.

'Hoe is het gebeurd?' vroeg Dennis rustig.

Ze vertelde het in sobere, onverbloemde woorden, die de essentie van het verhaal weergaven en niets van de verschrikkingen van de storm of de hartstocht van de strijd die ze hadden gevoerd.

'Sam was anders dan de andere klimmers. Hij kwam er door een toeval bij, maar uiteindelijk was hij er net zo op gefixeerd als de rest. Precies zoals zijn vader het had gewild. Is dat niet ironisch?'

'Hij klinkt interessant,' zei Dennis, en keek haar aan.

'Werkelijk? Al was interessant voor mij. Ik wou dat je hem had gekend.'

'Ja, ik ook. Vertel me nog één ding, als je niet te moe bent. Wat voor gevoel is het, wás het, om zelf niet de top te hebben gehaald?'

Ze zag weer de lange, gebogen ruggengraat die zich boven haar verhief, wit van stuifsneeuw. En de gapende rots van de Hillary Step. Ze dacht na. 'Ik wist dat ik niet verder kon. Voordien ben ik er nooit zeker van geweest, over niets in mijn leven. Zelfs niet een beetje. Ik zei *ik kan het niet*, en het was de waarheid. Alle anderen gingen op de een of andere manier verder, de twee Amerikanen,

Rix en Sandy, Sam. Achter Al aan. Hij zei tegen me: kom met me mee, ik hou van je, en nog kon ik het niet. Zelfs niet voor hem. Je wilt weten hoe het was? Het was geen teleurstelling, verlies of nederlaag. Het was meer dan dat. Ik voelde nederigheid.'

Finch keek naar beneden, naar de deken over haar geblesseerde voeten. Vanuit de baai was er een briesje opgestoken en er woei een streng haren over haar mond. Het haar wegstrijkend, zei ze: 'Ik ben nooit nederig geweest, hè?'

'Nee,' stemde Dennis in. 'Veel dingen, maar dat niet.'

'Welnu, zo voelde het toch aan,' zei ze stil.

Het briesje maakte de middag plotseling koel en ze trok de deken dicht om zich heen.

'Ik rol je terug naar binnen.'

Toen ze haar kamer binnenkwamen, waren er nog meer bloemen gebracht. Ze las het kaartje. Ze waren van Ralf, met de beste wensen voor een volledig herstel. Dennis was in de weer met vazen en ze zat naar hem te kijken. De doorschijnende ronding van een bloemblad, de getande randen van bladeren en zware meeldraden kregen door haar bewustwording van de broosheid van het leven een kristalheldere schittering. Ze werd omringd door genegenheid en bezorgdheid en was geïsoleerd door verdriet. Met moeite probeerde ze deze twee ongelijken met elkaar in evenwicht te brengen.

Al was dood. Wat ze voor even waren geweest, was alles wat haar restte.

Wat er volgde, kon allemaal negatief zijn, of ze kon proberen een manier te vinden om er een andere wending aan te geven.

Het was te moeilijk. Haar geest liet haar in de steek. Liefde gaapte als een open wond, en de pijn was kwaadaardiger dan al het fysieke. Ze boog haar schouders om het af te schermen, omdat ze niet wilde dat Dennis het zag.

Dennis was klaar met het bloemschikken en deed een stap achteruit om zijn werk te bewonderen.

Finch zei: 'Het werk wacht, ik weet het. Het spijt me dat ik er niet ben. Kom je gauw terug?'

'Maak je geen zorgen over de praktijk. En natuurlijk kom ik gauw terug.'

Finch glimlachte. 'Je kunt tegen Suzy zeggen dat je me aan het praten hebt gekregen. Dat was toch de opdracht?'

'Ja. Ze wou dat zij hier was.'

'Ik weet het.'

Dennis hielp haar van de stoel terug in bed.

Ze sloeg haar armen om zijn nek, alsof dit simpele contact haar zou helpen om andere, meer gecompliceerde contacten, te maken. 'En, Dennis? Dank je.'

'Jij hebt mij geholpen, weet je nog. Toen Steve stierf.'

Natuurlijk, zo was het in theorie, begreep Finch. Zij zou het er in theorie ook mee eens zijn geweest dat het veel moeilijker is om hulp te aanvaarden dan te geven. Maar hoevéél moeilijker werd haar nu pas duidelijk, nu haar de andere kant van de levensmedaille werd gepresenteerd.

Wat voor dokter ben ik al die tijd geweest? vroeg ze zich af. Wat voor dochter en zuster, vanaf de tijd dat ik oud genoeg was om voor mezelf te denken?

Ze liet Dennis gaan met een kus op haar voorhoofd en leunde achterover in de kussens. Clare zou hier nu spoedig zijn, en Marcus had beloofd langs te komen. Ze onderwierp zichzelf bewust aan het vooruitzicht en probeerde haar ontwakend inzicht erin te verwerken.

'Vind je dat ik mijn moeder en vader en de jongens over Al en mij moet vertellen?'

'Vind je dat ík dat moet beantwoorden, of jij?'

Ze lachten tegen elkaar.

'Ga nu maar. Pas goed op de patiënten.'

'En pas jij maar goed op jezelf.'

Alleen gelaten, bestudeerde Finch de bloemen die hij op haar nachtkastje had achtergelaten. De overdaad van geur en compositie en de complexiteit van elke bloem vervulden haar met verbazing.

Ze had het gevoel alsof ze nog nooit eerder in haar leven goed naar iets had gekeken.

Michael stuurde zijn tien jaar oude Pontiac Sunbird de parkeerplaats van het vliegveld op, niet ver van waar Finch haar huur-

271

auto had achtergelaten op de avond van Suzy's en Jeffs huwelijk. Hij worstelde zich onhandig uit zijn speciaal aangepaste bestuurdersplaats, waarbij hij de deurrand als houvast gebruikte, zocht zijn evenwicht en hees zijn stok eruit. Hij reed zo weinig mogelijk, het was veel te veel gedoe, maar hij wilde Sam van het vliegveld halen. Hij stootte de deur dicht en liep weg zonder hem af te sluiten. Er viel niets te halen in die ouwe bak, dacht hij voldaan.

De aankomsthal was vol met mensen. Wie waren al die mensen en waarom hadden ze allemaal zo'n haast om ergens heen te gaan? Met één hand steunend tegen de muur hinkte hij naar het aankomsttijdenbord en inspecteerde het argwanend. Sam zou aankomen met een vlucht uit San Francisco die aansluiting had op zijn vliegtuig uit Nepal. Toen Sam hem vanuit het ziekenhuis in Kathmandu belde en hij de aankomsttijd had opgeschreven, had Michael geen moeite gedaan hem te vragen waarom hij naar Oregon kwam, in plaats van rechtstreeks naar Seattle te vliegen. Als er iets te weten viel, dacht Michael, zou hij het te zijner tijd wel horen. Hij liep de open ruimte door naar een rij stoelen en ging zitten met zijn handen over zijn stok geklemd.

Hij keek de verkeerde kant op toen Sam uit een menigte passagiers opdook. Sam zag hem het eerst; een man met een hoofd dat te groot was voor zijn verwrongen lichaam en met een frons die zijn gelaatstrekken in een knoop trokken. De aanblik gaf hem het vertrouwde gevoel van ergernis en genegenheid. Het verbaasde hem dat er niets was veranderd, ook al was zijn eigen wereld in een nieuwe baan terechtgekomen. Had je dan echt verwacht dat de oude man anders zou zijn? vroeg hij zichzelf af toen hij zijn bagagewagen in de trage stroom van passagiers voegde.

Michael keek op naar zijn zoon. 'Daar ben je dan.'

'Daar ben ik dan.'

Sam stak zijn hand uit en hielp zijn vader overeind.

Michael accepteerde zijn hulp en hield de hand vast. Hij keek even naar de lange barsten die de kou in de vingertoppen van zijn zoon had gemaakt, toen naar de witte plekken op zijn wangen, die het verwijderen van zijn baard had achtergelaten en de holte van zijn wangen alleen maar scherper deden uitkomen. Hij had heel wat mannen gezien die er net zo uitzagen als Sam, uitgemergeld en van een andere wereld. Hij was toen jaloers geweest; nu voelde hij alleen maar opluchting dat de jongen er was. 'Dus het is je gelukt,' zei hij.

'Tegen een prijs.'

'Het is nooit zonder prijs. Zullen we naar huis gaan?'

'Ja, graag.'

Het huis was voor de eerste keer een oase van stilte. Michael zette de televisie niet aan toen Sam zijn luttele bagage op het bed in zijn oude kamer deponeerde. De rest van zijn spullen zouden vanuit het basiskamp door de Mountain People naar huis worden gevlogen.

Adam Vries zou dat doen. 'Het meeste van deze rotzooi is van mij,' had hij door de telefoon tegen Sam gezegd.

Sam kwam uit zijn slaapkamer en ging in de leunstoel naast die van zijn vader zitten. Mike gaf hem een kop slechte koffie en hij dronk het op. Er ging een auto voorbij over de weg voor het huis en verdween richting stad.

'Ik ben blij dat ik hier ben,' zei Sam.

Michael knikte. Hij zat peinzend zijn koffie te drinken en staarde naar de foto's op de schoorsteenmantel. Sam vond het fijn dat hij niet onmiddellijk vroeg om een verslag van de tocht, of niet eens leek te verwachten dat hij zou praten. Hij liet de stilte in zich bezinken en ontspande zich.

Na vier dagen in het ziekenhuis van Kathmandu waren zijn gedachten niet uitgegaan naar Seattle, of naar Fran, hun gezamenlijke flat en ontwrichte levens, maar naar zijn vader. De dagen op de Everest en zijn vriendschap met Al hadden bij hem, als de grillige gevolgen van een aardbeving, onderaardse lagen naar de oppervlakte gebracht en andere bedolven.

Na een tijdje zei Michael: 'Dit is de eerste keer voorzover ik me kan herinneren dat je hier gewoon stilzit. Meestal ben je druk in de weer met naar de winkel te gaan en voorraden aanleggen, telefoonberichten beantwoorden en mij vertellen dat ik me meer moet bewegen.'

'Ik ben moe,' zei Sam. Niet alleen fysiek, hoewel hij dat ook was.

'Ga een paar uur slapen.'

Sam sliep de hele nacht, zonder te dromen, wat hij wekenlang niet had gedaan. De volgende dag ging hij in de zon voor het huis zitten en 's avonds keken hij en Michael naar televisie-soaps en een oude film van Clint Eastwood.

Er kwam weer een dag, en Michael ging met de Sunbird naar de stad om wat inkopen te doen. Toen hij terugkwam, bracht Sam de zakken naar binnen en zette de pakken en flessen in de haveloze kasten. Hij herinnerde zich hoe sierlijk zijn moeder zich in dezelfde ruimte bewoog. Een brok van emotie kwam in zijn keel en vond in woorden zijn weg naar buiten. 'Ik heb jullie namen opgesomd, op de top. Ik geloof dat ik ze heb geschreeuwd, en de wind heeft ze meegenomen naar Tibet.'

Michael vouwde de gebruikte bruine zakken op en legde ze in een oude canvas zak die achter de tuindeur hing, net zoals Mary dat altijd had gedaan. Er is hier nog zoveel van haar, dacht Sam. Hij moet haar elke dag nog missen. En hij vroeg zich af hoe het zou zijn om op dezelfde manier met Finch te leven, de door routine gekleurde dagen samen te delen, twee delen van hetzelfde organisme, wat hij en Frannie nooit waren geweest.

'Dat is fijn om aan te denken. Je moeder zou trots zijn geweest.'

Sam draaide zich om, nog steeds met de lading emotie in zijn hoofd en vroeg: 'Kun je niet zeggen dat *jij* trots bent?'

Michael zette zich weer schrap en kneedde met zijn vingers de gelamineerde rand van de keukentafel. 'Denk je dat ik dat niet ben?' Er lag zó'n verbazing in zijn stem dat Sam er niet aan kon twijfelen. Ik ben degene die een opleiding heeft gehad en heeft geleerd zijn gevoelens onder woorden te brengen, dacht hij plotseling beschaamd. Ik maak me er schuldig aan ze niet te gebruiken.

'Nee. Dat heb ik altijd gedacht, maar nu niet meer.'

Hij trok een van de houten stoelen onder de tafel vandaan en bracht Michael erheen. Hij installeerde zichzelf ertegenover en meteen begon Michael te praten. Beiden hadden ze op dit moment gewacht en nu was het er, nam hen helemaal in beslag.

'Ik ben trots, jazeker. Mijn zoon en de Everest. Mijn zoon de bergbeklimmer.' Hij grinnikte even als vanouds en werd toen weer ernstig. 'Ik weet dat er zich een tragedie heeft afgespeeld, dat maakte het voor jou moeilijk om je eigen prestatie te vieren. Maar ze is er wel. Niemand kan die van je afnemen of zeggen dat je de

beklimming niet hebt volbracht. Maar je bent er toch niet heenge-
gaan omdat ik het wilde? Je hebt niet tegen jezelf gezegd: hé, ik ga
de grootste beklimmen omdat ik wil dat mijn vader trots op me is.'
'Nee. Ik ging om een vrouw.' Sam stak zijn hand op om aan te
geven dat dit niet van belang was in deze opening tussen hen. 'Ik
ben haar gevolgd en heb me een plaatsje in de expeditie verwor-
ven. Maar toen ik er eenmaal was, kwam ik in de ban van de berg.
Wilde ik naar de top.'
Michaels mond werd even een wetende, gebogen lijn, als een erkenning van hetgeen was gezegd.
'En ik kwam ook in de ban van Al Hood en ten slotte van een versie van jou. Hoe hoger ik kwam en hoe moeilijker alles werd, des
te dieper kwamen jij en Al in mijn gedachten. Hij was veeleisend,
zoals jij eens was, maar ik kon aan zijn verwachtingen voldoen
zoals ik nooit aan de jouwe leek te kunnen voldoen toen ik jong
was. Toen we elkaar eenmaal begrepen, was hij ook vrijgevig met
zijn waardering. Ik denk dat we elkaar inderdaad begrepen. We
hielden van dezelfde vrouw; het was een competitie, en op een
avond sloeg hij me, maar het was tevens een bondgenootschap.
Op de laatste dag vertrouwde hij haar toe aan mijn hoede. Niet dat
ik het geweldig heb gedaan.'
'En toen?'
'Alleen hij en ik waren nog op de berg. En jij, op de manier zoals
je tussen ons in paste. Jij was net zo goed bij me als Al toen ik aan
het klimmen was, alsof je naast me stond. Ik praatte met je. Onsamenhangende gesprekken, die ik graag in het echt met je had
gehad. Misschien zoals we nu samen praten.
Het was laat toen we teruggingen en het weer werd slecht. Er ver-
dwaalde iemand en stortte in een afgrond. Al en ik hebben naar
hem gezocht, maar toen verdwaalden we zelf. We hadden geen
zuurstof meer. Het werd gissen. Ik kan me niet alles meer herinneren. Maar we hebben een schuilplaats gegraven, of iets wat daarop
leek, en kropen tegen elkaar aan en wachtten af. Ergens in de nacht
is Al bovenop me gaan liggen. Ik bleef warm door zijn warmte. Toen
het weer licht werd, was ik bij bewustzijn en in staat verder te gaan
met afdalen. Maar Al was dood. Dat heeft hij voor mij gedaan.'
'Een daad van grote wilskracht. Zichzelf voor jou.'

'Als je wilt. In elk geval een daad van grote edelmoedigheid.'
Michael wreef met de rug van zijn hand over zijn neus en keek door het geribbelde glas in de tuindeur. Sinds Mary's dood had Sam hem nooit meer tot tranen toe bewogen gezien. Hij doorbrak de taboes en barrières die ze tussen zichzelf hadden opgeworpen en nam zijn vaders hand, en tot zijn grote voldoening probeerde hij hem niet terug te trekken. Sam keek naar de vertakkingen van blauwe aderen en uitgerekte pezen onder de sproeterige huid. Zijn blessure en de jaren van invaliditeit deden Michael er ouder uitzien dat hij in werkelijkheid was.

Michael zei: 'Zal ik je eens wat zeggen? Ik ben jaloers op hem. Hij heeft dat voor mijn zoon gedaan. Ik wou dat ik het had kunnen doen.'

'Nee.'

'In plaats van de troep waarmee ik je heb opgezadeld.' Hij keek naar zijn onderlichaam. 'Solistisch staaltje van arrogantie. Dacht dat ik groter was dan het probleem. Dus val ik eraf en breek mijn rug, en heb zowel jouw als mijn eigen leven verziekt.'

'Al was arrogant. Hij deed wat hij wilde doen. Terwijl jij hier bent gebleven en voor moeder en mij hebt gezorgd. Als je weg was gegaan, naar de Himalaya, was je misschien minder...'

'Verbitterd.' Mike zei het woord moeiteloos, alsof het al vaak in zijn gedachten was geweest.

'Ik wilde zeggen: teleurgesteld. In mij, alsook in de manier hoe het is gegaan.'

De keuken was gevuld met de middagwarmte, het gebrom van de koelkast en het gezoem van een kapotte buis in de ouderwetse neonverlichting.

'Ik ben niet teleurgesteld in je, zoon.'

De kleine huiselijke geluiden veranderden niet van toon en de zon vervolgde zijn baan door de fletse lucht. De twee mannen bleven nog even zo zitten, toen liet Sam zijn vaders hand los.

'Je hebt mijn leven ook niet verziekt.'

Ze verschoven hun stoelen, bewogen hun schouders en voeten. Ze waren niet gewend aan intimiteit, en beiden begrepen ze het teken om verder te gaan met hun bezigheden, te gaan opruimen in het kielzog van hun bekentenissen.

Zo zou het waarschijnlijk altijd tussen Michael en hem zijn, begreep Sam. Maar vandaag had hen beiden geraakt. Hij was teruggekomen in Wilding, in de hoop precies deze weinige woorden uit
te wisselen.

'Wat ga je nu doen?' vroeg Mike.

'Goeie vraag.'

'Terug naar Seattle?'

Hij kon hier niet eeuwig blijven, zich verbergen in zijn jongenska-
mer, proberen om in het reine te komen met de dood en de opof-
fering. 'Ik zal terug moeten, maar ik blijf niet. Ik denk dat ik misschien mijn aandeel in de zaak aan mijn partners ga verkopen en
ertussenuit knijp, wat ga reizen.'

Michael knikte. 'En de vrouw die je achternazat?'

'Ik weet het niet.' Hoewel hij het wel wist.

Vroeg in de middag, nadat hij wat had gekookt en ze hadden gegeten en Michael had opgeruimd, ging Sam naar zijn slaapkamer.
Hij ging achter zijn krappe bureau zitten en schreef twee brieven.
Het was lang geleden dat hij had geprobeerd iets zonder scherm
en toetsenbord te schrijven, en hij wist niet zo goed wat hij moest
doen met de pen en het papier die Mike hem had gegeven en hem
het gevoel gaven dat hij, weer net als vroeger, op een zomeravond
met een scriptie zat te worstelen.

Voordat hij aan de eerste brief begon, haalde hij een foto uit zijn
portefeuille en zette hem tegen de muur vóór hem. Molly Hood
lachte lang geleden op een strand in de camera.

'Lieve Jen en Molly,' schreef hij. 'Al heeft over jullie gepraat en ik
wilde jullie precies vertellen wat er is gebeurd en wat hij heeft gedaan. Ik heb mijn leven aan hem te danken, zoals jullie al weten.'

Hij vertelde het verhaal en goot het in gejaagde zinnen, zonder
constructie, precies zoals hij het zich herinnerde. De foto had in
Als binnenzak gezeten, legde hij uit. Hij vond hem toen hij naar
de radio zocht.

Aan het eind, toen hij alle feiten had verteld, schreef hij dat hij
nog nooit iemand als Al had ontmoet en dat hun korte vriendschap hem diep had aangegrepen. Hij zei dat hij meeleefde met
hun grote verlies en dat hij hoopte hen te zijner tijd persoonlijk te

ontmoeten. Toen vouwde hij de vellen papier op en legde ze aan de kant.

De tweede brief kwam minder snel. 'Lieve Finch', stond zo kaal op het blauwe velletje papier, maar iets intiemers leek hem aanmatigend. Hij schreef dat hij bericht had gekregen van George Heywood en Adam Vries en dat hij had gehoord dat heel ernstige gevallen van bevriezing soms wonderbaarlijk konden genezen. Hij zou aan haar denken, zei hij, en als hij wist hoe hij moest bidden, zou hij dat ook doen. 'Ik kan niet weten hoe je moet lijden door Als dood. Ik kan er alleen naar gissen en je mijn liefde en medeleven zenden. Hij was een opmerkelijke man en hij heeft mijn leven gered, en zijn edelmoedigheid is onnoembaar.'

Daarna zat Sam een paar minuten op de pen te bijten. Er waren duizenden dingen die hij tegen haar wilde zeggen, maar hij beheerste zich. Hij beschikte nu over een fijngevoeligheid die hem voordien was onthouden. Aan het eind schreef hij alleen dat hij niet wist wat hij de komende maanden precies zou gaan doen, maar dat ze in zijn gedachten zou zijn. En dat hij haar weer zou zien.

'Met liefde, zoals altijd, Sam.'

Michael klopte op de deur. 'Wil je een biertje?' riep hij.

'Ja, graag.'

Hij wipte het dopje van de fles die Michael hem aanreikte en proefde het zilveren schuim. De brieven lagen samengevouwen vóór hem. De adressen had hij van George Heywood gekregen.

'Heb je enveloppen?'

'Ergens.' Hij kwam dichterbij en wierp een blik op de foto.

'Wie is dat?'

'De dochter van Al Hood. Ik stuur hem aan haar terug.'

Mike liet zijn gewicht op de hoek van het bureau rusten en bekeek de foto. Zijn gezicht werd zachter, alsof hij naar iemand keek die hij kende. 'Leuk meisje.'

'Is een tijd geleden genomen. Ze is nu bijna volwassen, denk ik.'

'Moet een herinnering voor hem zijn geweest, een speciale dag, dat hij deze ene foto met zich mee heeft genomen. Ik kan me ook een dag herinneren.'

Sam wachtte en keek hem aan.

'We waren samen op de rotsen. Je was halverwege een aardig probleempje en plotseling riep je naar me en zei dat je niet verder wilde. Zeker en vastberaden. En je ging naar beneden, en maakte jezelf los en rende de bossen in. Ik wist toen dat je een eigen willetje had en dat je, wat je ook zou gaan doen, het tot een goed eind zou brengen.'

'Ik kan me die dag ook nog herinneren,' zei Sam.

Ze keken nog een avond samen naar de soaps.

De volgende ochtend vond Sam een paar oude gymschoenen in zijn kast en ging hardlopen. Hij nam weer de route rondom het meer, en nu waren de struiken dik van de bladeren, en in het riet aan de waterkant was het druk met eenden. Hij betrapte zich erop dat hij de vogels bekeek en de minieme rimpeltjes die zich in hun kielzog verspreidden, en zijn tempo werd langzamer en zijn ritme ongelijk. Het licht dat op het water glinsterde was zó intens dat het hem duizelde.

Hij bleef nog drie kilometer doorrennen en dwong zichzelf zijn concentratie naar binnen te richten. Het verraste hem hoe sterk hij zich voelde, ondanks het gewichtsverlies, de gedeeltelijk genezen bevriezingsverschijnselen aan zijn voeten en alle andere roofbouw van de Everest, maar toch liep hij nog niet zoals het hoorde. De machine die eens met minutieuze precisie had gedraaid, leek nu te rammelen. Hij ging weer over in een wandelpas. Het smerige pad was aangenaam zanderig en stevig onder zijn voeten, en bij elke stap steeg er een wolkje stof op. Boven bij het meer stond een groepje douglassparren, en toen hij ze bereikte, ging hij van het pad af en zette zich neer in de purperachtige schaduw van de bomen.

Meteen gingen zijn gedachten uit naar Al. Hij zou nu graag met hem willen praten, hier, waar de late lentenevel van groen en goud zo'n groot contrast vormde met de hardvochtige hoogten. Ze hadden op het gras kunnen zitten, over hun jeugd en hun eerste liefde kunnen praten en elkaar de kleine dingen van het leven kunnen vertellen, waarvoor ze nooit de tijd hadden gehad. Hij had graag willen horen hoe hij Finch had ontmoet en hoe het was geweest. Maar dit zou nu nooit meer gebeuren. De plaats die hun vriendschap had moeten innemen, voelde nu leeg aan. Het was de meest indringende vorm van verdriet, het rouwen over wat er nooit zou zijn.

Hij boog zijn hoofd en bestudeerde de grassprietjes. In zijn gedachten vormden zich sprakeloos de woorden: dank je. Sinds hij van de berg af was gekomen, had hij vaak genoeg geprobeerd om enige zin te vinden in wat Al voor hem had gedaan. De grootsheid van zijn edelmoedigheid vervulde Sam voortdurend met ontzag en ongeloof. Daarnaast belastte het hem met de noodzaak op de een of andere manier een dergelijk geschenk waardig te zijn, het leven en de toekomst van een andere man. Als Al dit voor hem had gedaan, hoe kon hij het dan laten gebeuren dat zijn bestaan brak en zinloos bleef?

Terwijl hij in de geurige schaduw zat, deed hij Al een belofte: ik verdien het niet wat je voor mij hebt gedaan. Ik verdien het niet om hier te zijn, terwijl jij er niet bent, maar als ik het wél verdien, als ik het móét verdienen, dan zal ik proberen het goed te doen. Zonder compromissen, omdat jij een man zonder compromissen was.

Het eerste was, dacht Sam, om zich uit het web van zijn oude leven te bevrijden. Hij had zijn werk slecht gedaan, had een heleboel halfhartige beslissingen genomen. Hij had Frannie ongelukkig gemaakt, die dat niet verdiende.

Wat er daarna zou gebeuren, zou beter en doorzichtiger zijn, omdat hij daarvoor zou zorgen.

Hij krabbelde overeind, sloot zijn vingers in elkaar, rekte zijn armen en schouders. Hij ging weer hardlopen, langzaam de steile helling op, door nog meer sparren naar de top van de richel, en toen sneller naar de asfaltweg die naar zijn vaders huis leidde.

Er was geen verlangen meer in zijn lichaam. Hardlopen was niets meer of minder dan hardlopen, een man die over de weg stampte, met zo nu en dan een auto of pick-up die onverschillig passeerde en een pufje wind in zijn kielzog achterliet. Al die tijd had hij hardgelopen omdat hij iets wilde bewijzen, maar er viel hier niets te bewijzen.

Mike had nog een pot smerige koffie gezet. Hij gaf Sam een kop toen hij door de deur binnenkwam. 'Een goeie tijd?'

'Het hardlopen? Ik weet het niet.' Sam boog zijn schouders en hield een oogje op de schuimachtige, bruine meniscus in zijn koffiekopje, om er zeker van te zijn dat hij niet over de rand ging. 'Ik denk dat ik het ben ontgroeid.'

Mike moest hoesten en lachen tegelijk. 'Ik heb altijd wel gedacht dat dat zou gebeuren.'

Een seconde later lachte ook Sam. Er valt niets te bewijzen, dacht hij. 'Ja. Dus dat had jij altijd al gedacht. Luister, ik denk dat ik de luchthaven maar eens bel om te horen of er vanavond een vlucht is.'

Het was tijd om terug te gaan naar Seattle, om te beginnen met het afronden, zodat er een nieuw begin kon worden gemaakt.

De oude man knikte. 'Ik ben blij dat je eerst hierheen bent gekomen,' zei hij. 'Dat waardeer ik.'

Sam zei tegen hem: 'Dat wilde ik. Ik wilde vertellen wat we hebben gedaan.'

'Ja. Goed dan. En jij hebt als eerste de Everest beklommen.'

'Niet alleen,' zei Sam zacht.

Mike maakte een moeizaam gebaar, dat eindigde in een ruk van zijn schouders, die hij tot aan zijn oren optrok en weer liet zakken. 'Ik ben trots op je, hóé je het ook hebt gedaan. En ik neem aan dat je weet dat ik van je hou,' mompelde hij.

'Dat weet ik. En ik hou ook van jou.'

Zijn vader pakte zijn stok en priemde hem in de ijle lucht.

'Nou, goed dan. Ga nu maar bellen.'

14

Eind mei stuurde Finch vanuit haar ziekenhuisbed een e-mail naar Suzy met het laatste nieuws van de medische ontwikkelingen: 'Gangreen gaat nu niet verder, maar de bloedcirculatie naar de aangetaste gebieden geeft geen verbeteringen te zien. Operatief ingrijpen om dood weefsel te verwijderen lijkt onvermijdelijk. In het orthopedisch team zit natuurlijk ook Taylor Buckaby. Ik had thuis moeten blijven, zoals Maddie. Ik weet dat hij dat denkt.'

En Suzy antwoordde: 'Je had niet thuis moeten blijven. Dat is ook niet wat je zelf echt vindt. Je wist wat je wilde en je hebt het gedaan, en dat is bewonderenswaardig. Ik weet hoe dapper je bent – als ze moeten amputeren, dank dan God dat je nog leeft en dat het niet erger is. We zouden hem niet als echtgenoot willen, maar Taylor is een goede chirurg. Ik kom zo gauw ik kan om een paar dagen bij je te zijn. Je ziet me wel komen.'

Finch las de boodschap.

Ik ben alleen niet moedig, dacht ze.

Ik weet niet hoe ik zonder Al moet leven. Ik weet zelfs niet wat iedere andere patiënt in dit ziekenhuis wél weet, bijvoorbeeld hoe ik het vooruitzicht op ziekte en invaliditeit moet dragen.

Al de jaren die ze tot nu toe had geleefd, leken gekleurd door voorrechten en bekrachtigd door haar veronderstelling dat ze altijd sterk zou zijn en het recht aan haar kant had. Nu huilde ze, met wanhoop vervuld door immens verdriet en hulpeloosheid.

Twee dagen later amputeerden Taylor en zijn collega's drie tenen van haar linkervoet en de hele rechtervoet tot boven de enkel. Ze onderwierp zich aan de medische procedure omdat ze wist dat er geen alternatief was, en ze vocht om het verlies van haar vlees en botten te accepteren, met het gevoel dat ze werd gestraft omdat ze niet goed op zichzelf had gepast, en zelfs op het meest cruciale moment hulpeloos was. Ze had een kleine vergissing gemaakt toen ze haar schoenen op de Lhotse-wand had vastgemaakt, en een veel grotere op de col, toen ze er geen rekening mee had gehouden wat natte schoenen zouden betekenen. Het was waar dat ze uitgeput was en zuurstofgebrek had, maar betere bergbeklimmers zouden in dezelfde omstandigheden niet dezelfde fouten hebben gemaakt. Ze had gefaald, dacht ze, en had daarbij ook nog andere klimmers in gevaar gebracht. En ze was in het begin van de expeditie zo arrogant geweest om te denken dat ze voor andere mensen kon zorgen. Nu leken de met elkaar verweven draden van oorzaak en verantwoordelijkheid bij haar te beginnen en zich helemaal door de storm heen uit te strekken naar de catastrofe van twee doden.

Niet alle fouten waren de hare, dat geloofde ze nu ook weer niet – Rix had het momentum van de tragedie versneld, en Sandy, en misschien zelfs Al wel – maar zij had haar bijdrage geleverd.

In zekere zin leek het niet meer dan rechtvaardig om tenen en een voet te verliezen voor een dergelijke belichaming van zwakte en trots. En in de diepste diepte van zichzelf worstelde Finch met haar verlies als een ontoereikende genoegdoening voor het feit dat ze leefde, zelfs als kreupele, terwijl Al dood was.

Toen Suzy op de dag van de operatie in het ziekenhuis kwam, trof ze daar Clare en Angus Buchanan, die in een zijkamer zaten te wachten tot Finch zou terugkomen uit de operatiekamer. Natuurlijk waren ze hier – Finch' ouders waren er altijd. De familie was hun eigen kunstwerk. Maar toen Angus haar kuste en Clare Suzy's hand tussen de hare hield, schaamde Suzy zich voor haar cynisme. Clare probeerde niet te huilen, en Angus hield een beschermende arm om haar schouders. Hun gezichten waren vertrokken van bezorgdheid en Clare was niet opgemaakt en slordig gekleed, zoals Suzy haar nog nooit had gezien. Ze gingen op drie rechte stoelen zitten, met een lage tafel en een kom met verlepte bloemen tussen hen in. Het was weer een zonnige middag en de vloer werd gestreept door bundels zonlicht.

'Finch zal blij zijn dat je er bent. Ik ook. Ze vertelt ons nooit iets, maar ik weet dat ze met jou wel zal praten,' zei Clare.

Suzy legde haar vlakke hand beschermend over haar dertien weken oude zwangerschap. Hoe kon je verhinderen dat je kind na het doorsnijden van de navelstreng door wrok zover van je af zou komen te staan?

Er kwam een verpleegster binnen. 'Dokter Buchanan is wakker. U mag even bij haar.'

'Gaan jullie maar. Ik blijf hier wachten,' zei Suzy.

Even later kwamen Clare en Angus terug.

'Hoe is het met haar?'

'De operatie is goed verlopen. Ze vraagt naar jou.'

Suzy had niet verwacht dat ze medelijden met Finch' ouders zou hebben, maar dat was nu wel zo. De schone schijn was doorzichtig geworden en ze zagen er verbijsterd uit, en bedroefd en oud.

Finch lag ondersteund door kussens in haar kamertje met een slang aan haar arm geplakt. Er was niet veel verschil tusen haar gezicht en de kussens. Ze probeerde te glimlachen toen ze Suzy zag en knikte naar de dekenboog over haar onderbenen. 'Kleivoeten,' mompelde ze.

'IJzeren wil,' was Suzy's reactie. 'Je weet dat prothetische atleten even hard en ver kunnen springen als niet-geamputeerden?'

Zonder woorden strekte Finch haar armen uit naar haar vriendin en Suzy hield haar vast. Ze drukten hun gezichten tegen elkaar en Suzy fluisterde: 'Je leeft. Ik ben zo dankbaar!'

'Dat verdien ik niet.'

Finch ademde diep in, in een poging zich te beheersen, toen kwam er een breuk in de verdedigingslinies en eerst kwam er boosheid naar buiten, waarbij ze blindelings tegen Suzy schreeuwde: 'Ik verdien het niet,' gevolgd door een vloedglof van tranen. Suzy hield haar vast, streek over haar haar en maakte sussende geluiden, alsof ze een kind was. Over Finch' hoofd heen zag ze door het raampje Taylor Buckaby aarzelen, en met een kleine beweging van haar vingers wuifde ze hem weg. Ze trok een handvol tissues uit de doos op het nachtkastje en begon het gezicht van haar vriendin af te vegen.

'Ik heb nog niet goed om hem gehuild,' barstte Finch los.

'Huil dan.'

'Niet alleen om Al,' voegde ze eraan toe. 'Om Sandy Jackson en al die mensen.'

De dode man in zijn gehavende kleren. De stenen gedenktekens op het door de wind geteisterde Khumbu-plateau, die elk een verloren leven vertegenwoordigden. Spider. En de mensen die achtergebleven waren, Als vrouw en kind, Ang en de anderen, en Mingma met zijn *puja*-vuur.

Terwijl Suzy haar vriendin dicht tegen zich aan hield, dacht ze dat als ze ergens in tekortschoot, het wel daarin was dat ze altijd zo sterk was geweest. Ze had haar nog nooit zo zien huilen als nu, om de triestheid van alles. Ze streek haar over de schouder, en onder het blauwe operatiehemd kwamen haar vingers in aanraking met een gerafelde en verschoten rode zijden draad die om haar hals zat.

'Ga niet weg. Ik heb je nodig,' smeekte Finch.

'Ik ga niet weg. Taylor zal me weg moeten slépen,' antwoordde Suzy. Ze kon zich niet herinneren dat Finch ooit had bekend dat ze iemand nodig had. Geen wonder, dacht ze, dat ze verliefd was geworden op een man als Alyn Hood, die nergens bij hoorde, bij niemand, en wiens ontwrichte wilskracht waarschijnlijk de hare had geëvenaard.

Ten slotte viel Finch in slaap, met haar hand in die van Suzy geklemd. Suzy maakte voorzichtig haar vingers los en liep de gang op, waar ze Taylor tegenkwam.

'Je bent veel te lang gebleven,' zei hij berispend.

Suzy deed alsof ze het niet hoorde. 'Hoe staat het ervoor?'

Hij vertelde haar de medische bijzonderheden. De operatie was voorspoedig verlopen en ze zouden haar gaan revalideren, in de prothetische geneeskunde was grote vooruitgang geboekt.

'Het komt wel goed met haar,' zei Suzy.

'Natuurlijk,' zei Taylor met iets van scherpte in zijn stem, omdat hij er ten onrechte van uitging dat ze hiermee Finch' fysieke herstel bedoelde.

Twee dagen later werd Finch voor het eerst naar de fysiotherapie gebracht. Ze lieten haar het verwarmde zwembad zien, waar ze weer zou leren zwemmen, en de brug waartussen pas geamputeerden hun eerste schuifelende stappen leerden zetten. De zaal was vol mensen met onderbeenprothesen, metalen veren en hydraulische gewrichten, die in de weer waren op de tredmolens, en vanuit haar rolstoel keek ze gefascineerd toe. Dit was anders dan toen zij als medisch studente met een zeker ongeduld eenzelfde plek had bekeken. Nu was het alsof ze een drenkeling was, aan wie een reddingslijn werd toegeworpen.

'Wanneer begin ik?' vroeg ze de therapeut.

'Op krukken, een paar stappen, over een paar dagen.'

Het was een opluchting om precies te weten wat haar te wachten stond. Vóór de operatie had het vooruitzicht op amputatie haar gedreigd te vermorzelen. Ze was zo sterk geweest en had haar kracht altijd voor lief genomen, en nu deinsde ze terug en werd ze gedwongen zich op de hulp van anderen te verlaten. Maar plotseling, bij het zien van deze mensen in de revalidatieruimte, begreep ze dat ook zij iets kon doen aan het gehandicapt zijn. Het was meetbaar.

De uitgestrekte leegte van verlies had oneindig geleken, ze leek erin te verdrinken, en nu was er een lijn om zich aan vast te klampen.

Toen ze werd teruggerold naar haar kamer zag ze dat Dennis er was geweest met een stapel post die hij uit haar flat had meegenomen. Er was een brief bij in een bruine envelop, die was geschreven op velletjes blauw gelinieerd papier, en direct toen ze hem zag, wist ze dat hij van Sam was. Gretig begon ze te lezen.

Hij was heel kort. Toen ze de drie zinnen over Al las, hief ze haar hoofd op en rechtte haar rug en keek over de vierkant omzoomde dekens van haar ziekenhuisbed door het raam naar buiten. De herinneringen hielden haar overeind, en vandaag waren haar ogen helder in plaats van mistig door tranen.

Ze vouwde de brief weer op en legde hem weg, zich afvragend waar Sam de volgende paar maanden heen zou gaan en waarom. Hij zei het niet, maar ze wist dat hij aan het herstellen was van oppervlakkige bevriezingsverschijnselen en de gevolgen van de topbeklimming. George Heywood had haar zoiets verteld.

Het zou een bezoeking zijn geweest om met hem over de berg en Al te praten, maar tevens voelde ze een sterke innerlijke behoefte. Ze realiseerde zich nu dat ze half had verwacht dat Sam in Vancouver zou opdagen, of haar tenminste zou bellen, en de gedachte aan zijn afwezigheid deed haar beseffen dat ze hem zou missen. Er stond niet eens een adres boven het blauwe vel papier. Als ze zou willen terugschrijven, moest ze dit via George en de Mountain People doen.

'Je ziet er vanavond zoveel beter uit,' zei Clare, toen ze binnenkwam. Ze legde de nieuwste *Vanity Fair* op het bed, samen met een nieuwe, zijden nachtjapon die ze niet nodig had. Hij was donkerblauw, glimmend, en Finch streek er met haar vingertoppen overheen en zag hoe het licht zich op de stof rimpelde.

'Hij is prachtig. Je moet niet elke dag dingen voor me meenemen.'
'Dat wil ik graag,' zei Clare. De toonverandering in haar stem deed Finch beseffen dat ze niet wist wat ze anders voor haar moest doen.
'Ik voel me ook beter. Ik ben bij de fysiotherapie gaan kijken, en bij het zwembad. Er waren zalen vol met mensen zonder benen of armen, die liepen, fietsten, renden en aan gewichtheffen deden, en het enige wat ik kwijt ben, zijn een voet en wat tenen. Zodra ik de kunstvoet heb, ga ik weer leren lopen.'
'Ja, natuurlijk. Als er íemand is die het kan, ben jij het wel.'
Finch hield de nachtjapon tegen zich aan. 'Hoe staat hij? Goed?'
'Het is je kleur.'
Hier zit ik over nachtjaponnen te praten en Al is dood. Maar we hebben de truck gehad en de metalen schacht tussen de banken en de schuur in Deboche. Hij heeft me gezegd dat hij van me hield. En ik ben niet de enige die hij heeft achtergelaten.
Ze lachte naar Clare. 'Dank je.'
Haar moeder lachte terug, verrast en blij dat ze er was.

Toen Clare weg was, kwam Suzy. Ze schopte haar schoenen uit en begon met haar handen op haar heupen de kamer rond te banjeren, waarbij ze vochtige voetafdrukken op de tegelvloer achterliet. 'Ik kan mijn rok niet dichtkrijgen.'
'Misschien ben je zwanger, heb je daar wel eens aan gedacht? Misschien moet je naar een dokter.'
'Hé.' Suzy zag de nachtjapon en floot. 'Moet je dít zien.'

'Heeft Clare meegenomen.'

'Je bent een verwend kind. Altijd al geweest.'

'Weet ik.'

Suzy bleef even staan en keek haar aan, en hun ogen ontmoetten elkaar.

'Je ziet er beter uit.'

'Dat zei mijn moeder ook al.'

'Is er iets gebeurd?'

'Een paar dingen. Revalidatie. En een brief van Sam. Hij zei dat Al zijn leven heeft gered en dat zijn edelmoedigheid onmetelijk was.'

Haar gezicht lichtte op van trots, als een schemerige kamer waar het licht werd aangedaan. En omdat Finch zich hiervan bewust was, keek ze naar haar vingers die met de deken speelden, voor het geval zelfs Suzy te veel zag.

'Ik wou dat ik hem had gekend. Hij moet bijzonder zijn geweest.'

'Dat was hij. Dat zei Sam ook al.'

Suzy ging op de rand van het bed zitten. Ze maakte een doos met chocola open, na eerst afwezig het bijbehorende kaartje te hebben gelezen, en begon met twee vingers de inhoud te plunderen.

'Sam is dezelfde die je in het vliegtuig na de bruiloft hebt ontmoet, die je daarna is gevolgd en helemaal naar de top is gegaan?'

'Ja.'

'Hm. Oké. Juist ja.' Ze nam nog een chocolaatje en zuchtte.

'Finch, luister. Ik moet morgen naar huis. Werk, Jeff. Dat soort dingen. Je weet dat ik langer zou blijven als ik kon.'

'Je bent hier vier dagen geweest. Ik weet niet hoe ik ze zonder jou zou zijn doorgekomen.'

Het was de waarheid. Finch bedacht zich hoeveel ze van deze vrouw hield, en ze miste haar elke dag dat ze elkaar niet zagen.

'Bedankt dat je bent gekomen. Het heeft alles voor me betekend. Blijf nog wat langer en praat met me.'

Suzy sloot haar vingers in elkaar om van de chocolaatjes af te blijven.

'Is het wel eens in je opgekomen om een kind van Al te willen hebben? Wanneer je eraan dacht hoe het tussen jullie zou zijn als het klimmen helemaal achter de rug zou zijn?'

Suzy glimlachte toen ze de vraag stelde, geamuseerd door zelfherkenning. Even baarmoedergericht als iedere zwangere vrouw die ze had ontmoet. Plotseling had de wereld alles te maken met baby's en ze erop te zetten.

Wat ziet ze er mooi uit en gelukkig, dacht Finch.

'Ik heb er niet over nagedacht, nee,' antwoordde ze, na een langgerekt moment. 'Al hoorde niet bij... huisje, boompje, beestje. Hij was te vrijgevochten en te onverzettelijk. Je kon hem niet vastleggen aan een gezin. En hij had zelf een dochter, bijna volwassen.'

'Dan moet hij zich op een bepaald punt in zijn leven wel hebben willen vastleggen.'

'Nee, dat denk ik niet. Ik denk dat dat ook het probleem was.'

'Ik begrijp het,' zei Suzy enigszins twijfelend. Om een vast punt te hebben, waar ze nu was, zoals ze samen was met Jeff, leek de essentie van volmaaktheid.

Finch legde haar hand over die van Suzy. 'Ik droomde niet van een ring, een huis en een kinderwagen. Daar was Al de man niet voor.'

'Wat wilde je dan?'

Finch keek door haar heen, naar iets dat Suzy niet kon zien, dat haar gezicht veranderde en een schittering in haar ogen bracht. 'Wat we hadden, was al voldoende.'

Het was verdrietig dat nu pas te beseffen. Ze had hem gevraagd te veranderen, om zijn huidige leven op te geven, zodat het in een strakker stramien zou passen, omdat ze het mechanisme van de bergbeklimmer niet goed had begrepen. Misschien zou hij hebben geprobeerd het op te geven, om haar een plezier te doen of om Molly gerust te stellen, maar het zou niet gewerkt hebben. Hoe had ze dat ooit kunnen denken?

'Hé.' Suzy schudde aan haar hand. 'Waar ben je?'

'Hier. Ik ben hier. Laten we over iets anders praten.'

Gehoorzaam ging Suzy over op een roddel die ze tijdens een bezoek aan de eetzaal van de artsen met Taylor Buckaby en zijn collega's had opgepikt. Ze praatten over oude vrienden en hun vak, tot het tijd was voor Suzy om op te stappen.

Ze omarmden elkaar.

'Kom bij ons logeren zodra je hier weg bent. We zullen alle bars van Jeff aan de rolstoeltest onderwerpen.'

'Duvel op met je rolstoel. Ik wil zelf weer lopen. Heb ik je verteld dat ik een welkomstbrief heb gekregen van een hulpgroep voor geamputeerden die zichzelf *Stumps R Us* noemt?'

'Daar wil ik heen. Neem me mee als je maatje.'

Toen Suzy weg was, vouwde Finch in de leegte die haar vertrek achterliet Sams brief weer open en las hem nog eens. Maar ze kon er niets anders meer uithalen.

'Man, wat ben jíj moeilijk te vinden! Ooit gehoord van een doorzendadres? Ik dacht dat je ex me nooit zou vertellen waar je uithing.'

Sam hield de deur open. Adam Vries hees de reistas omhoog die Sam niet weer wilde zien en zwaaide ermee in de gang van de geleende flat.

'Frannie is boos op me. Ik neem het haar niet kwalijk.'

'Nee, shit. Hé, goed om je te zien, kerel. Je ziet er beter uit dan de laatste keer. Wat is dit voor een plek?'

Sam keek over zijn schouder en haalde zijn schouders op. De kamers stonden vol met rommel en schildersbenodigdheden. Het enige teken dat ze bewoond werden, was een divanbed, die in een hoek stond met een gekreukte sprei en een paperback die ondersteboven op de grond ernaast lag. 'Is van iemand die ik ken en die het zou opknappen, maar nu ergens anders is. Ik had alleen een plek nodig waar ik kon slapen, terwijl ik alles op een rijtje zet. Bedankt voor het meenemen van mijn spullen.'

De tas stond tussen hen in, met de Mountain People-label om het handvat heen gekruld. Er viel een stilte terwijl Sam er met tegenzin naar keek, toen een stap dichterbij kwam en de rits aanraakte. Hij trok hem open en stak zijn hand erin. Er zat een hoop vuile kleren in, en de lucht die eruitkwam was die van petroleum, rook en zweet, en de geur ging rechtstreeks naar een plek in zijn schedel. Herinneringen aan kou en pijn kwamen naar boven, staken in zijn mond en voeten en drukten zijn borst in elkaar, en in zijn oren brulde de wind.

'Grote hemel,' fluisterde hij. Hij knielde, met zijn handen in de tas, haalde de herinneringen eruit en liet ze in een hoop op de vloer vallen. Alles wat hij aanraakte, bracht de bergen terug, en de mensen die hij daar had achtergelaten.

'Inpakken is niet mijn sterkste kant,' verontschuldigde Adam zich. 'Ik heb gewoon alles uit je tent erin gepropt. Je camera zit er ook in. Je had hem in mijn onderpak laten zitten.'

Sam vond hem. Het filmpje zat er nog in, foto's van de top. Hij legde hem zonder commentaar aan de kant, hij stond op en duwde met zijn voet de hoop bezittingen weg. 'Laten we hier weggaan, en een biertje gaan drinken.'

'Natuurlijk,' zei Adam.

Ze gingen naar een bar. Het was een flink eind uit de buurt van waar hij met Frannie had gewoond en Sam kende er niemand. Ze gingen buiten onder een luifel zitten en een dienstertje bracht hun bier en een schaaltje olijven. Aan de tafel naast hen zat een groepje vrouwen in kantoorkleding, met tassen en diplomatenkoffertjes aan hun voeten, en Adam bekeek hen met enige waardering.

'Ik hou van de stad in de zomer.'

'Seattle?'

'Elke stad. Blote kuiten en naakte ellebogen, meer sexy dan het strand.'

Sam leegde zijn bierglas en Adam bestelde er nog twee. Ze begonnen over de expeditie te praten, en langzaam kwamen ze in een andere wereld.

Adam zei dat George bericht had gehad van Ted en Vern, en van Rix, die allen erg in hun nopjes waren dat ze hun doel hadden bereikt. 'Ik vraag me af in hoeverre Rix zich verantwoordelijk voelt voor Als dood,' zei hij peinzend.

Sam dacht na. Rix was daarboven bezeten geweest, dat was zeker. Hij zou het halen en niets zou hem tegenhouden. Al had hem moeten tegenhouden, maar ik heb geen idee hoe hij dat had kunnen doen, en ik stond ernaar te kijken. Dus deed Al het enige wat hij kon doen, met hem naar boven gaan. We wisten dat het te laat was. En het eind van het liedje was dat Rix het heeft gehaald en dat Al en ik achterbleven. Is het dan míjn schuld dat hij is gestorven?

'Mijn vader zei altijd dat het bij klimmen om puurheid gaat, en die dag waren er alleen maar verwarring, pech en hebzucht. Al zei dat het boven de col een kwestie was van iedereen voor zichzelf. En dat was waar, behalve voor hem. Als je op zoek bent naar puurheid, dan had hij die. En het lot heeft ook een soort puurheid – de storm, het laat zijn, Sandy die afdwaalde. Ik denk niet dat Rix zich verantwoordelijk voelt. En jij?'

Adam schudde zijn hoofd en hield zijn glas scheef om naar het schuim te kijken dat aan de kant bleef zitten.

Sandy Jacksons vader had geschreven dat zijn zoon was gestorven, terwijl hij iets deed wat hij heel graag wilde en dat zijn familie er trots op was dat hij de top had bereikt.

'Ik wou dat ik het had gehaald,' zei Adam.

'Werkelijk?' Sam voelde het bier rommelen. Hij was geen groot drinker, maar nu het bier in hem zat, merkte hij dat hij meer wilde, om de vragen en de herinneringen het zwijgen op te leggen. 'Ook te hebben gezien wat er is gebeurd?'

'Ja. Ook te hebben gezien wat er is gebeurd.'

'Ik denk dat dit ons antwoord is,' zei Sam zacht.

Het was een zijdeachtige, geurige avond. De vrouwen aan het tafeltje naast hen hadden plezier en wipten met hun stoelen. Het verkeer aan het eind van het blok rolde voort in een langzame rij en de lichten gleden over de flats aan de overkant van de straat. Er waren honderden avonden als deze geweest, in bars en restaurants met Frannie en andere vrienden, hier en in andere steden, en er zouden er nog honderden komen als hij dat wilde, als dat de richting was die hij koos. De wereld was ingewikkeld en coherent, en vanavond voelde hij zich er niet in thuis, dacht Sam. Hij zat nog steeds verankerd in zijn structuur, leefde nog steeds en absorbeerde elk detail en probeerde vaag het grotere patroon te bevatten. Hij wist dat hij op een keerpunt stond en dat alles wat hij van nu af aan deed belangrijk was, vanwege alles wat hij op de Everest had gekregen. Was dit, vroeg hij zich af, het begin van volwassenheid, of was hij al jaren volwassen geweest en had hij alleen maar uiterst langzaam begrepen wat het betekende?

Hij hoorde Finch' lage stem in zijn oor. *Ja*, zei ze.

'Wat nu?' vroeg Adam. 'Ga je door met hardlopen?'

Zijn glas was weer leeg.

'Sinds ik weer goed en wel goed thuis ben, heb ik een- of tweemaal hardgelopen. Maar het motief ontgaat me. Het is alsof er ergens een stop is doorgeslagen en alles wat ik onder druk heb opgekropt gewoon wegloopt in het zand. Misschien heeft het halen van de Everest-top iets gedaan wat ik helemaal niet had verwacht. Misschien was de prestatie op zich volmaakt – ik heb het gedaan, heb hem beklommen, ben zo ver en zo hoog mogelijk gegaan, en nu ik het heb gedaan, kan ik het loslaten. Het betekende iets, maar niet alles. Het is een antwoord op één vraag, een heel eenvoudige: *kan ik het*, maar er zijn nog veel meer vragen, die veel subtieler zijn, waarvan ik in de verste verte niet weet hoe ik die moet oplossen. Ik weet alleen dat ik dat niet kan door nog meer bergen te beklimmen of door nog harder te lopen. Misschien is dat het wat ik van Al heb geleerd. Weet je wat hij voor me heeft gedaan?'

Adam zei: 'Vertel.'

Sam vertelde opnieuw hoe de laatste nacht was geweest. Hij móést crover praten, de behoefte lag als een steen diep in zijn maag. Al pratend voelde hij hoe de warmte als een zware last op hem drukte en telkens bewoog hij zijn voeten en vingers, alsof hij de bloedcirculatie op gang wilde houden. Een van de vrouwen naast hen zag het en zat met een half nieuwsgierige blik naar hem te kijken, maar Sam zag niets.

'Waarom, denk je?' vroeg Sam ten slotte. 'Waarom heeft hij zich voor mij opgeofferd?'

In plaats van zijn zintuigen te versuffen, maakte het bier ze scherper. Het schaaltje olijven dat door Adam werd genegeerd, de tekst op de luifel, het patroon op Adams trui, alles leek hallucinair helder. Keerpunt.

'Niemand kan daar een antwoord op geven. Behalve Al zelf. Maar ik denk dat je er zeker van kunt zijn dat hij het heeft gedaan omdat hij dacht dat het goed was.'

'Finch hield van hem. Hij had alles. Het enige wat hij hoefde te doen, was de mensen naar de top te brengen en weer terug, en toen ging het verkeerd.'

'Misschien,' zei Adam langzaam en fronsend door het waas van alcohol. 'Misschien was *alles* te veel voor een man als Al.'

Te rijk, te overdadig, te verleidelijk. Te toegankelijk voor Al, die leefde op wat moeilijk en gevaarlijk was, zijn kracht was tevens zijn zwakte.

Ik wou dat ik hem langer had gekend, dacht Sam. Of misschien kende ik hem wel en des te beter omdat de tijd zo kort en zo naakt was. Ik wou dat ik hem kon laten weten dat ik het nu niet zal verknallen. Hij heeft dat een keertje gezegd, *ik heb er geen behoefte aan dat je het hier verknalt...*

'Er zit misschien een kern van waarheid in wat je zegt,' mompelde Sam ten slotte.

De bovennatuurlijke helderheid van waarnemen vervaagde, en het was alsof het doek viel en een toneelstuk zich aan het oog onttrok. Opgelucht zocht hij de vergetelheid.

De avond om hem heen ging in een andere versnelling en het werd laat. De mensen die na hun werk een drankje gingen halen, stapten stuk voor stuk op en alleen de overblijvers gingen naar binnen, naar de verlichte magneet van de bar. Een van de vrouwen keek achterom naar Adam en glimlachte. Hij keek haar na, met iets van een glimlach.

'Heb je Finch nog gesproken?' vroeg hij, zich weer tot Sam richtend.

'Ik heb haar een brief geschreven, dat is alles. Over Al. Wat kon ik anders doen? De man van wie ze houdt, is dood. Ik was erbij, ik was een van de oorzaken.' Hij haalde zijn schouders op, omdat woorden tekortschoten. 'Moet ik haar opbellen om te vragen of ze mee uit eten gaat?'

'George zegt dat ze het heel moeilijk heeft gehad. Eén voet is geamputeerd.'

'Eén voet?'

Het was niet zijn bedoeling het te bagatelliseren, maar het leek onbelangrijk in het licht van wat ze als geheel was. Ze leefde, net zoals hij nog leefde. Adam zat hem afwachtend aan te kijken. Ze hadden ieder nog een biertje besteld.

'Kijk. Ik ben haar achternagegaan naar Kathmandu, heb me aan haar opgedrongen, heb me onbeschoft gedragen en heb het haar lastig gemaakt.'

'Ja, dat was zo.'

'Dus laat ik haar nu met rust.' Het was nu kil geworden, en de andere tafels onder de luifel waren allemaal leeg. Hij probeerde zich te herinneren wat zijn moeder altijd zei. Als je ergens van houdt, laat het dan los; was het dat?

'Oké, maatje.'

Sam zuchtte, pakte toen zijn glas en dronk het leeg. Het was eenzaam zonder haar. Het was eenzaam zonder hen beiden. 'Wat ga je nu doen? Wil je gaan stappen?'

'Moet je dat nog vragen?'

De volgende ochtend deed Sam zijn ogen heel behoedzaam open. Er lag iets zwaars op zijn schedel en zijn mond was zo droog als een woestijn. Bier en daarna whisky hadden uiteindelijk geen enkele vergetelheid gebracht, het enige wat de drank had gedaan was hem het gevoel geven dat hij moest overgeven. Hij stond op, ging naar de gootsteen en dronk een half pintje water. Hij wreef met de rug van zijn hand over zijn mond, huiverde en liep toen naar de tafel, waar tussen verfpotten en pizzadozen zijn laptop lag. Hij drukte op de toetsen om in te loggen.

Frannie kon de flat verkopen of hem uitkopen, als ze dat liever wilde. Ook zijn aandeel in de zaak was te koop. Het enige waar het nu om ging, was dat hij wegkwam en verder ging, en nu stond het hem duidelijk voor de geest wat hij moest doen. Wazig staarde hij naar de websites.

Goedkope vluchten, mompelde hij. Laten we eens kijken.

De luisterrijke zitkamer van de Buchanans, met uitzicht op het water, was lang genoeg om een rondje te lopen. Haar eigen flat was te klein om meer dan een paar opeenvolgende stappen te doen zonder te hoeven omkeren of een hoek om te slaan. Voorzichtig zette Finch de ene voet voor de andere over de uitgestrektheid van het gepolijste esdoornhout.

Het was augustus en ze liep haar nieuwe prothetische voet in. Afgezien van de ruimtebeperking was het veel makkelijker om dat binnenshuis te doen, omdat het verlies van de tenen aan de andere voet het moeilijker maakte om haar evenwicht te bewaren, en de kleinste oneffenheid van de grond kon haar doen vallen. Triomfantelijk bereikte ze het andere eind van de kamer, sloeg haar handen om de taille van een primitieve stenen sculptuur om een steuntje te hebben en draaide haar heupen om voor een volgende ronde.

Om eindelijk zonder krukken op eigen kracht te lopen, gaf haar het gevoel dat ze vleugels had gekregen.

De voet was ontzettend onbehaaglijk, maar daar ging het juist om. Ze moest zoveel mogelijk lopen, zodat men kon bepalen of de sok wel goed paste. Hij was nu te strak, en de drukpunten op haar huid zouden aangeven waar de plastic holte moest worden veranderd om de druk te verlichten. Finch keek omlaag naar de voet. Het was een functionele structuur van metaal en composietmateriaal, met een plastic bladveer om de welving van een echte voet te imiteren, maar zonder enige poging om te lijken op wat er eens was geweest. Ze had kunnen kiezen voor vleeskleurig rubber en plastic, met tenen en blanke nagels als die van een grote pop, maar dat had ze geweigerd. Ze had gekozen voor het glimmende staal van deze. Ze wist dat het, wanneer ze het eenmaal de baas was geworden, sterk en solide zou aanvoelen.

Naar beneden kijken, al was het maar heel even, was fout. Ze moest haar kin omhooghouden en haar ogen op haar doel gericht. Haar nieuwe voet dwaalde af en op haar echte kon ze haar evenwicht niet bewaren en ze viel zijdelings omver, wat een nieuwe kneuzing toevoegde aan de veelkleurige verzameling op haar heup. Het kostte haar veel inspanning om zich met behulp van de rugleuning van een stoel weer overeind te hijsen en ze stond wijdbeens te hijgen.

Clare, die op het terras naar de zee had zitten kijken, kwam binnen. Ze liet haar dochter haar evenwicht hervinden en nog een stap doen in plaats van haar te hulp te snellen, en Finch wierp haar een halve glimlach van dankbaarheid toe. Toen ze uit het ziekenhuis was gekomen, had ze enkele weken bij haar ouders ingewoond, omdat ze het alleen in de stad niet kon redden. Ze had moeten leren leven met hun beschermende gedrag. Het deed haar denken aan de tijd toen ze nog klein was, hoe het was om kwetsbaar te zijn en hun fysieke bijstand te accepteren. Haar moeder verbond haar stomp, duwde haar rolstoel en praatte over Finch en haar broers toen ze nog kinderen waren. Finch luisterde naar de verhalen en merkte zelfs dat ze die nu interessant vond.

In ruil voor haar onderdanigheid erkende Clare stilzwijgend haar verlangen naar onafhankelijkheid. Weer als een kind dat opgroeide en het huis uitging.

'Toen je voor het eerst ging lopen, kwam je precies tot hetzelfde punt als waar je nu bent. Het was een complete verrassing. Je ging staan en wankelde drie stappen voordat je vader je opving.'

'Een verrassing? Is er daarom geen video-opname? Dat heb ik me altijd afgevraagd.'

Clare begon bijna spontaan te lachen. Het werd nu geaccepteerd dat Finch haar plaagde met de aandoenlijke documentatie van elke mijlpaal in hun leven. Vandaag was er weer een mijlpaal, al was het maar een kleintje. Het was haar drieëndertigste verjaardag. Caleb was over uit San Diego om een lezing te geven, en Marcus en James en hun vrouwen werden ook verwacht. Na Finch' vertrek naar Nepal zou het de eerste keer zijn dat alle Buchanans weer bij elkaar waren.

'Je zou de tafel voor me kunnen klaarmaken, lieverd,' stelde Clare voor, en met haar onzekere gang liep Finch meteen richting kast waar het bestek en het glaswerk werden bewaard. Zelfs het verwachtingspatroon over de meest banale huishoudelijke werkjes was verschoven. Nu was ze dankbaar dat Clare haar dit wilde laten doen, in plaats van te veronderstellen dat haar handicap haar hiervoor ongeschikt zou maken. Ze pakte haar moeders messen met ivoren heften en de prachtige zware glazen en dekte de tafel. Ze moest alles heel langzaam doen, want haast lag buiten haar bereik. Ze vond een ongewone voldoening in deze weloverwogen concentratie op een eenvoudig werkje.

Clare kwam terug toen ze bijna klaar was. In het verleden had ze vaak geklaagd dat Finch nooit tijd had om de puntjes op de i te zetten, omdat alles op een loopje moest worden gedaan. Ze zou aan de keukentafel nog een stuk krant opeten als ze kon. En omdat ze elkaar altijd in de haren vlogen, zei Finch dan kortaf dat dat ook precies was wat ze in haar eigen huis deed. Nu zei Clare alleen maar: 'Dat ziet er goed uit.' De ruimte van de milde avondlucht die tussen hen in hing, leek te gaan schitteren van begrip.

Marcus en Tanya kwamen binnen met Angus, en Finch liet hun

allen haar nieuwe manier van lopen van zien. De pijn van de prothese was nu nog venijniger, maar ze liep tenminste.

'Kijk. Zonder stok.'

Zes stappen over het polijste esdoornhout. Marcus was geïnteresseerd in het systeem van veren en stootkussens die de verloren gegane spierfunctie moesten vervangen, en hij knielde om te zien hoe het werkte.

'Te zijner tijd krijg ik een aantal verschillende voeten voor verschillende activiteiten. Ik kan er ook een krijgen om te skiën.'

'En voor autorijden?'

'En een om te dansen.'

Angus maakte een fles champagne open. James en Kitty kwamen met Caleb van het vliegveld en de familie ging bij elkaar zitten om een toast uit te brengen.

'Het beste beentje voor, Bunny,' zei Angus. 'Dat we nog vaak bij elkaar mogen zijn.'

Finch dronk haar champagne en keek de kring van gezichten rond. Ze zag medeleven en opluchting dat ze weer veilig thuis was. 'Dank jullie wel,' zei ze. Dankbaar nam ze haar plaats tussen hen in en zonder de behoefte om de grenzen te verleggen. 'Ik ben heel blij om hier te zijn.'

Ze aten aan de lange, eiken tafel en Clare zat sereen aan het eind, tegenover haar man aan het hoofd. Finch moest aan de laatste keer denken, het afscheidsetentje, en hoe haar moeder haar in bedekte termen had laten weten dat het tijd werd om te trouwen. Ze kon zich haar irritatie herinneren, maar de onderliggende reden leek zich te hebben opgelost. Natuurlijk zag Clare haar graag getrouwd, waarom niet? Haar eigen huwelijk was goed, hier was het bewijs, rondom de tafel in het kaarslicht. Suzy had de draak gestoken met de familie-idylle, maar ze was nu druk doende om haar eigen versie te scheppen. De gedachte aan Suzy gaf Finch een ongewoon gevoel in haar buik, en ze boog haar ruggengraat om het te onderdrukken. Het was de eerste steek, besefte ze. De eerste steek van verlangen naar een baby.

Suzy: Halleluja.

Finch: Halleluja niets. Ik ben drieëndertig, heb één voet en ben alleen.

Ze keek weer naar Kitty en Tanya en zag hoe ze opgingen in hun gezin. Wat worden we door onze familie bepaald, dacht ze, of we het willen of niet.

Ze probeerde zich voor te stellen dat Al hier tussen hen in zou zitten, maar het ging niet.

Na het eten ging Finch met Caleb op het terras zitten. Er stonden enorme zoutgeglazuurde potten, die in voluptucuze rondingen afstaken tegen de marineblauwe lucht en de zee. Finch had haar metalen voet afgedaan en Caleb wiegde haar onderbeen op zijn schoot, terwijl ze luisterden naar het verre gemurmel van de branding.

'Vind je het erg moeilijk?' vroeg Caleb na een tijdje. Hij kwam zelden in Vancouver en Finch had hem veel minder gezien dan de rest van het Droomteam.

'Niet zo moeilijk, denk ik. Ik zie meer dan genoeg mensen die het moeilijker hebben. En het was toch mijn eigen keuze om te gaan?'

'Soms in een droom, of wanneer ik halfwakker ben, denk ik dat je niet meer terug zult komen. Ik worstel met het verlies, verschuif het naar alle kanten als een gewicht dat ik moet dragen. Ik merk dan dat ik boos op je ben, en jaloers dat je weg bent en ik degene ben die alleen achterblijft. En dan word ik helemaal wakker en is het alsof ik het gewicht neerzet en alles helder van opluchting is.'

Hij liet zijn hand op haar knie rusten en lachte. 'Wat egoïstisch.'

'Ik voel een variant van hetzelfde. Verdriet om de mensen die zijn gestorven en opluchting dat ik het heb overleefd. Boosheid om... hun afwezigheid. Het is egoïstisch, maar ik denk dat het normaal is.'

Haar lievelingsbroer keek haar aan, en ze wist dat hij erop wachtte dat ze hem iets meer zou vertellen. Ze bewoog haar mond, bij wijze van experiment, maar er kwam niets uit. Als ze Caleb vertelde dat ze van Al had gehouden en dat hij gestorven was, zou het niet eerlijk zijn om het de anderen níét te vertellen. Misschien zou ze het een keer aan Clare vertellen, en aan haar vader en broers, maar niet nu. Ze zou hem nog even voor zichzelf houden voordat ze hem met hen zou delen.

En dat was pas echt egoïstisch.

'Doet het er wat toe dat je de top níét hebt gehaald?'

'Ja. Maar ik kon niet verder. Niet alleen vanwege mijn voeten, misschien gebeurde dat alleen omdat ik in mijn hart wist dat ik het niet zou halen. Het bloed circuleert niet snel genoeg en de ledematen gaan protesteren. Ik had niet de vastbeslotenheid die de anderen hadden. Niet helemaal een wil van staal.' Heel zachtjes voegde ze er nog aan toe: 'Het was de moeite waard om dat van mezelf te ontdekken.'

Caleb zei: 'Ik denk dat vroeger filosofisch het laatste woord was waarmee ik mijn zuster zou beschrijven. Maar je lijkt er een te zijn geworden.'

'Misschien.'

James kwam erbij en ging leunend tegen de hoogste pot staan. 'Waar hebben jullie het over?'

'Over zaken die te maken hebben met leven en dood,' antwoordde Caleb.

Toen Finch in haar blauwe zijden nachtjapon rechtop in bed zat, klopte Clare op haar deur. Ze was in haar badjas en had geen make-up meer op. Haar gezicht zag er zacht en gerimpeld uit, ontwapenend. Ze kwam binnen en ging op de rand van het bed zitten, wat ze in deze kamer niet meer had gedaan sinds de tijd dat Finch als meisje naar school ging. Ze praatten wat over de avond en Finch bedankte haar voor het vieren van haar verjaardag.

'Drieëndertig jaar,' zei Clare. 'Ik heb altijd niets liever dan een dochter willen hebben. Ik dacht dat als ik een meisje had, ze net zoals ik zou zijn. Een bondgenote, een vriendin in een huis vol met mannen.'

'En toen kreeg je mij.'

'Het spijt me dat het niet wat moeitelozer tussen ons is gegaan. Ik denk dat het verkeerd van me was om ervan uit te gaan dat je alles zou willen waarin ik geloofde.'

Het was niet nodig ze allemaal op te noemen. Het was alsof Finch, zodra ze kon schrijven, een lijstje had gemaakt en alles had gedaan om haar leven precies het tegendeel van dat van haar moeder te laten zijn. 'Ik heb nooit begrepen wat een geluk het voor me was om jou te hebben. Ik heb het je nooit gezegd en daarom zeg ik het nu. Je was loyaal tegenover vader en ons allemaal, en dat heb ik nooit willen inzien, omdat ik alles verwierp waar jij voor stond. Ik bedoel waar vrouwen en moeders voor stonden, niet alleen jij. Ik dacht dat vrouwen moesten werken en vechten.'

'En bergen beklimmen.'

'In de meest zuivere zin, als je wilt. Een berg is een metafoor.'

Clare keek haar recht in de ogen. Ergens aan de rand van haar geest werd ze zich vaag bewust van een gelijkenis, en toen ze haar aandacht erop richtte, was het natuurlijk de gelijkenis tussen hen tweeën. De botstructuur onder de huid en de wil kwamen zoveel met elkaar overeen dat ze bijna dezelfde leken. De aspecten waren anders, en daarom was de gelijkenis haar nooit eerder opgevallen.

'Ik ben trots op je,' zei Clare abrupt. 'Je werk, je plaats in de wereld. En je vriendschappen. Ik wou dat ik zulke vrienden had.'

Clare was partijdig. Haar man en kinderen kwamen op de eerste plaats en hun belangen moesten voor alles worden behartigd. Haar uitgesproken vastbeslotenheid maakte het niet makkelijk om vriendschap met haar te sluiten.

Finch legde haar hand over die van haar moeder. 'Je hebt ons.' Het was de kortzichtige geruststelling van een kind, dat wist ze. Dit hele gesprek, zelfs de tijd die ze sinds de Everest bij haar familie had doorgebracht, had iets te maken met een kind dat volwassen probeerde te worden. En het deze keer beter te doen, hoopte ze.

'Dank je.' Clare liet haar hand los en stond op. Uiteindelijk bleef ze altijd onverstoorbaar, met haar moederlijke waardigheid. 'Wil je dat ik je morgen naar de stad rijd?'

Finch werkte weer full-time. Het was een opluchting om weer in haar praktijk te zijn en na de lange weken van herstel en therapie weer voor haar patiënten te zorgen. Maar ze kon nog niet zelf rijden.

'Ja, graag. Als je er tijd voor hebt.'

'Natuurlijk heb ik dat,' zei Clare snel, omdat ze beiden wisten dat ze niet anders kon. Ze boog zich over Finch heen en kuste haar op de wang. Stopte haar nog net niet in. 'Gefeliciteerd met je verjaardag.'

De herfst kwam, en de dagen met regen en wind. De stad verschanste zich langzaam voor de lange winter. Finch werkte hard en nam waar voor Dennis, die een maand in India ging rondreizen, en de rest van haar tijd verdeelde ze tussen haar flat, de revalidatiekliniek en haar vriendenkring. De verpleegsters en Dennis hielpen haar met het werk dat fysiek voor haar nog te moeilijk was, en haar patiënten waren heel attent en inschikkelijk.

Het lopen ging geleidelijk beter en de kunstvoet werd veranderd en aangepast, totdat hij goed zat. Ze ging hem vaker dragen en schafte haar krukken af. Meestal had ze wel een stok nodig, vooral wanneer ze moe was of de grond onder haar voeten verraderlijk was, en ook wanneer ze er eigenlijk zonder kon, gebruikte ze hem. Ze probeerde niet over haar grenzen te gaan, maar haar handicap te accepteren. In de ruimtes en stiltes van haar dagen en 's nachts, wanneer ze in het donker lag te staren, dacht ze aan Al. Na die ene brief van Sam hoorde ze verder niets meer.

Op 14 december kwam het telefoontje terwijl ze aan het ontbijten was en met een half oog in de krant keek.

'Suzy?'

'Tien over drie vanochtend. Een jongen.'

'O, lieverd, wat heerlijk! Hoe is het gegaan?'

'Een complete nachtmerrie. Een ongelooflijke marteling, om precies te zijn.'

'Op wie lijkt hij?'

'Sprekend Jeffs vader.'

Finch lachte opgetogen. 'Vertel me verder maar niets. Ik kom met de volgende vlucht, ik heb het allemaal al met Dennis geregeld.'

Toen ze in Oregon aankwam, waren Suzy en de baby alweer thuis. De bomen voor de huizen in Suttons straat waren allemaal verlicht en op het grasveld van de overburen zat de kerstman in een slee, getrokken door vier miniatuurrendieren. Jeff deed de deur open, toen Finch uit de taxi stapte en voorzichtig het tuinpad opliep. Hij droeg een schort en een armvol met wasgoed.

'Hai, pap.'

'Kom binnen om ze te bekijken. Ze zijn verbazingwekkend; je zult je ogen niet geloven.'

Het huis zag eruit alsof er een explosie was geweest. Op de trap lagen in een lange rij nog niet uitgepakte bloemen, in de gang lag de inhoud van volle boodschappentassen en tegen de keukendeur leunde een onversierde kerstboom. Finch zag het nauwelijks, want Suzy was jarenlang haar kamergenote geweest en rotzooi hoorde bij haar. In de slaapkamer zat Suzy rechtop in de kussens, met de baby in haar armen. Haar glimlach was een en al triomf. Jeff bleef tactvol in de deuropening hangen om hen even samen te laten.

'Hier is hij. James Shepherd Sutton.'

Finch boog zich over hem heen. Een klein, gerimpeld vuistje drukte zich tegen een glad, rood wangetje met een dons als van een perzikhuidje en twee vochtige halvemaantjes van donkere wimpers. Ze had tientallen pasgeboren baby's gezien, onder andere haar eigen neven en nichten, en ze waren altijd aandoenlijk, maar deze was anders. Hij was van Suzy. Meer van haarzelf dan welke baby dan ook kon zijn. Instinctief stak ze haar handen uit en Suzy's lach werd nog breder. Ze tilde haar zoon op en gaf hem aan Finch.

Het gewicht was niets. Hij paste in de ronding van haar elleboog, en toen ze hem verschoof, ging zijn mondje open in een geeuw, en een uitdrukking van oude en oneindige wijsheid gleed over zijn gerimpelde gezichtje.

'Mijn God,' fluisterde Finch. Zijn hoofdje was vochtig en penetrant door de geur van een pasgeborene. De weg buiten was stil en leeg in het zwakker wordende licht en de kleine lantaarns twinkelden in de takken van de bomen.

'Hij is volmaakt,' zei ze.

Jeff was binnengekomen, ging bij Suzy op het bed zitten en hij legde zijn arm om haar heen, zodat ze zich tegen hem aan nestelde.

'Suzy was geweldig,' zei hij trots tegen Finch. 'Heeft het allemaal volgens het boekje gedaan.'

'En het vloeken en schreeuwen dan?'

'Dat hoort er toch bij?'

'Natuurlijk.' Finch glimlachte. Ze wiegde de baby heen en weer en kuste zijn voorhoofdje. Toen gaf ze hem met enige tegenzin, alsof ze een laag van haar eigen huid weggaf, terug aan zijn moeder, en haar lege handen vielen naar beneden. De ouders bogen zich over hem heen en streken met hun vingertoppen ongelovig over de lijnen van zijn neus en wangen. Het was een geboortetafereel, verluchtigd met de fiberglasrendieren en de baard en de Disney-grijns van de kerstman op het grasveld van de overburen. Maar het goede en de zuiverheid ervan, dat was de essentie.

Finch stond op de rand van de cirkel en keek naar binnen.

Ik wou dat hij van mij was, dacht ze.

15

Er waren geen gasten in het huis, natuurlijk niet, want het was kerstavond. Al hun gewoonlijke gasten, vissers, bergbeklimmers en de anderen, zaten waarschijnlijk thuis bij hun familie. Molly zat in het donker bovenaan de trap en luisterde naar het gekraak en getik van hout en het gesuis van auto's die buiten in de gestage regen voorbijreden. Ze was zich bewust van de onderliggende stilte, die zich als draden door de kamer sponnen, en de onuitgesproken woorden die ze in hun web vingen.

Het was nu moeilijk om in dit huis over iets anders te praten dan de dagelijkse uitwisselingen over het werk dat moest worden gedaan en de maaltijden. Al had hier nooit gewoond, het was niet zo dat er iets fysieks uit het huis was verdwenen toen hij stierf. Het was meer zo dat, toen hij nog leefde, zij en Jen het gescheiden zijn van hem samen hadden gedeeld. Ze hadden samen een overlevingscontract afgesloten, en meestal hadden ze de verschillende nuances van hun gevoelens voor zich gehouden. Nu hij er niet meer was, en er zo definitief niet meer was, leken ze uit elkaar te zijn gegroeid in plaats van dichter bij elkaar te komen.

Molly sloeg haar armen om haar knieën en liet haar voorhoofd erop rusten. Ze kneep haar ogen stijf dicht, tot er kleuren achter haar oogleden verschenen en ze even werd afgeleid van de druk van het gemis. Ze vroeg zich af wat ze met de avond zou doen. De meeste van haar vriendinnen hadden wat geld bij elkaar gelegd om een minibusje met chauffeur te huren en lieten zich naar een club in Llandudno rijden. Als dat geen contradictio in terminis was! dacht ze. Jen was druk bezig in de keuken; ze kon het water in de buizen horen stromen wanneer ze de kraan opendraaide. Ze had aangeboden te helpen, maar haar moeder was met een roerlepel in haar hand en een verbaasde uitdrukking op haar gezicht van de tafel opgestaan. Het is kerstavond, wil je niet ergens heen? Misschien later, had Molly vaag geantwoord. Ze was naar haar kamer gegaan en er toen weer uitgekomen om bovenaan de trap te gaan zitten. Het rinkelen van de telefoon bracht haar weer terug in de wereld, en in één beweging kwam ze overeind, zodat het haar even duizelde. Ze hield zich vast aan de leuning en wachtte tot Jen haar aan de telefoon zou roepen, maar in de keuken bleef haar moeders stem doormompelen en ze liet een laag gelach horen.

Toen ze zeker wist dat het gesprek voorbij was, liep Molly langzaam de trap af en stak haar hoofd om de deur. Daar stond de kerstboom op zijn gebruikelijke plekje achter de volgestouwde sofa, met twee kleine stapels pakjes eronder. 'Ik zou een drankje kunnen gaan halen in de Dragon,' zei Molly. 'Als je zeker weet dat er niets meer hoeft te worden gedaan.'

Jen glimlachte tegen haar. 'Goed idee.'

Morgen zou er iemand komen eten, Als veel oudere zuster Cath. Molly was eigenlijk niet zo erg op haar gesteld, maar Jen zei dat het kerst was en dat Cath een droevig leven had gehad.

'Tot straks,' zei Molly. Ze pakte een oliejas van het haakje in de gang en liet zichzelf de voordeur uit.

De regen maakte fletse halo's rondom de straatlantaarns en wierp glinsterende sporen op het wegdek. Er hing een geur van leisteen, vermengd met katten en nat groen. Als oude Audi stond op Jens plekje geparkeerd. Hij vormde het grootste gedeelte van hun erfenis, had Jen eens opgemerkt. Tyn-y-Caeau was maar een huurhuis geweest en er had maar heel weinig op de bank gestaan. Er was een kleine verzekeringspolis, maar het meeste daarvan ging op, zei Jen, aan het terugbrengen van zijn lichaam en de drankjes en hapjes voor een groep klimmers na de begrafenis.

Molly stak haar handen in haar zakken en begon aan de wandeling naar de pub, zonder enig gevoel van verwachting. Het was alleen een opluchting om het huis uit te zijn.

Er kwam haar een auto tegemoet die een glinsterende plas water over het trottoir wierp. Ze week uit naar de heg toen hij remde en de passagier zijn raampje naar beneden draaide. Het was Dave, uit haar klas.

'Hé, Moll. We gaan naar Hoot. Wil je mee?'

Het achterportier zwaaide open en schraapte over de stoeprand. 'We hebben sigaretten, hebben drank en we gaan een feestje bouwen.' Achterin zat Phil Williams, die in de vijfde haar vriendje was geweest.

Molly haalde haar schouders op. 'Oké.' Ze wrong zich naast Phil, die meteen een zware arm over haar schouders legde en haar oor begon te besnuffelen. Ze reden door, terug voorbij Molly's huis en lieten de rij andere huizen achter zich. Hoot woonde in een afgelegen boerderij aan de Capel Curig-weg. Phil rook heel sterk naar bier en 'Eternity for Men', wat haar geen van beide erg beviel.

Ze schoof van hem weg.

'Dave, hier stoppen. Ik ga niet mee. Ik loop wel terug, bedankt.'

Er waren even wat geluiden van protest, maar niet erg heftig. De auto kwam langzaam tot stilstand en Molly bevrijdde zichzelf. Gelukkig kerstfeest, stemde ze in met het koor van stemmen, gelukkig kerstfeest.

Voor haar uit stond een lage stenen toren en een gebogen stenen muur onder een zwarte taxusboom. Molly liep langzaam en volgde de bocht van de weg, tot ze bij het hek onder het leien portaal van het kerkhof kwam. Naast het hek stond een houten bankje dat beklad was met platvloerse opschriften. Er kwamen hier jongeren om te roken en te vrijen, omdat er verder niet veel was. Maar vanavond was er niemand.

Als graf lag in het nieuwe gedeelte van het kerkhof, helemaal aan het andere eind voorbij de Victoriaanse engelen en marmeren gedenktekens. Hij had een eenvoudige steen van plaatselijk lei, waarop alleen zijn naam en adres stond. Molly ging er niet zo vaak naartoe en ze maakte vanavond het hek niet open. In plaats daarvan ging ze uit de regen op het bankje zitten en viste een pakje sigaretten uit de zak van haar jeans. Ze stak er een op en keek naar het gedruip van de regen van het dak. Het was niet echt koud, alleen onbehaaglijk en nat.

Hij was zijn belofte niet nagekomen, dat was het punt. Hij had beloofd te zullen terugkomen, en dat had hij niet gedaan. Behalve in een kist, als je dat kon meetellen, en alleen omdat ze er zelf op had aangedrongen. Hij had haar eens verteld dat dode mensen soms jaren op de bergen blijven liggen en op hun weg naar boven en beneden er andere mensen langsliepen. Molly dacht dat ze bij het idee dat hij daar in de sneeuw zou liggen geen oog meer zou kunnen dichtdoen. Misschien was hij daar liever blijven liggen. Maar hij hoefde toch niet altíjd zijn zin te krijgen? Ze moesten hem terugbrengen, weg van die hebzuchtige, wrede, witte, moordende bergen. De Everest en de rest konden niet het laatste woord hebben. Dat had Jen in elk geval wel begrepen, omdat ook zij ze haatte.

Dappere mannen, de sherpa's die hem bewonderden, waren teruggegaan en hadden zijn lichaam geborgen. Ze hadden hem naar beneden gebracht en naar huis gestuurd, en Jen en zij hadden op een heldere middag in mei een begrafenis gehad, met de meidoornheggen in volle bloei. Tante Cath had als een klein kind met wijdopen mond en dichtgeknepen ogen bij het graf staan huilen. Ze was oud, zestien jaar ouder dan haar broer, en ze was altijd al vreemd geweest. Molly was er trots op dat zij en Jen zich hadden kunnen beheersen. Zelf had ze al genoeg gehuild, genoeg om het gevoel te hebben dat haar traanbuizen leeg waren en haar oogleden kapotgewreven, maar niet voor al die mensen in hun sombere, zwarte kleren.

Wat zou Al het vreselijk hebben gevonden, dacht ze.

De bijeenkomst daarna zou, voorzover ze het zich kon herinneren, meer bij hem in de smaak zijn gevallen, omdat hij heel gezellig kon zijn wanneer het hem uitkwam, met zijn eigen soort mensen. Ze had een hele kroes whisky opgedronken en was toen ziek weggegaan, met in haar oren het geluid van geschreeuw en gezang, dat door de planken vloer opsteeg.

Molly maakte haar sigaret uit, en het gedrup van regenwater werd allengs minder. Ze was blij dat ze niet met Phil en de anderen was meegegaan naar Hoot. Het was beter om alleen te zijn. Het punt was dat je je niet kon verlaten op beloften. Zelfs niet op die van Al. Vooral niet op die van Al. Alleen de beloften die je jezelf deed, daar kon je je wel aan houden. Ze staarde naar de straatstenen en hun glibberige, natte laagje en beloofde zichzelf dat het allemaal goed zou komen. Ze wachtte nu op betere tijden, op haar eigen plekje, maar ze dacht niet dat ze altijd alleen zou zijn, met haar moeder overhoop zou liggen of in haar eigen schulp zou kruipen. Ze zou hier vertrekken, naar de universiteit gaan en haar eigen leven weer oppakken.

Ik zal ook niet boos zijn over wat er is gebeurd. Als het aan mij ligt. De man die haar de foto van haarzelf had teruggestuurd, had geschreven hoe moedig Al was geweest en hoe edelmoedig om zijn leven te redden.

Misschien, dacht Molly. Natuurlijk was hij moedig geweest, niemand kon het tegendeel beweren. Als hij een fout had begaan door die mannen naar de top te brengen toen het al te laat was, dan was die fout goedgemaakt door moed en plichtsgevoel en had hij hem zoveel mogelijk weer rechtgezet. Maar welbeschouwd was het een onbezonnen, tijdelijk soort moed, die uit een overproductie van adrenaline was geput en helaas door de storm weer was weggevaagd. Er waren rustiger soorten die langer moesten worden volgehouden, zonder applaus en spektakel. Het verbitterde, gelaten soort moed van Jen, bijvoorbeeld.

'Ik weet het niet,' zei Molly hardop. 'Misschien heb ik het mis. Maar daar zal ik toch nooit meer achterkomen.'

Ze verwachtte geen antwoord. Haar vader was weg, helemaal, en hier was niets van hem achtergebleven. Als er nog iets was van een geest, een afdruk van hem in de membraan tussen twee werelden, dan was dat op de zuidoostrichel van de Everest.

Jen zei dat als het om grote dingen ging, Al altijd deed wat hij zelf wilde.

Molly stond op. Ze was te lang blijven zitten en de vochtigheid deed haar rillen. Ze draaide het kerkhof de rug toe en liep weer terug naar huis.

Zodra ze de sleutel in de voordeur stak, wist ze dat er behalve Jen nog iemand in huis was. Haastig liep ze door de gang naar de keuken en draaide de deurknop om. Jen stond met een glas wijn in haar hand tegen de Rayburn geleund en lachte met haar hoofd een beetje schuin, en haar gezicht vertrokken in plooien van blijdschap. Het gaf Molly een schok, omdat ze haar zo'n lange tijd niet zo had gezien. De man zat, omringd door katten, op de rand van de sofa en zijn handen lagen losjes tussen zijn knieën. Hij was ene Tim zus en zo, die Jens boekhouding en belasting deed. Een gewone man met een corduroy broek, dun haar en een roodachtige huid.

'Hai, Molly. Wie waren er in de pub?'

Tim probeerde tussen de katten en kussens overeind te komen.

'Niemand eigenlijk.'

'Op kerstavond? Je kent Tim toch nog wel?'

'Ja.'

Ze glimlachten naar elkaar, grimassen.

'Hallo, Molly. Gelukkig kerstfeest.'

'Je bent helemaal nat! Wil je iets drinken?'

Ze bedankte. Ze verzon een excuus, wenste hun een goede kerst; en Jen maakte het nog erger door haar eraan te herinneren haar sok op te hangen – een rood, vilten ding met een bel aan de teen, die ze al vanaf haar vijfde had. Ze liep achterstevoren de keuken uit en liet hen alleen.

Er viel even een stilte toen ze weg was.

'Ze mist haar vader, ze waren erg aan elkaar gehecht. Ze heeft het er erg moeilijk mee,' zei Jen ten slotte. 'Ik maak me zorgen om haar.'

'Maak je geen zorgen. Alles komt weer goed,' zei de man, wat precies was wat ze graag wilde horen.

Sam had dienst in de keuken onder het dak van bamboe en canvas. Hij hield van het ritme van handenarbeid en de routine van het klaarmaken van grote hoeveelheden voedsel, en regelmatig bood hij zich hiervoor vrijwillig aan, in plaats van zich bezig te houden met het administratieve werk waarvoor hij eigenlijk was aangenomen. Hij begon vroeg in de ochtend en schrobde en sneed een grote hoeveelheid aardappelen. Hij deed ze in de grote pannen om soep te maken, kookte dan de rijst en roerde door met kerrie gekruide groenten. Stromen mensen kwamen en gingen, die een kop thee wilden met Tibetaans brood, of een praatje wilden maken en even lekker wilden zitten. Hij en zijn twee assistent-koks bedienden hen en hielden zich tegelijkertijd bezig met de voedselbereiding. Toen het middag werd, zaten er driehonderd mensen onder het canvas. Er waren straatkinderen die op de vuilnisbelt ernaast leefden, bedelaars, kreupelen en vrouwen met kleine, zieke baby's en massa's van Kathmandu's armste en wanhopigste inwoners. Ze liepen langs de grote metalen vaten met warm eten, en met royale hand deelden Sam en zijn helpers uit. De canvas zijkanten van de overdekking waren opgerold en het zonlicht gleed naar binnen en lichtte stoffige lappen lucht op. De kinderen liepen buiten rond en speelden in de modder met de honden. Het was eind maart en de bittere winter was voorbij. Kathmandu lag onder het scherm van vervuiling en stoomde in de warmte.

'Sam, een bezoeker voor je,' riep Linda, de Australische vrijwilligster, hem toe vanuit de open doorgang die naar het kantoor van de liefdadigheidsinstelling leidde. Het kantoor en communicatiecentrum was eigenlijk zijn domein, hoewel hij er maar weinig was. Sam was nog eten aan het uitdelen aan de laatste mensen in de rij, en over zijn schouder riep hij terug: 'Stuur hem maar hierheen.'

Er kwamen regelmatig mensen het project bezoeken. Altijd kwamen er wel donateurs, reizigers en kortblijvende vrijwilligers binnenvallen, omdat het er gezellig was. Toen Sam even later opkeek van een bord met eten, zag hij een Mountain People-jack. Meteen was de dampige herrie van de voedseltent in het niet verdwenen en het zonlicht vervaagde en was hij terug op de richel met de wind die in zijn hoofd raasde.

'*Namaste*, meneer Sam.'

'Mingma?'

Mingma die met een jeneverbestak zijn *puja*-vuur stond op te porren. Toen hoog op de berg om terug te gaan en Finch naar de zuidcol te brengen.

Sam legde de soeplepel neer en stak zijn hand uit. 'Ik ben zó blij je te zien! Hoe wist je dat ik hier was?'

De kleine man lachte. 'Kathmandu heel klein, dat weet u. Soep net zo goed als die van Dorje?'

'Probeer maar.'

'Ang is hier ook, buiten.'

Sam vulde twee borden en liet zijn assistenten de rij afmaken. Ze doken onder de canvaszijkant door en liepen voorbij een groepje kinderen die met twee jonge hondjes een spelletje aan het spelen waren.

Ang zat met gekruiste benen met zijn rug tegen een houten paal, maar hij krabbelde overeind toen hij Sam zag. '*Namaste.*'

Er liep nog een vaag litteken tot in zijn haarlijn, maar verder was er van zijn verwondingen niets meer te zien. Ze gingen naast elkaar zitten, met soep en uitzicht op de ravottende kinderen.

Mingma proefde behoedzaam een lepelvol. 'Niet zo goed als die van Dorje, geloof ik.'

'Wat bedoel je? Ík heb hem gemaakt.'

De twee sherpa's brulden van het lachen. 'Precies zoals ik het zeg.'

Maar Mingma voegde er ernstig aan toe: 'Heel goed werk. Iedereen heeft het erover.'

Adam Vries had hem verteld over Netta Gould en haar werk met de daklozen in Kathmandu, toen ze die avond in Seattle samen aan de boemel waren geweest. Sam had naar hem geluisterd en door de mist van whisky, gemis en aarzeling had hij onmiddellijk het besluit genomen terug te gaan en zijn hulp aan te bieden. Hij had zich vast voorgenomen nu eens iets voor anderen te gaan doen en had zich hieraan vastgeklampt alsof het een reddingslijn was.

Hij was hier nu alweer bijna acht maanden. Hij had voor een loontje voor Netta gewerkt, had de boekhouding gedaan en de soepkeuken beheerd en het kinderverblijf. Hij had een website ontworpen en gemaakt, hun chaotische communicatiesysteem op orde gebracht en fund-raising-projecten opgezet. En hij had ervan genoten om ontelbare liters aardappelsoep te maken en met de kleintjes te spelen, die bij Netta woonden en haar als hun moeder beschouwden omdat ze niemand anders hadden.

'Netta doet het,' was Sams eenvoudige antwoord. 'Wat doen jullie hier met z'n tweeën?'

Ang at zijn bord leeg en haalde een sigaret uit zijn zak. Met opgetrokken wenkbrauwen bood hij Sam er een aan, maar Sam schudde zijn hoofd.

'Werk,' zei Ang.

Mingma ging verder: 'Weer de Everest beklimmen. Over twee dagen zijn de cliënten hier en dan gaan we naar boven.'

Natuurlijk, het was er weer de tijd voor. Een jaar geleden waren George, Al, Finch en de anderen hier vol verwachting in de Buddha's Garden bij elkaar gekomen. Het leek veel langer geleden.

'Een ander bedrijf. Deze keer niet dat van meneer George. Dit jaar komt hij niet met cliënten.' Mingma lachte en liet een gouden tand glinsteren. 'Maar ik mocht de jas van hem houden. Ik vind hem mooi.'

'Hij roept weer herinneringen op,' zei Sam.

Ze knikten hem toe. Hij wist dat hun herinneringen niet met hetzelfde gewicht aan spijt en verdrict waren beladen. Niet omdat ze zich er minder van aantrokken, maar omdat ze hoog in de bergen met gevaar en dood leefden en ze hiermee hun dagelijks brood verdienden. Ze hadden in dit opzicht minder keuze gehad dan Al. Toen zei Mingma: 'We hebben hem opgehaald. Pemba, ik en de anderen. Hebben hem naar beneden gebracht voor zijn familie.'

'Al?'

'Ja. De andere man blijft daar voor altijd. In Tibet.'

'Ik weet het. Maar het was goed dat jullie dat voor Al hebben gedaan,' zei Sam, en Ang lachte.

'Vertelde ons toen niet wat we moesten doen.'

Sam moest ook lachen. Er viel niets anders te doen, en het was waar.

'Jammer voor de man die is gevallen, maar niet voor Al. Hij stierf op een plek die het beste voor hem was,' besloot Mingma. 'Zo hoort het.'

'Zo hoort het,' echode Sam.

Het was waar. De pijn die zijn bewegingen en herinneringen in zijn greep had werd minder. Hij had de last van Als dood met zich meegezeuld en probeerde er hier bij Netta's uitgebreide familie verlichting voor te vinden. Hij zou niet vergeten wat Al had gedaan, maar hij kon nu beginnen het een plaatsje te geven in het geheel van zijn beeldvorming van Als leven en dat van zichzelf, en van het leven dat hij van nu af aan zou gaan leiden.

Hij bleef nog wat langer in de zon zitten, keek naar de kinderen en de jonge hondjes en praatte wat met Mingma over de nieuwe expeditie en zijn nieuwe werk.

Toen de sherpa's weg waren, ging Sam op zoek naar Netta. Hij vond haar in het huis, waar ze een kleine kamer voor zichzelf had en de rest aan de kinderen had gegeven. Ze was in de vijftig, een grijze vrouw met een gerimpeld gezicht en een lijvig lichaam. In de maanden nadat Sam op het toneel was verschenen en om werk had gevraagd, waren Sam en Netta goede vrienden geworden.

'Wat is er gebeurd?' vroeg ze toen ze hem zag.

'Is er thee?'

'Schenk voor mij ook maar een glas in.'

Toen ze hun glas *chai* hadden, zei Sam: 'Het wordt tijd dat ik weer naar huis ga.'

Ze keek hem aan, met indringende ogen achter haar bril. 'Ik zal het erg vinden om je te moeten missen, Sam. Niet alleen om wat je hier allemaal doet, maar ook omdat ik jou zal missen. Maar ik denk ook dat het tijd wordt.'

Hij vertelde haar over het bezoek van Mingma en Ang. Het project was geen vlucht geweest en hij was nergens voor weggelopen. Als er al enig eigenbelang in het spel was geweest, dan was het dat hij deze tijd had gebruikt om Als dood te verwerken en wat dit voor hem betekende. Hij had zichzelf nuttig willen maken, had iets willen bijdragen in plaats van te concurreren en te consumeren. En hij wist dat hij zich nuttig had gemaakt, omdat Netta hem dat had gezegd, en Netta zou de waarheid nooit verbloemen. Maar hij had gewacht op een teken dat het tijd was om weer verder te gaan. Dat waren de sherpa's geweest, door over Al en anderen te praten en het beeld van Finch weer tot leven te brengen.

'Je hebt dingen te doen. Maar blijf zolang je wilt en ga wanneer je er klaar voor bent,' zei Netta.

Hij legde een arm om haar vlezige schouders. 'Dank je. Wie zal mijn taken overnemen?'

'Er komt wel iemand,' zei ze op haar rustige, boeddhistische manier. Misschien, dacht hij, was er iets van de rust van deze opmerkelijke vrouw op hem overgegaan.

16

De receptioniste gaf door dat er nog een patiënt was, een nieuwe. Finch keek op haar horloge toen ze de intercomverbinding verbrak. Het was zeven uur 's avonds, begin mei, weer een lente met bloesem aan de bomen in de achtertuin, en stemmen en muziek die door open ramen de straten van de stad instroomden.

De laatste patiënt van de dag klopte op de deur. Ze riep hem binnen, en de man die binnenkwam, was Sam McGrath.

Ze stond onhandig op en greep zich vast aan de rand van het bureau om zich staande te houden. Ze was blij hem te zien, zonder twijfel, en de aangename verrassing ging gepaard met een plotselinge warmte van geluk onder haar borstbeen en gaf haar stem iets ademloos. 'Sam? Verschijn je altijd op een moment waarop je totaal niet wordt verwacht?'

'Ik zal het niet weer doen, als het te lastig voor je is.'

Ze kwamen een stap dichterbij en keken elkaar onderzoekend aan. Sam was zijn kinderlijke, insinuerende grijns kwijt. Hij leek nu ouder en geharder.

'Waarom heb je me niet geschreven? Of gebeld? Een heel jaar lang.'

'Ik heb geschreven.'

'Eén keer.'

'Ik ben pas vorige week weer teruggekomen. En ik dacht dat je wat tijd nodig had.'

Hij legde zijn hand heel lichtjes op haar schouder en kuste de holte van de huid onder haar jukbeen. Een jaloezie verzachtte het licht dat door het raam viel, en ze leek fragieler en mooier dan in zijn herinnering. Ondanks de glimlach die haar gezicht deed oplichten, zag ze er ernstig uit.

'Dat had ik ook,' zei ze zacht. Ze trok zich terug achter haar bureau, alsof ze veiligheid zocht. 'Dus, mijn laatste patiënt van de dag. Ben je hier voor een consult?'

'Ik heb geen nieuwe symptomen.' Sam glimlachte, terwijl hij naar haar keek. Ze liep langzaam, alsof ze moe was, maar verder was er niets dat haar handicap verried. Ze droeg een broek met wijde pijpen en hoge schoenen. 'Ik vroeg me echter af of je met me uit eten wilde.'

Eerst de Everest beklimmen. Beiden hoorden ze het haar zeggen, maar Finch huiverde bij de herinnering. 'Ik schaam me dat ik dat ooit heb gezegd.'

'Het was een grapje. Je dacht niet dat ik het zou doen. Ikzelf ook niet. Het leek toen een goed idee.'

Een idee dat wortel had geschoten, vertakt was en toen weer verdord.

De tijd die ze samen klimmend hadden doorgebracht en alles wat ze gedurende die tijd hadden gezien en gedaan leek zich in steno tussen hen af te spelen; beiden wisten wat de ander bedoelde zonder dat er iets hoefde te worden gezegd. Wat een luxe, dacht Finch.

'Het spijt me dat je hem kwijt bent,' zei Sam.

'Jij bent hem ook kwijt.'

'Ja, dat is zo.'

Het was waar; zijn korte band met Al was meer geweest dan vriendschap, meer dan het voorbeeld van een mentor. Alleen achteraf gezien begreep Sam welke ruimte Al in zijn leven had kunnen opvullen. Zijn afwezigheid deed zich nog steeds voelen in de nachtelijke uurtjes, wanneer hij om onverklaarbare redenen wakker werd, en in de onbewaakte ogenblikken van de dag. Hij kon zich er alleen maar een voorstelling van maken hoe hetzelfde gevoel ook voor Finch moest gelden. Ze aarzelden, een meter van elkaar vandaan, in het diffuse licht van Finch' spreekkamer.

'Hoe is het met je voeten?'

Ze ging rechtop staan, deed drie stappen en deed toen een stap opzij, waarbij ze even door de knieën ging toen ze de linkervoet achter de andere zette en als een ballerina op haar tenen ging staan. Ze spreidde haar armen uiteen met de palmen naar buiten en deed nog drie pasjes op haar tenen, terwijl de concentratie haar gezicht plooide. Pas bij het derde pasje verloor ze haar evenwicht en liet zich weer plat op haar voeten zakken.

'Wat vind je ervan? Niet gek, hè?' vroeg ze, en liet ook haar armen weer zakken.

Als een klein meisje dat haar nummer repeteerde had ze naar Sam gekeken. Hij voelde zich geroerd door haar ernstige aandacht. Het moest zóveel inspanning hebben gevergd om deze bewegingen te kunnen maken. 'Vlekkeloos. Zullen we dansen?'

Hij begon de 'Blauwe Donau' te neuriën en als een debutante op een feestje maakte Finch quasi-beleefd een buiging met haar hoofd. Hij nam haar in zijn armen, en in een langzame wals draaiden ze, al *da* da da, *da* da da zingend, in een cirkel rond. Ze legden de ruimte tussen de deur en het bureau af en draaiden bij de onderzoekstafel en het wagentje met wegwerpspatels en rubberhandschoenen. Ze gingen helemaal op in het maken van een volgende ingewikkelde draai toen Dennis op de deur klopte en hem openzwaaide. Hij zag hoe Finch haar hoofd omhooghield en de ronding van haar arm op de schouder van de man liet rusten, voordat ze zich realiseerden dat er naar hen werd gekeken en bijna schulbewust stopten met dansen.

'Neem me niet kwalijk. Ik wilde niet storen.'

'Je stoort niet,' zei Finch snel.

Ja, dat doe je wel, protesteerde Sam in gedachten.

Finch stelde hen aan elkaar voor en ze gaven elkaar een hand.

Tussen hen in staand, bedacht Finch zich dat de ontmoeting met Dennis de eerste keer was dat Sam kennismaakte met haar leven, het echte leven dat werd geleefd in straten, drukke spreekuren en haar rustige flat. Dat niets te maken had met de betovering en aantrekkingskracht van de bergen. Ze vond het prettig dat hij hier was. Het was vreemd dat Al nooit een deel van deze wereld was geweest, maar daar was ze nu dankbaar voor, omdat hierdoor zijn absolute afwezigheid makkelijker te dragen was.

'Finch liet me haar pasjes zien.'

Dennis straalde door zijn ronde brillenglazen. 'Ze heeft zich geweldig gehouden. Vastberadener dan alle geamputeerden die ik ooit heb gekend.'

Haar antwoord was ernstig: 'Het zijn maar één voet en drie tenen, Sam. Het is soms moeilijk geweest, maar ik heb het veel makke-

317

lijker gehad dan sommige mensen die tegelijk met mij aan het revalideren waren. Mensen die hele ledematen kwijt waren. En wist je dat er kort geleden een man met een kunstbeen de Everest heeft beklommen?'

Sam zei: 'Dat heb ik gelezen. Heb je het gevoel dat er een volgende uitdaging op je wacht?'

Haar antwoord was duidelijk. 'Nee. Ik zou daar niet meer naar terug kunnen gaan. Het is gestorven, dat stukje van me. En jij?'

Hij schudde zijn hoofd. 'Nee.'

'Jij hebt de top gehaald, hè? Finch heeft het me verteld.'

'Daar ging het niet echt om,' antwoordde Sam. 'De waarheid is dat ik geen bergbeklimmer ben. Ik voel die behoefte niet. Ik heb niet dat verlangen in mijn bloed om telkens weer terug te gaan, omdat het leven zonder dat bloedeloos en onbelangrijk is. Heeft iemand niet eens geschreven dat het leven armer is wanneer de hoogste inzet, namelijk het leven zelf, niet op het spel wordt gezet?'

'Freud,' zei Dennis.

'Ja. Nou, ik wil niet het hoogste op het spel zetten. Het leven is rijk en gevarieerd en houdt voor mij genoeg beloftes in zonder te...' hij zocht naar nog een geschikte metafoor en moest grinniken toen hij aan zijn wals met Finch dacht '...met de dood te hoeven dansen om het ritme te verbeteren.'

Finch mompelde: 'Ik wil ook niet het hoogste op het spel zetten. Ik dacht alleen maar dat ik het deed.'

Dennis tuitte zijn lippen en zei: 'Ik ben blij het te horen.' Het licht scheen op zijn brillenglazen en maakte zijn gezicht ondoorgrondelijk. Hij veranderde bewust van onderwerp. 'Sam, ben je voor zaken in de stad?'

Hij lachte. 'Ik ben er even tussenuit. Finch heeft dat al eerder gehoord. Ik ben hier zomaar.'

'Sam en ik gaan uit eten,' zei Finch.

Sam durfde zijn hoofd niet om te draaien om naar haar te kijken. Het was te belangrijk, deze terloopse opmerking. Het maakte een deur open die uitzicht gaf op zoiets veelomvattends dat het hem de adem benam, maar dat tevens verraderlijk was met onzichtbare bergspleten. Stel dat hij haar verkeerd had ingeschat, dacht hij, stel dat ze na zoveel niet bleek te voldoen aan het beeld dat hij van haar had. Stel dat ze aan een tafeltje tegenover elkaar zaten en een woestijn in plaats van een fontein tussen hen in vonden. Hij dwong zichzelf te kijken. Met een rustig gezicht stond ze op hem te wachten.

'Dan zal ik jullie niet langer ophouden,' zei Dennis rustig.

Ze liepen samen de hal in. Sam en Dennis gaven elkaar weer een hand, terwijl Finch op het liftknopje drukte en ze naar het gezoem van het mechanisme luisterden. Toen de deuren opengingen, stapten Sam en Finch samen in en Dennis stak zijn hand op – een ironische zegen en een echte groet.

'Veel plezier,' zei hij, toen de deuren dichtgleden en hem buitensloten.

Ze gingen naar beneden door het leeglopende gebouw. De hal was een ruimte met glimmende tegels en de straat buiten een blauwgrijs ravijn met een rivier van avondverkeer. Ze aarzelden tussen de glazen torentjes van kantoorgebouwen.

'Zullen we een eindje gaan lopen?' vroeg Finch.

'Gaat dat?'

'Vrij goed.'

Ze gingen een willekeurige richting op. Er was een heel lichte aarzeling in Finch' tred, en Sam probeerde zijn stappen aan de hare aan te passen. Ze nam zijn arm en liet haar hand in de zijne glijden, en zo ging het makkelijker.

'Ik ben eraan gewend geraakt van mensen afhankelijk te zijn,' zei ze, zonder eraan toe te voegen dat ze vóór de berg trots was geweest op haar onafhankelijkheid. Sam knikte.

De straat rook naar het warme stof van subways, naar hotdogs, en het rubber, plastic en de uitlaatgassen van verkeersopstoppingen, maar de geur van de zomer leek altijd sterker, omdat de strook heldere lucht boven hen lavendelgrijs was en er buiten de deuren van een prachtig hotel witte houten tonnen met bloemriet stonden. Finch en Sam liepen arm in arm door het getij van voorbijgangers, alsof ze de enige twee mensen in Vancouver waren.

'Ben je moe?' vroeg Sam. 'Hoever wil je?'

Ze wierp hem een steelse blik toe. 'Hoever denk je?'

Ze waren nog steeds met elkaar aan het schermen.

Misschien is dit het enige wat we kunnen, dacht Sam pessimistisch.

Ik weet niet meer hoe ik met mannen moet omgaan, dacht Finch. Met Al was alles zo heftig geweest, en vergeleken daarmee is al het andere zo kleurloos. Dit is noch heftig, noch kleurloos, en ik ben aan het stuntelen, alsof ik tegelijkertijd met mijn tenen en voet ook mijn gevoelens ben kwijtgeraakt.

Ze kwamen bij een hobbelige stoeprand en ze dreigde haar evenwicht te verliezen. Sam hield haar steviger vast en ze staken de weg over, tussen de metalen snuiten van ongeduldige auto's.

De Everest en alles wat daaraan vastkleefde was zoiets geweldigs geweest, en nu liepen ze op hun gemak door de veilige en bekende stad, alsof hij was verdwenen onder de gladde oppervlakte van de zeeën.

Dat wil ik niet, realiseerde Finch zich. Ik wil erover praten. Ze voelde de behoefte opkomen en versnelde haar pas. Ze duwde haar schouder tegen die van Sam om hun richting te veranderen en in reactie daarop bleef hij onmiddellijk staan. Hem aankijkend, probeerde ze zijn gezicht in haar gedachten te prenten. De gelaatstrekken waren vertrouwd, maar hij leek, zelfs nu ze naar hem keek, te veranderen. Het was alsof ze rechtstreeks door de huid en het net van zenuwen en spieren heen in zijn hoofd keek.

'Er is hier vlakbij een restaurantje waar we iets kunnen gaan eten. Als je het tenminste nog wilt, als we ver genoeg hebben gelopen...' Ze maakte haar zin niet af, verward.

'Welke kant op?'

Ze wees naar een luifel op een hoek, een blok verder.

'Goed,' zei Sam.

Ze kwamen bij een ouderwets, Italiaans restaurant met rode tafelkleedjes en hoge houten stoelen. Een ober met een wit overhemd en een frontje bracht hen naar een tafeltje in een alkoof en legde met veel omhaal de servetten en de menu's neer. Met een vage herinnering die aan de rand van zijn brein zat te knabbelen, keek Sam de lijst met gerechten door. Toen hij zijn blik door de ruimte liet dwalen, wist hij het. Hij was hier een keertje met Frannie geweest, toen ze, wachtend op een bus naar Whistler om daar een week te gaan skiën, de tijd moesten doden. Hij herinnerde zich dat ze moe waren en prikkelbaar. De daaropvolgende vakantie was ook geen succes geweest.

Vanavond keek hij het menu door, bestelde gerechten en koos een wijn uit. Aan de andere tafeltjes zaten stelletjes, gezinnen en groepjes vrienden, mensen uit de buurt die op een gewone avond in een goede stemming waren. Met het rode tafelkleedje, de te grote pepermolen en de olijfoliefles tussen hen in lieten Finch en Sam voorzichtig hun reserves varen. Het was maar een etentje. Het ging niet om een contract of een verbintenis. Zij vertelde hem over haar herstelperiode; over de verschrikkelijke hulpeloosheid van de eerste dagen, toen ze helemaal niet kon lopen, en het gevoel dat ze het niet aankon, en de angst om voor altijd afhankelijk te zullen zijn.

Toen de revalidatie eenmaal was begonnen, zei ze, leek het leren zetten van haar eerste stappen samen te gaan met andere lessen, voornamelijk om hulp van andere mensen te acccpteren. Ze had zowel emotionele als fysieke ondersteuning nodig gehad, en iedereen om haar heen had haar die met royale hand gegeven. 'Dennis en mijn familie waren er altijd. Mijn moeder was de allerbeste. Voordien heb ik haar nooit echt gewaardeerd. Ik zette me altijd tegen haar af, eigenlijk zonder aanwijsbare reden, omdat ik niet zoals zij wilde zijn. En zij liet zich altijd op de kast jagen. Maar ze heeft voor me gezorgd en ik heb het me laten aanleunen, en daarom denk ik dat geen van ons beiden nog iets hoeft te bewijzen.'

'Ik vind het vreselijk om langzaam te zijn en te moeten uitkijken waar ik loop en m'n hoofd te moeten breken over iets waaraan ik vroeger geen enkele gedachte hoefde te wijden.' Ze keek hem nu aan, geamuseerd en nadenkend. 'Maar misschien ben ik hierdoor een aardiger mens geworden.'

Sam dacht aan haar schoen, onder het tafelkleed, en de kunstvoet die erin zat. Hij voelde een zacht gevoel van tederheid dat zijn verlangen opriep om de metalen hakveer in zijn handen te nemen en de stalen boog te kussen.

'Is het geen onbeholpen gelijkenis?' vroeg Finch, 'om eerst een voet te moeten verliezen voordat je met twee voeten in de wereld kunt staan?'

Ze zat met een stukje brood te spelen. Sam keek naar haar handen, vierkant, met keurige, korte nagels; doktershanden. Op de Everest, herinnerde hij zich, waren ze gekliefd en afgebrokkeld geweest en haar vingertoppen gebarsten en gerimpeld van de kou. Evenals de zijne. De huid van zijn vingers begon te steken bij de herinnering. Vingerafdrukken, getekend door wat er was gebeurd. Het was alsof Al en Sandy er waren, gezichten onder zijn handen, gelaatstrekken die met aangetaste vingers konden worden betast.

'Onbeholpen? Wrang, misschien. Er moeten dingen zijn die je niet kunt doen, dingen die je altijd fijn vond om te doen.'

Ze brak een stukje brood af en boog haar hoofd erover. Kijk me aan, wilde hij zeggen. Hij was hier niet gekomen om haar of zichzelf op de proef te stellen, maar hij merkte dat hij nog steeds gespannen was. Stel dat, nadat er zoveel was gebeurd, de zekerheid een illusie was?

'Ik kan daar vrij goed mee omgaan,' zei Finch. 'Het zou een schamele vertoning zijn als dat níét zo was. Als ik me er niet van bewust zou zijn hoeveel geluk ik heb gehad.'

'Wij alletwee.'

De ober bracht kalfsoesters en gegrilde zwaardvis, en zoiets mompelend als *la bella signora*, zette hij de borden neer. Finch trok haast ongemerkt haar wenkbrauwen op en Sam begon plotseling te lachen, louter en alleen van plezier dat hij nu hier tegenover haar zat. Niet te gecompliceerd, waarschuwde hij zichzelf. Niet alles zo gecompliceerd maken. 'Ik vond Dennis aardig. En ik zou het fijn vinden het Droomteam te ontmoeten.'

'Dat gebeurt nog wel,' zei ze. De ruimte van de tafel tussen hen in verloor haar geometrische begrenzing; het was een haarbreedte en een continent tegelijk. Hoe, vroeg Sam zich af, weerhoud ik mezelf ervan om mijn hand op de hare te leggen?

Nóg niet. Dit zou beslist het verkeerde tijdstip zijn. Ze was op haar hoede, en hij zou haar hiervoor niet meer redenen geven dan hij al had gedaan.

Hij sneed een stukje kalfsvlees af en at zonder echt iets te proeven. Hij praatte over zijn maanden in Kathmandu. Finch had verstand van hulpverleningswerk en stelde ter zake doende vragen over het medisch programma van de liefdadigheidsinstelling. De tafel werd weer gewoon een tafel.

De borden werden weggehaald en er werd bedankt voor een toetje. Sommige tafeltjes waren nu leeg. Sam besefte dat de tijd met een hallucinerende snelheid voorbijging. Hij had haar verteld over Michael en de tijd die hij na de beklimming in Wilding had doorgebracht om te herstellen. Nu wist ze dat hij een gedeeltelijke wapenstilstand met zijn vader had gesloten, die enige gelijkenis met de hare vertoonde. Maar de vraag die hij van plan was te stellen had hij nog niet gesteld.

Er werden kopjes met espresso voor hen neergezet. Hij kon zich niet herinneren die te hebben besteld en als hij niet beter wist, zou hij denken dat hij dronken was. Tijd en ruimte leken zich op precies dezelfde wijze te vervormen. Finch zat niet meer met haar eten te spelen of de voet van haar wijnglas tussen de kruimels op het tafelkleed heen en weer te schuiven. Ze zat zonder blikken of blozen naar hem te kijken. Wachtend op wat hij zou gaan zeggen, dacht hij.

'Ik wilde je iets vragen,' begon hij.

'Ja.' Een constatering, geen vraag.

'Ik ga naar Wales, naar Als vrouw en dochter. Ik wil hun onder vier ogen vertellen wat hij heeft gedaan en hoe hij is gestorven.'

Ze bleef hem aankijken.

'Wil je met me meegaan?'

Hij pakte zijn kopje en nam een slokje. Het was heet en het oortje was te klein voor zijn vingers; op de een of andere manier ontglipte het hem en er liep een druppel koffie langs zijn kin. Sam begon te hoesten en zette het kopje hardhandig neer. Bén ik dronken? vroeg hij zich af.

Finch pakte haar servet en veegde de hoek van zijn mond af. 'Ja,' zei ze.

'Waarom?' vroeg hij, zonder het eigenlijk te willen.

Somber dacht ze na, en Sam probeerde haar gedachten te volgen. Om Molly te ontmoeten, die een deel van hem was. Om te zien waar hij had thuisgehoord, of hij werkelijk ergens anders dan in de hoge bergen had thuisgehoord. Om een bepaald schuldgevoel te sussen, een gewetensconflict, misschien, door Als vrouw te zien. Naar al deze dingen en andere moest hij waarschijnlijk niet gissen. Haar persoonlijke afscheid, wat hem nog steeds jaloers maakte, zelfs van een dode man.

'Ik wilde ook gaan. Ik zou er zonder jou niet de moed voor heb-ben gehad.'

De ober bracht de rekening op een bordje.

'Dan gaan we samen,' zei Sam.

Het volgende moment stonden ze buiten het restaurant onder de kleine luifel. Ze waren bijna de laatsten die weggingen. De lucht was dichtgetrokken en het regende een beetje, wat het straat-stof een scherpe geur gaf. Er suisden slechts een paar auto's voor-bij. Een hiervan was een taxi, en Sam hield hem aan. Toen hij stopte voor de stoeprand deed hij het portier open en hielp Finch instappen.

Hij deed een paar stappen terug. 'Ik bel je nog.'

'Heb je mijn privénummer?'

'Dat heb ik al een jaar. Adam Vries heeft het voor me opgezocht in het dossier van de Mountain People.'

Finch lachte en trok het portier dicht. Hij stond in de regen en keek hoe de achterlichten uit het zicht verdwenen. Hij dacht aan het moment waarop hij en Frannie uit dezelfde deur waren geko-men en hij met haar naar het busstation was gelopen. Nu lag hier het fragiele en broze topje van een nieuw geluk dat nog uitgegra-ven moest worden.

Toen ze naar binnen ging, was de kleine ruimte van haar flat stoffig en stil. Finch bewoog zich langzaam en keek naar de kale muren en de exacte lijnen van de enkele meubels. Geen ver-sieringen, geen herinneringen, niets van buiten af. Het was een kleurloos omhulsel, dat dienst deed voor de schrale activiteiten van een schraal leven.

Wat wil ik ontkennen, vroeg ze zich af, en voor wie? Waar ben ik al die tijd zo bang voor geweest? Alleen maar om mezelf met iets op te zadelen?

Ik dacht dat ik geen angst kende, en ik was alleen maar een lafaard. Heb ik er daarom voor gekozen om van Al te houden? En heb ik van de man zelf gehouden, of van wat hij vertegenwoordigde?

Ze liep naar haar slaapkamer. De dekens op het bed waren glad en zacht. Er stonden geen foto's op het bureau, geen herinneringen op de planken. Dat was altijd meer Suzy's stijl geweest. Lang geleden, toen ze samen een kamer deelden, riep Suzy vaak: 'Jij hebt niets. Waar zijn al je spullen?'

Ze betrapte zich erop dat ze nu graag een foto van Al had willen hebben. Iets wat ze nu kon vasthouden, waartegen ze kon praten. Vanaf het begin had ze nauwelijks om hem gehuild. Ze liep naar het raam om de jaloezieën dicht te trekken en het oog van de nacht buiten te sluiten, maar in plaats daarvan leunde ze tegen de ruit en staarde naar de rijen ramen die de levens van andere mensen achter luiken sloten. Ze liet de tranen langs haar gezicht glijden en dacht aan Wales en afscheid nemen.

17

Ze huurden in Londen een auto en reden in noordwestelijke richting. Finch was al eens eerder in Engeland geweest, maar voor Sam was het de eerste keer. Zij ging achter het stuur zitten, zodat hij om zich heen kon kijken. Het autorijden ging haar nu bijna weer net zo goed af als vroeger, want ze was gewend geraakt aan de gevoelloze invoeging van de prothese tussen haar been en de pedalen.

Sam had op alles commentaar.

'Het is zo klein. Er zit geen ruimte tussen de huizen. Het is net een speelgoedlandje. Je krijgt het gevoel dat je alles in de hobbykelder moet zetten en er treinen doorheen moet laten lopen. Kijk eens naar die kerk! Hoe oud zou die zijn?'

'Weet je dat je net een Amerikaanse toerist bent?'

'Dat ben ik ook.'

Hij was een en al energie en nieuwsgierigheid en dat amuseerde haar. Hij kocht een stadsgids en stond erop dat ze in de vierentwintig uur dat ze in Londen waren Westminster Abbey en de Tower zouden gaan bekijken. Hij nam haar mee naar de Ritz om thee te drinken, en onder het vergulde en hemelsblauwe plafond informeerde hij heel lief of haar been ook pijn deed na zoveel lopen en sightseeing. Hij gaf haar een kopje Chinese thee en hield haar een zilveren dienblad voor met kleine driehoekige sandwiches. Tussen de Japanse families en de Engelse dames met hun Harrods-pakjes was zijn gedrag zó'n toonbeeld van onberispelijkheid dat Finch het in haar gestevende linnen servet uitproestte van het lachen.

Op andere gebieden was zijn gedrag even onberispelijk. Hij bracht haar naar de deur van haar hotelkamer, maakte die met haar sleutel open en wenste haar goedenacht. Het was alsof ze met een van de welgemanierde vrienden van een van haar broers op vakantie was, maar dan in een meer vermakelijke versie. Na de irritatie die hij aanvankelijk bij haar had opgeroepen, begon hij haar nu te intrigeren.

'Wat had je dan gedacht?' vroeg hij met opgetrokken wenkbrauwen, toen ze zei dat ze hem zo voorkomend vond.

'Hoever is het nog?' vroeg ze, terwijl ze noordwaarts in de richting van Wales reden. Het landschap was vlak en vruchtbaar, en verwonderd keek ze om zich heen. Ze kon zich niet voorstellen dat Al hier ergens vandaan kwam.

Hij keek op de kaart. 'Ongeveer vier centimeter, volgens deze kaart. Over een paar minuten moeten we er zijn. Denk erom dat je niet te hard rijdt, anders schiet je ervoorbij.'

Ze kwamen langs een enorme petrochemische industrie met eeuwig brandende fakkels, die er in het late middaglicht flets uitzagen, en reden over een moderne brug over een brede, onzichtbare rivier. Ze hadden in de voorsteden van Detroit kunnen zijn, dacht Finch. Of in welke industriestad dan ook.

Sam had alles voor hun reis in orde gemaakt. Ze zouden in Chester overnachten en kwamen in een verwarrend systeem van eenrichtingsverkeer terecht, maar in een wirwar van oude winkels en promenades vonden ze eindelijk hun hotel.

Het was in elk geval oud. Het raam van Finch' kamer keek uit op een chaos van houten dakranden en ongelijk aflopende daken. Onzeker hing ze een broek in de garderobekast en bleef aarzelend staan in de ruimte tussen de deur en het bed. Van hier was het nog maar twee uur rijden. Nu ze dicht bij Als huis was, waar het vol was met mensen en alles wat daarbij hoorde, iets wat ze in de gulzigheid van hun hartstocht nooit samen hadden gedeeld, vroeg ze zich af waarom ze overijld hierheen was gegaan. Ze voelde zich een indringer, bijna een spion. Het was egoïstisch van haar om zijn dochter te willen ontmoeten en te willen kijken naar de vergezichten en de horizonnen die hem zo vertrouwd waren geweest.

Het bescheiden klopje op de deur maakte haar even aan het schrikken.

'Finch?'

'Hij is open.'

Sam stond in de deuropening. Hij was groot en breed in de krappe kamer en stond een beetje schuin, alsof hij zich ook te groot voelde en zichzelf zo klein mogelijk wilde maken. Zijn grijze ogen hielden even de hare vast en keken toen weer een andere kant op. De bewust gemoedelijke en kameraadschappelijke sfeer van deze ongewone namaakvakantie was opeens verdwenen en kreeg bijna iets pijnlijks. Ook Sam voelde zich blijkbaar onzeker over wat ze aan het doen waren en maakte zich zorgen om haar. Ze was blij met zijn gezelschap en het onuitgesproken medeleven.

'Zullen we de omgeving even gaan verkennen?' vroeg ze zo opgewekt mogelijk.

Het was een grijze, vochtige middag. Ze slenterden langs de hoge winkelgalerijen, keken naar de etalages en kwamen toen bij een stukje stadsmuur met een breed, rustig wandelpad tussen hoge stenen kantelen. De straatstenen waren glanzend en afgesleten door eeuwenlang gebruik. Aan weerszijden glommen de straten, huizen en het verkeer in de warmte.

'Het is Romeins. Een Romeinse garnizoensplaats,' zei Sam verwonderd.

In het perspectief van de geschiedenis leken hun eigen aangelegenheden in het niet te vallen. Na een tijdje kwamen ze bij de oever van een rivier, waar wilgentakken over het water heen hingen, met daarachter een weids uitzicht op een racebaan. Het pad was vol met slenterende paartjes en gezinnen met kleine kinderen op wiebelende fietsjes. Sam en Finch voegden zich onder hen en beseften dat ze zich op het oog in niets onderscheidden van de andere stelletjes, en de stilte van het tegendeel bleef tussen hen in hangen.

'Weten ze dat we morgen komen?' vroeg Finch.

'Voordat ik vanmiddag naar je toe ging, heb ik ze gebeld. Ik heb met Jen gesproken en haar uitgelegd dat we hier... zijn, en gevraagd of we langs konden komen en met haar konden praten. Ze zei ja, natuurlijk, maar we moesten er wel begrip voor hebben dat ze een pension heeft en dat het nu druk is en ze misschien niet zoveel tijd voor ons heeft.'

'Hoe was ze?' vroeg Finch ondanks zichzelf.

'Ze leek verrast. En misschien een beetje op haar hoede,' antwoordde Sam na enig nadenken.

Ze liepen terug zoals ze gekomen waren, langzamer omdat Finch zonder er erg in te hebben moe was geworden. Ze rustten even in een donkere pub met een lucht van bier en rook en aten wat zonder eigenlijk trek te hebben. Toen ze weer buiten stonden, was het donker geworden, en er hing een dreigende zwaarte in de lucht. Ze hadden nog maar een paar stappen gelopen toen er boven de oranjeachtige gloed van de straatlantaarns een bliksem flitste. Er volgde een rommelende donder en plotseling waren de straatstenen bespikkeld met regendruppels. Tegen de tijd dat ze bij de draaideur van het hotel waren aangekomen, regende het pijpenstelen en waren ze beiden drijfnat. Ze haastten zich door de lobby naar de lift en Sam bracht Finch tot aan de deur van haar kamer. Zoals gewoonlijk pakte hij haar sleutel en maakte de deur voor haar open. Toen nam hij zonder enige waarschuwing haar gezicht tussen zijn handen en streek een paar natte slierten haar weg die op haar wangen zaten geplakt. Hij kuste haar, een halve centimeter naast haar mondhoek, en liet haar toen weer los.

'Welterusten,' zei hij. Met de lege kamer achter haar keek Finch hoe hij wegliep en onderdrukte de neiging hem terug te roepen.

Na het onweer van die nacht was de lucht helderder en lichter geworden. 's Morgens, toen ze Wales binnenreden, verhief zich een lijn van purperen heuvels tegen de horizon vóór hen. Zonder veel te zeggen keken ze hoe die dichterbij kwam. Finch speelde met de knopjes van de autoradio en zette hem toen uit. Het was rustig op de weg en ze konden snel doorrijden. Plotseling waren ze in de bergen.

De plaats waar Als vrouw en dochter woonden, was een lint van donkere stenen huizen met leien daken, afgewisseld met cadeauwinkeltjes, cafés en verkopers van klimgerei. Achter de bebouwing bevonden zich stroken met coniferen en heuvels, geschraagd door steile rotsen en zwarte puinhellingen. Zelfs op een zomermiddag hadden ze iets duisters.

Finch dacht: hier kan ik me hem voorstellen.

Een jongen met een paardenstaart en afgeknipte jeans, en slippers die waren afgesleten tot dunne halvemaantjes onder groezelige voeten, stond met zijn rug naar hen toe de rubriek Ingezonden mededelingen te lezen in een etalage van een krantenverkoper. Over zijn schouder hing een bos perlontouw, en Finch en Sam keken elkaar aan. Finch liet haar voet uit de auto glijden en kwam moeizaam overeind, waarbij ze zich aan de bovenkant van het portier vasthield voordat ze haar gewicht op de prothese liet rusten. Sam kwam haar te hulp en ze leunde op zijn arm.

'Dat is de eerste keer dat ik je echt heb zien wankelen,' zei hij.

'Doet het pijn?'

Ze schudde haar hoofd. 'Hij deed me aan Adam Vries denken.' Hetgeen betekende dat er nog veel meer herinneringen te zien waren over de schouder van een langharige jongen met een bos touw. Ze rilde. 'Ik was ergens bang voor.'

'Dit is een klimdorp, vermoed ik. En ik heb je ook nog nooit bang gezien.'

'Dan heb je niet erg goed gekeken.'

'Ik denk het wel. Kijk, dat is het huis.'

Als weduwe woonde in een groot, wit huis achter een lang punthek. Een kort pad van gekleurde tegels leidde naar de voordeur.

'Ben je er klaar voor?'

Toen ze aarzelde, ging hij voor haar staan en pakte haar ellebogen vast. 'Je wilde het zelf.'

'Dat weet ik.'

Samen liepen ze naar de deur en belden aan; ergens in de uithoeken van het huis hoorden ze het geluid van de bel. Ze moesten lang wachten, en Finch keek fronsend naar haar twee voeten, die op het stoepje stonden. Toen ging de deur plotseling open.

'Meneer McGrath, dokter Buchanan,' zei de vrouw.

Als vrouw was klein en mager, met glanzende ogen, waartussen de rimpels van een frons.

'Sam en Finch,' zei Sam. Jens blik ging naar Finch' gezicht. Achter haar, in een deuropening waarachter een glimp van gedekte tafels was te zien, stond een jonge vrouw. In haar ene hand hield ze, als een stekelig boeketje, bestek, en ze was het evenbeeld van Al.

'Dit is mijn dochter Molly. Kom even binnen.' Jen maakte een uitnodigend gebaar, en ze volgden haar door de gang langs de eet- en zitkamer voor de gasten naar een grote kamer achter in het huis. Finch' aandacht was gericht op Molly, en ze kreeg maar een heel vluchtige indruk van wat povere, functionele meubels en een stapel papieren, wasgoed, prulletjes en katten. Van boven kwam het geluid van een stofzuiger.

'Willen jullie een kop koffie?'

Beleefd namen ze het aan en gingen ergens zitten waar nog ruimte was. Molly ging naar het grote koffiezetapparaat en pakte een half gevulde pot van de warme plaat. Terwijl Als haar kortgeknipt en grijs verschoten was, was dat van Molly een massa van dikke, donkere krullen. Haar gelaatstrekken waren fijner en kleiner, maar verder was de gelijkenis opmerkelijk. Zelfs haar handen, die bloemetjeskopjes neerzetten en koffie schonken, hadden dezelfde vorm. Finch voelde een verlangen om haar in haar armen te sluiten en haar gezicht in haar handen te verbergen om het beeld van de vader van het meisje niet te hoeven zien.

Ze namen een slokje koffie. Jen zat bij de tafel en pakte een pakje papieren servetjes. Ze begon ze in keurige driehoeken te vouwen, het ene na het andere, alsof ze zich niet kon veroorloven om stil te zitten zonder iets nuttigs te doen. Ze maakte de indruk gewend te zijn aan hard werken. Finch dacht aan Als leven, tegen de achtergrond van verre en prachtige oorden. Hij had ook hard gewerkt, maar daarin zaten een bepaalde troost en uitdaging, die hier in dit aardse en nijvere huis niet te vinden waren.

Er viel een korte stilte, maar boven ging het stofzuigen door. Tussen hen in hing een sterk besef van de man die hen had samengebracht. Zijn aanwezigheid was bijna voelbaar, maar tegelijkertijd was hij totaal afwezig.

Het was Molly die als eerste iets tegen Sam zei. Ze ging tussen twee katten in op de sofa zitten en met haar handen tussen haar knieën. Zelfs dezelfde houding als haar vader. 'Bedankt voor het terugsturen van mijn foto. Het spijt me dat ik nooit heb geschreven.'

Sam knikte. Hij zat heel ontspannen, zonder zich te bewegen. Finch realiseerde zich dat het haar nog nooit was opgevallen hoe stil hij kon zijn. 'Dat had ik ook niet verwacht. Ik heb je geschreven omdat ik je meteen wilde laten weten dat je vader je foto helemaal tot aan de top bij zich heeft gedragen, en ik vond hem in de zak van zijn jack toen hij al dood was. Ik – Finch en ik – zijn hierheen gekomen omdat we jullie wilden zeggen dat Al moedig was en heel goed in wat hij deed. Dat weten jullie natuurlijk wel.'

'Ja,' zei Molly heftig.

'En ik wilde jullie ook persoonlijk vertellen wat hij voor mij heeft gedaan. Hij wist precies wat hij deed en heeft een beslissing genomen die mijn leven heeft gered. Ik zou zeker zijn doodgevroren als hij me niet tegen de wind had beschermd door bovenop me te gaan liggen. Ik kan geen andere reden bedenken dan dat hij het uit edelmoedigheid heeft gedaan. Ik was alleen maar een expeditielid, niet eens een echte vriend, hoewel ik nog nooit iemand heb ontmoet voor wie ik zoveel bewondering en respect had.' Sam zweeg even en dacht na. 'Behalve mijn vader misschien.'

Finch vond dat dit een bijzondere toespraak was. Hij was ongekunsteld en eerlijk, en ze was erdoor geroerd. Molly's ogen stonden vol tranen en Jen keek strak naar Finch.

Ze weet precies wie ik ben, besefte ze, ook al had Al er nooit over gesproken of iets laten merken.

Hier was ze bang voor geweest toen ze het huis binnenstapte, en nu begreep ze dat angst en zelfs schuld in feite volkomen misplaatst waren. Jen Hood verdiende of vroeg om geen van beide.

'Misschien wilde hij dit doen,' zei Jen. Haar stem was droog en koel. Finch moest denken aan Sams regel van Freud, over de armoede van het leven als het leven zelf niet op het spel kon worden gezet. Het credo van de bergbeklimmer.

Molly wreef met de rug van haar handen over de huid onder haar ogen en veegde de sporen van tranen weg. 'Heb jij hem beklommen?' vroeg ze Finch plotseling.

'Nee. Ik ben bij de Hillary Step teruggegaan. Mijn voeten waren bevroren.'

Ze keken onwillekeurig naar haar schoenen, maar Finch ging er niet verder op in.

'Ik ben trots dat mijn vader het wel heeft gedaan,' zei Molly. 'Het was goed dat hij het heeft gedaan. Het spijt me dat de andere klimmer is gestorven en als dit iets te maken had met de leiding van mijn vader. Maar misschien heeft hij ook wel gedaan wat hij wilde doen.'

'Ik denk het wel,' zei Sam.

Molly stelde nog een paar vragen over de expeditie en de rol die zij erin hadden gespeeld. Finch en Sam gaven om beurten antwoord, en Jen ging door met servetten vouwen en luisterde zonder iets te zeggen. Ten slotte liep het gesprek af.

'Bedankt dat jullie zijn gekomen.' Jen schoof haar stapeltje servetten opzij, als teken dat ze het bezoek als beëindigd beschouwde.

'Er is nóg iets,' zei Sam, en hij stak zijn hand in zijn binnenzak. Hij haalde er een gele envelop uit en legde die naast haar op de tafel. Jen keek ernaar en haar frons werd dieper. Toen maakte ze de envelop open en haalde er het bundeltje foto's uit. Ze legde de glimmende vierkanten uit op de tafel en staarde ernaar. Ze waren van bebaarde mannen, die afstaken tegen een dreigende blauwgroene lucht.

Al en Rix op de top, genomen door Sam in de luttele minuten toen ze op de top van de wereld stonden.

Molly leunde over haar moeders schouder en pakte een van de foto's op om hem beter te kunnen bekijken, en Finch sloeg hen beiden hunkerend gade. Om de een of andere reden had ze er nooit aan gedacht dat er foto's zouden zijn; en natuurlijk had Sam het juist gevonden om ze eerst aan Jen en Molly te laten zien.

'Ja,' mompelde Jen. 'Ik ben ook blij dat hij het heeft gedaan. Heb jij ze gezien?'

Ze vroeg het aan Finch, die zwijgend haar hoofd schudde. De andere vrouw reikte haar drie van de foto's aan, terwijl Molly de vierde nog aan het bekijken was.

De capuchon van Als windjack bolde achter hem op in de stroom van de wind en zijn haar werd als ijzige stekels achterovergetrokken. Hij had zijn bril afgezet en zijn ogen waren spleetjes, om ze tegen het licht te beschermen. Na al die ontberingen lachte hij, waardoor zijn tanden zichtbaar waren, een wilde grijns van pure triomf.

Ik wist niet dat het zo was, dacht Finch. Ik dacht dat het alleen maar moeite en lijden was. Zoals het voor mij was.

Daar was zijn gezicht, zo vertrouwd en met dezelfde trekken als die van zijn dochter en de klank van zijn stem in haar hoofd; en toch kwam de gedachte in haar op, nu ze naar zijn foto keek, dat ze hem misschien nooit had gekend. Snel bekeek ze de andere foto's en zag kleine varianten van hetzelfde beeld. Toen gaf ze de kiekjes terug aan Jen, die haar met een rustige blik aankeek.

'Kunnen we ze houden?' vroeg Molly.

'Ze zijn voor jullie,' zei Sam tegen haar.

De telefoon ging en Jen liep door de kamer om de hoorn op te pakken en noteerde in een groot boek een reservering.

Toen ze de hoorn weer neerlegde, keek ze op haar horloge.

Sam en Finch stonden beleefd op en liepen terug naar de voordeur, langs de kamer met de tafeltjes die Molly had gedekt voor het ontbijt van de volgende ochtend.

'Molly's examens zijn voorbij. Ze helpt me nu met het werk voor de zomer, tot ze naar de universiteit gaat,' legde Jen uit. Finch was nu bij de deur, en haar hand zocht onzeker naar de knop toen Jen eraan toevoegde: 'We hebben zijn lichaam hierheen laten komen. Jullie zouden naar zijn graf kunnen gaan, als je wilt. Molly zal jullie wel wijzen waar het is.'

Finch zei: 'Dank je.' Ze was veel langer dan Als vrouw, maar ze keken elkaar recht in de ogen toen ze elkaar een hand gaven en afscheid namen. Molly was al op weg naar de straat.

'Wacht even,' zei Jen plotseling. 'Willen... jullie misschien daarna nog terugkomen? Ik hoef geen diner klaar te maken voor de gasten. Wanneer de kamers weer schoon zijn en de ontbijttafels gedekt, is er vandaag niet zoveel meer te doen. Jullie zijn van ver gekomen. Ik zou wat eten kunnen klaarmaken en we zouden nog wat kunnen praten. Mijn partner zal er ook zijn. Jullie zouden hem kunnen ontmoeten...'

Haar stem was onzeker, vragend.

'Ja,' zei Finch. 'Of, wacht even, Sam, vind jij het ook goed?'

'Natuurlijk. We kunnen ook een beetje later naar Chester teruggaan.'

'Tot ongeveer halfzeven dan,' zei Jen.

Ze liepen met Molly mee door de straat. Na een paar honderd meter kwamen ze bij een kerkhofportaal met een puntdak van purperen leisteen en een bankje eronder. Molly ontgrendelde het zware hek dat toegang gaf tot het kerkhof en duwde het open. Er stond een vierkante stenen kerk, omringd door gedeeltelijk gemaaid gras en marmeren en leien grafzerken, en Molly nam een pad dat diagonaalsgewijs tussen de graven door liep en ging door nog een hekje naar een nieuw gedeelte. Deze rustige plek lag in de schaduw van eikenbomen en was nog maar halfvol met graven. In het lege gedeelte was het gras niet gemaaid en dicht begroeid met fluitenkruid en boterbloemen. In de glooiende velden daarachter stonden schapen te grazen in het korte gras.

Molly liep bijna tot aan het eind van de rij en bleef bij de voet van een van de graven staan.

'Dit is het. Het heeft een heleboel geld gekost, en voor de sherpa's die voor hem hebben gewerkt was het moeilijk om hem terug te brengen, maar ik ben blij dat we het hebben gedaan. Ik kon de gedachte niet verdragen dat hij daar alleen in het ijs zou liggen.'

Voor Finch' ogen verscheen weer het beeld van de dode klimmer die ze had gezien en zijn voor altijd bevroren lichaam. Voordat ze hem kon inslikken, kwam er een snik uit haar mond en haar ogen schoten vol tranen. Molly draaide haar hoofd om, zodat er zwarte haarkrullen tegen haar wang vlogen en stak instinctmatig een hand uit om te troosten. Finch nam haar hand, sloeg toen haar armen om deze kleinere en kwetsbare versie van Al en drukte haar tegen zich aan.

'Ik hield ook van hem,' zei Finch.

'Ja, dat dacht ik al. Mam en ik dachten wel dat dit de reden was waarom je kwam.'

Sam stond ietsje opzij en keek naar de inscriptie op de eenvoudige leisteen. Alleen Als naam en de data. Als een poes ontsnapte Molly uit Finch' omarming. 'Luister, ik kan nu beter teruggaan om mam te helpen, oké? Tot straks.' Ze haastte zich de hoek om en verdween achter de kerk.

'Waarom heb je me niet verteld dat je foto's had?' vroeg Finch.

'Ik denk dat ik wilde dat iedereen ze tegelijkertijd zag.'

Al was ook van Sam, dacht ze. Wat heeft hij, en zijn afwezigheid, een diepe indruk achtergelaten op ons leven! De zon scheen op de purpergrijze leisteen en omrandde de verse inscripties met zware schaduwen. Het was warm en geurig in deze boterbloemenwei, maar ze was zich er tevens van bewust hoe snel het hier donker zou worden wanneer de zon achter de bergen verdween. Ze herinnerde zich het ondergaan van de zon achter de Pumori en de ijzige, stille schemer van het basiskamp. Sam liep langzaam langs de laatste rijen graven en liet haar over aan zichzelf.

De laatste keer dat Al haar probeerde te kussen en haar gezicht onbereikbaar was door haar zuurstofmasker.

De laatste woorden die hij tegen haar had gezegd. Ze dacht dat ze die vergeten was, dat pijn, zuurstofgebrek en uitputting ze hadden weggevaagd, maar ze waren er nog: 'Wacht nog een paar uur op me. Dan hoeven we nooit meer uit elkaar te gaan. Dat beloof ik je.'

Finch dacht aan Jen Hoods glanzende ogen en hoe ze alles zo helder leek te zien.

Misschien had Al gemeend wat hij had beloofd. Misschien had hij, toen het zover was, begrepen dat dit niet genoeg was. Het laatste gebaar was een daad van grote heldenmoed geweest, en misschien was dit meer geweest dan een toekomst van gewone liefde. Misschien deed hij altijd wat hij wilde.

Hardop zei ze: 'Ik dacht dat ik je kende. Ik weet dat ik van je hield. En ik zal je in mijn hart bewaren.'

Er was niets te horen, alleen het gezoem van bijen in de wilde bloemen en de auto's die achter de kerk voorbijreden. Finch keek weer naar de naam op de grafsteen en naar het uitzicht achter de grote, oude bomen en de wei, naar de bergen. Toen liep ze langzaam weg. Sam zat op haar te wachten op het bankje onder het portaal, met zijn lange benen op het zanderige stof.

Om halfzeven belden ze weer aan de deur van Jen Hood. Ze deed open en ging hen voor naar de rommelige zitkamer achter in het huis, waar de tafel was opgeruimd en gedekt voor vijf personen. Naast elk bord lag een van de opgevouwen servetjes. Jen had een rok aangetrokken en een beetje lippenstift opgedaan.

Ze vulde drie bekerglazen met een verrassend grote hoeveelheid gin. 'Molly zit in bad. Mijn partner Tim komt straks.' Ze gaf hun de drankjes en hield haar eigen glas schuin voordat ze een flinke slok nam, en ze begon een beetje te hoesten toen de alcohol in haar maag kwam. 'Cheers. Bedankt dat jullie van zover helemaal hierheen zijn gekomen. Bedankt voor de foto's.' Een van de foto's stond op de schoorsteenmantel naast een vaas met gedroogde bloemen. De dreigende, storm voorspellende lucht en de door de wind opbollende capuchons staken kleurig af tegen de dorre bloemen.

Finch en Sam namen ook een flinke slok. Even hing er een gespannen stilte toen ze allen de kamer rondkeken en de diepte ervan probeerden te peilen voordat Finch vriendelijk vroeg: 'Gaat het goed met jou en Molly?'

Na het glas met gin te hebben rondgedraaid en nog een grote teug te hebben genomen, antwoordde Jen bedachtzaam: 'Ja, het gaat goed met me. Ik denk dat het na een tijdje ook weer goed zal gaan met Molly. En hoe gaat het met jou?'

'Mij?'

'Je was toch verliefd op hem?'

De plotselinge consumptie van alcohol had Finch' een beetje losser gemaakt. 'Ja.'

'En hij hield van jou.'

'Dat denk ik wel. Op zijn eigen manier.'

Er lag een glimlachje om de belipstickte mondhoeken van Jen. Het leek onopzettelijk en ze probeerde haar binnenpretje te onderdrukken, maar toen begon ze plotseling te lachen. Het geluid van haar lach detoneerde met de stilte in de kamer, maar haar stralende gezicht maakte dit weer goed. 'Dat klinkt me bekend in de oren.'

Sam lachte ook. Enigszins van haar stuk gebracht, sloeg Finch de rest van het drankje achterover en keek toen van de een naar de ander. Jen leunde voorover, nog steeds met de warmte van haar binnenpretje op haar gezicht. Ze zag er leuk uit, en plotseling was het alsof het niet moeilijk was om haar aardig te vinden.

'Laten we op hem drinken. Jullie Amerikanen hebben de dodenwake gemist, laten we daarom nu op hem drinken.'

De ginfles werd opnieuw aangesproken en Sam ving even Finch' blik op. Onmiddellijk richtte hij zijn blik weer op een punt tussen hen in. Toen haar glas vol was, ging Jen in het midden van de kamer staan en hield het omhoog. Het werd nu duidelijk dat dit niet pas haar tweede drankje van de avond was.

'Op Alyn Hood, de grote bergbeklimmer, de kleine echtgenoot. Vriend en vader, en een nachtmerrie. De beste vriend die ik ooit heb gehad, het beste gezelschap, het ergste dat je je maar kunt bedenken voor een huwelijk en geborgenheid. Ik heb van hem gehouden. Het verbaast me niets dat jij ook van hem hebt gehouden, dokter huppeldepup. Het kan me ook niets schelen, ik wil niet dat je dat denkt, omdat het tussen Al en mij voorbij was toen Spider stierf op de K2 en we het alletwee wisten. Hoe dan ook, laten we drinken op zijn nagedachtenis.' Jen draaide zich plotseling wankelend om en knikte naar de foto op de schoorsteenmantel. 'Op jou, mijn schat.'

'De moedigste man die ik ken,' zei Sam, en volgde haar voorbeeld.

'Al,' was alles wat Finch kon uitbrengen. Net zo wankelend als Jen stond ze op, en ze voelde de gin als een warme, bedwelmende stroom door haar ingewanden gaan. Over een stoffig vloerkleedje lag een reepje licht uit het westen en maakte de haren van de kat zichtbaar.

Molly duwde de deur open en staarde naar het drietal.

'Grote hemel,' mompelde ze. 'Geef mij alsjeblieft ook wat.'

Molly dronk even enthousiast als haar moeder. Finch was niet gewend meer dan een paar glazen wijn achter elkaar te drinken, terwijl Sam in al die jaren van trainen nooit een druppel alcohol had aangeraakt, en het was duidelijk dat ze dit niveau niet aankonden.

Finch wist dat ze al een goed eind op weg was om dronken te worden. 'Wacht even,' protesteerde ze toen Jen haar glas weer volschonk.

Tegen de tijd dat de derde gast arriveerde, was de kamer nevelig geworden. Jen was een verhaal aan het vertellen over de tijd dat Spider en Al zich in de lege conducteurswagon van een trein van de Chester-Llandudno-lijn verstopten, hopend op een gratis ritje naar een klimgebied, maar in plaats daarvan werden opgesloten, losgekoppeld en voor een heel weekend op een zijspoor werden gerangeerd.

'Ze waren altijd uitgehongerd, moesten om de twee uur eten.

Kunnen jullie je voorstellen hoe ze er na twee dagen aan toe waren?'

Molly moest nog steeds lachen om het verhaal, hoewel ze het al vele malen had gehoord. 'Ze hadden wat bier, dat was alles. Spider probeerde zijn bergschoenen op te eten. Het was het enige paar dat hij had, en hij had er hard voor gewerkt om ze te kunnen kopen, en ze stonken. Zó hongerig waren ze.'

Jens partner bleek een zachtaardige man te zijn met een verlegen lach. Hij had drie flessen Rioja onder zijn arm. Hij kuste Jen, gaf Finch en Sam een hand en ontkurkte een van de flessen. Molly gaf hem een koel knikje.

'O God, het is aangebrand,' riep Jen, toen ze het eten uit de Rayburn haalde.

'Het is prima,' stelde Tim haar gerust.

Ze aten Irish stew en dronken wijn. Sam vertelde hun over Pemba en Mingma en de andere sherpa's die Als lichaam naar beneden hadden gehaald, en over de leden van Als laatste expeditie, en Finch vulde de details aan die hij vergat. De kamer werd warm toen het buiten donker werd en Molly stak kaarsen aan, die zich als zacht schitterende ovaaltjes weerspiegelden in het marineblauwe glas van de ramen. Jen was geïnteresseerd in alles wat ze haar vertelden, een wijdopen, door alcohol verzachte belangstelling, die haar eigen droefheid had maar geen spoor van verbittering. Zo nu en dan keek ze naar Tim, en hij liet zijn arm op de rugleuning van haar stoel rusten of raakte met zijn vingers haar pols aan. Hij hield gewoon van Jen, dacht Finch. Misschien was haar frons daarom gladder en waren er alleen nog maar de rimpels als bewijs dat hij er eens was geweest. Ze voelde iets van afgunst en onderdrukte ze met een rilling.

Jen maakte koffie. Ze hadden alle Rioja opgedronken, begonnen aan een fles met iets anders en Sam lachte om een grap die Molly hem vertelde. Molly had hen de hele avond gadegeslagen, met een donkere, cynische flikkering van geamuseerdheid en taxatie in haar ogen, maar het was Sam die haar belangstelling had. Hij stelde haar vragen over haar leven en haar plannen, en ze werd plotseling een en al leven en begon te vertellen hoe het was geweest toen ze als klein meisje met Al de bergen in ging. Toen, haast binnen een minuut, tussen het begin van een mop en de clou, had ze te veel gedronken. Ze begon over haar woorden te struikelen en zakte onderuit in haar stoel.

'Dat is genoeg, liefje,' waarschuwde Jen.

'Ik neem er nog eentje.'

'Je hebt gehoord wat je moeder zei,' mompelde Tim.

Molly sprong overeind en haar stoel viel met veel kabaal omver.

'Jij hoeft me niet te vertellen wat ik wel en niet mag. Je bent mijn vader niet!'

Haar ogen schoten vol en de tranen liepen over haar wangen.

Ze begon tegen hem te schreeuwen, boos op zichzelf omdat ze huilde. 'Je bent verdomme mijn vader niet, als je dat maar weet.' Ze draaide zich om en stommelde de kamer uit.

Jen zei rustig: 'Het spijt me. Ze mist Al. Voor haar is het het moeilijkst, ze wil er met mij niet over praten.'

'Het wordt tijd om te gaan,' zei Finch tegemoetkomend.

'Ga nog niet weg. Ik wil nog wat praten, als ik niet te dronken ben.'

Het was Tim die opstond. 'Ik denk dat ik maar eens naar huis ga. Ik bel je morgenochtend, Jen.' Hij kuste haar boven op haar hoofd en trok zijn jack onder een van de katten vandaan. Sam stond ook op.

'Ik loop met je mee. Even een luchtje scheppen.'

Jen en Finch bleven samen achter. Van boven hoorden ze het geluid van voetstappen, deuren die open- en weer dichtgingen, een toilet dat werd doorgetrokken. De gasten kwamen terug van hun avondje uit.

'Hoe laat moet je opstaan?' vroeg Finch.

Jen zuchtte. 'Morgenochtend om halfzes. Ik heb een paar vissers die vroeg op pad willen.'

Finch liet haar hoofd op haar hand rusten. 'Hoe wil je dat klaarspelen? Ik weet niet hoe het met jou is, maar ik heb geloof ik een heleboel gedronken.'

'Ik denk dat je het wel weet. Ik zag hoe je naar me keek en dacht: wat een dronkelap. Maar ik heb er van tevoren maar een paar gehad, omdat het me zenuwachtig maakte dat jullie hier terug zouden komen om met Molly, mij en Tim te eten en je een beeld

340

te vormen van Als achtergrond. Toen ik jullie had gevraagd, wist ik niet waarom ik het had gedaan, om heel eerlijk te zijn. Al heeft me nooit echt iets over jou verteld, maar ik wist het. Als je zó lang met iemand hebt samengeleefd, kan het niet anders dan dat hij een open boek voor je wordt. Nadat Spider is gestorven, is het niet? Toen is alles tussen Al en mij stukgegaan, hoewel het al een hele tijd niet goed meer was. Een heel lange tijd. Hij had, evenals Spider, een innerlijke behoefte om steeds maar weer te gaan klimmen. Er was altijd weer een volgende expeditie, een volgende top die zijn verdomde sirenenzang zong.'

Jens hoofd viel achterover, waardoor haar witte hals zichtbaar werd en Finch de omtrek van haar luchtpijp zag en de vleugels van haar sleutelbeenderen. Jen slaakte nog een enorme zucht, liet haar schouders zakken en ging weer rechtop zitten. 'Ik wilde dat hij hier bleef bij Molly en mij, zoals een gewone man, maar hij weigerde om gewoon te zijn. Ik vond dat hij ons dat verschuldigd was, en hij vond dat hij alleen leefde om bergen te beklimmen.'

Ze had in een snel tempo gepraat, omdat de alcohol haar tong had losgemaakt. Nu zweeg ze en zag dat Finch haar zat aan te staren. 'Wat heb ik gezegd? Waarom zit je me zo aan te kijken? Je kende hem, je was zijn geliefde, dit zal allemaal niets nieuws voor je zijn.'

Finch zei nog steeds niets en Jen haalde haar schouders op. Ze hield de fles weer schuin en er verscheen een rijtje druppels op het tafelkleed tussen hen in.

'Laten we er nog eentje nemen voordat je weggaat. Kom bij me op de sofa zitten en praat met me.'

In de verwarrende nevel van haar gedachten was Finch één ding heel duidelijk. Maandenlang was ze er in de uithoeken van haar brein al naar op zoek geweest en nu stond het haar volkomen helder voor de geest. Omdat ze daarop helemaal geconcentreerd was, stond ze gehoorzaam en afwezig op en vergat haar voet. Meteen verloor ze haar evenwicht en viel op de grond, waarbij haar hoofd net de hoek van de tafel miste. Het volgende wat ze zag, was het bezorgde en angstige gezicht van Jen, dat zich over haar heen boog. Een golf van vernedering overspoelde Finch, zodat ze zich uitputte in een stroom van excuses. 'Daar komt het niet van, zo dronken ben ik niet, ik verloor mijn evenwicht. Ik ben mijn voet kwijt. Hij is bevroren geweest, is toen aangetast door gangreen en moest worden geamputeerd. Kijk, zie je wel?' Ze trok haar broekspijp een beetje omhoog en haar sok omlaag om Als vrouw het glinsterende staal te laten zien.

'O God. Dat wist ik niet. Gaat het? Kan ik je helpen? Wat kan ik doen?'

'Me overeind helpen.'

Jen pakte haar onder de armen vast, en met gezamenlijke inspanning lukte het om Finch weer overeind te krijgen. Toen ze eenmaal rechtop stond, hielden ze elkaar vast om hun evenwicht te bewaren en waggelden als een paar pantomime-eenden heen en weer.

'O God, het spijt me,' herhaalde Jen.

'Laten we gaan zitten.' Finch wees naar de sofa, en met de armen om elkaar heen schuifelden ze erheen.

Jen liet haar op de kussens zakken. 'Gaat het?'

Finch onderzocht haar ledematen. 'Een paar blauwe plekken. Ben ik gewend.'

'Thee. Laat ik een kop thee maken. Hier in Wales hét medicijn voor alle kwalen.' Ze zette de ketel op, schonk het hete water op en gaf Finch haar kopje. Toen pakte ze het hare en ging naast haar zitten.

Sam liep met Tim naar zijn auto, die een eindje verderop in de straat geparkeerd stond. Ze hadden wat over de gebeurtenissen van de avond kunnen praten of over de vrouwen met wie ze hem hadden doorgebracht, maar ze kozen voor een soort meditatieve stilte. Naast Tims auto gaven ze elkaar een hand en wensten elkaar goedenacht. Toen hij terugliep naar Jens huis, een beetje zweverig door de buitenlucht, zag Sam Molly zitten op een muurtje voor een van de naburige huizen. Met zijn handen nonchalant in zijn zakken bleef hij voor haar staan.

'Ik vermoed dat je me zojuist een verschrikkelijk mormel vond,' zei ze uitdagend.

'Nee.'

'Het werd me gewoon een beetje te veel, dat is alles. Ik wou dat mijn vader er nog was.'

'Dat willen we allemaal.'

'Niet zozeer als ik.' Zelfs in het donker kon hij zien hoe ze hem tartend aankeek. De hoek van haar kaak en de ellende die in haar ogen brandde, gaven hem een rilling van herkenning, en hij besefte dat Molly hem eraan deed denken hoe hij zelf was geweest toen Mary was gestorven.

'Dat is waar. Misschien denk je van niet, maar ik begrijp hoe je je voelt.'

'Waarom?'

Hij vertelde het haar in korte, eenvoudige bewoordingen en vroeg toen: 'Heb je zin om een eindje te wandelen? Me te helpen om weer nuchter te worden? Jullie tempo gaat mij te snel.'

Molly sprong van het muurtje. 'Er is hier verdomme ook niet veel anders te doen dan drinken.'

Ze begonnen te lopen. Molly stak haar arm door die van Sam en maakte een paar huppeltjes om haar pas naar de zijne te voegen. Sam keek door de verlaten en stille straat. 'Je hoeft hier niet altijd te wonen. Wanneer ga je naar de universiteit?'

'In oktober. Als ik het haal.'

'Zie je wel.'

'Ja. Weet je dat ik je heel aardig vind?'

'Dank je,' zei Sam ernstig.

'Op dit moment heb ik geen vriendje.'

'Dat meen je niet! Zo'n prachtmeid als jij?'

Ze draaide zich naar hem toe om de uitdrukking op zijn gezicht te zien, waarbij ze bijna hun evenwicht verloren. 'Meen je dat?'

Ze hadden dezelfde route gelopen als 's middags, en nu stonden ze naast het portaal van de kerk. Aan de andere kant was het kerkhof een dichte muur van duisternis.

Sam bleef staan en keek naar haar gezicht. Hij pakte een van haar springerige krullen van haar wang en draaide hem om zijn wijsvinger. 'Ja, dat meen ik. Om te beginnen ben je mooi om te zien. Verder vind ik dat je het vuur, de wil en het unieke van je vader hebt, en het goede hart van je moeder. Dat alles maakt je tot een opmerkelijke jonge vrouw.'

Molly's mond ging nu een beetje open en ze begon dieper te ademen. Haar heldere ogen lieten die van Sam niet los. O, o, dacht hij. Ze nam zijn hand en trok hem mee onder de beschutting van het portaal. 'Als kind zaten we hier altijd op het bankje en vrijden met elkaar. Het verbaast me dat er vanavond niemand is. Een beetje laat, denk ik.'

Ze drukte zich dicht tegen hem aan en sloeg haar arm om zijn nek. Ze kuste hem met een natte mond en een tong die smaakte naar verschraalde wijn en veel honger, en haar lichaam voelde over de volle lengte heel jong, soepel en begerig aan.

Met ondubbelzinnige moeite maakte Sam haar arm los en veranderde de kus van een hunkerende verkenning in een warme knuffel. 'Zo is het genoeg,' mompelde hij.

'Je gaat zeker met haar?'

'Haar?'

'Dokter Finch Buchanan. Eerst mijn vader en nu jij.'

'Nee, ik ga niet met haar. Ik wilde het wel, maar ze was verliefd op Al, zó verliefd dat ze niet eens wist dat ik op dezelfde planeet woonde. Ik denk dat ze het nog steeds is, nog steeds hetzelfde voelt, en ik denk dat ik haar nu met rust moet laten en mijn eigen leven weer moet oppakken. Ik wilde samen met haar jou en Jen bezoeken, en nu we dat hebben gedaan, denk ik dat we weer teruggaan en onze eigen weg weer gaan. Dus nu weet je hoe het zit.'

Molly zat hem aan te staren in de duisternis. 'Ik wil niet dat ze jou krijgt, maar als ik niet...'

'Ik voel me gevleid, maar ik ben veel te oud voor jou.'

'Het klinkt allemaal een beetje droevig.'

'Ja. Het leven is een drama, en dan ga je dood.'

Er viel een stilte. Ergens in de verte ging een auto voorbij.

'Het spijt me, Molly. Dat had ik niet moeten zeggen.'

'Hij ging altijd dood. Ik heb het altijd geweten.'

Sam pakte haar hand en hield hem vast.

'Toch ben ik trots op hem.'

'Dat kun je ook zijn.'

Finch en Jen zaten op de sofa en dronken hun thee. Finch vertelde haar over haar eerste ontmoeting met Al, toen hij de K2 afkwam met Spiders dood in zijn ogen. Ze vertelde over de rit met de truck door Pakistan naar het huis van Stuart Frost in Karachi. 'Stu.' Jen glimlachte. 'We waren allemaal vrienden, vijfentwintig jaar geleden. Al, Spider, Stuart en ik, en nog een stuk of zes anderen. Nooit hadden we geld, geen zorgen, alleen klimmen. Het duurde niet lang of de demonen van de middelbare leeftijd begonnen ons te belagen. Ik had met Stu moeten trouwen. Hij heeft me gevraagd.'

Finch dacht aan de man die alleen in de stoffige villa achter de eucalyptusbomen woonde. 'Ik vraag me af wat er zou zijn gebeurd als je het had gedaan!'

'Wie zal het zeggen? Stu was niet een van die mensen die dacht dat klimmen het enige in het leven was. Hij had hier nu kunnen zijn, met zijn slippers aan, slapend voor de televisie.'

'Al heeft heel veel gepraat over vroeger,' zei Finch.

'O, werkelijk? En wat heeft hij je precies verteld?'

De toon van de andere vrouw veranderde. Ze wilde weten hoeveel Al haar van zichzelf en zijn verleden had gegeven. Zelfs de dood kon de jaloezie niet het zwijgen opleggen. Wees voorzichtig, waarschuwde Finch zichzelf, tegelijkertijd wetend dat voorzichtigheid door de invloed van drank en de verwarring die komende en gaande barrières opwierpen waarschijnlijk al onmogelijk was geworden.

'Heeft hij het bijvoorbeeld over Cath gehad?'

In de schuur in Deboche, met de nachtelijke lucht buiten het raamgat, Al die haar over zijn kindertijd in Liverpool vertelde, zijn veel oudere zus en de streken van zijn broer... 'Ja, daar heeft hij het over gehad.'

Jens wenkbrauwen maakten een scherpe, vragende boog. 'Dan weet je dus dat ze zijn moeder was?'

'Wat?'

'Cath was eigenlijk zijn moeder. In deze streken niets ongewoons. Een meisje van vijftien wordt zwanger, krijgt de baby, de ouders houden het stil en doen net of het van hen is. Ben je geshockeerd?'

'Was dat je bedoeling? Me te shockeren? Ik ben een arts, vergeet dat niet. Ik werk in een grote stad en heb in Azië gewoond. Ik heb wel erger dingen gehoord.'

Jen kreeg een kleur, een flauwe blos die haar jukbeenderen kleurde. 'Oké, dat heb ik verdiend. Ik bedoelde, was je verbaasd dat hij je niet zoiets fundamenteels over zichzelf heeft verteld?'

Na een korte stilte zei Finch: 'Ja.'

'Nou, Cath en ik zijn nu nog de enigen die het weten. Molly weet het niet. Cath heeft het hem verklapt toen hij een tiener was, toen ze er eentje te veel op had. Dat heeft hem erg aangegrepen. Maak je geen zorgen, Al zat vol geheimen, diep in zijn hart, als een witte, koude sneeuwplooi in een geul.'

'Ja,' zei Finch weer, het verdrietig als waarheid accepterend. Ze hief haar hoofd op. 'Zit er nog wat wijn in die fles?'

'Nee, we hebben hem leeggedronken. Maar hier is nog een volle. Morgen is er weer een dag.'

Dat was zeker waar, dacht Finch. En het was ook waar dat ze slechts één versie van Al Hood had gekend. Die versie was alles wat ze had en alles wat ze aan herinneringen had.

Toen Sam en Molly terugkwamen, zaten Jen en Finch nog steeds te praten, in hun jacht op herinneringen aan Al in afzonderlijke verledens.

Molly grinnikte opgetogen. 'Sam is dronken. Hij heeft net geprobeerd zijn auto voor de deur te parkeren, zodat jullie niet te ver hoefden te lopen, maar hij heeft de achterkant van Dai Davies' Volvo geramd.'

'Niet geramd,' protesteerde Sam. 'Een kleine miscalculatie en een nog kleinere botsing. Ik zal het natuurlijk opbiechten aan de eigenaar van de Volvo en aan het verhuurbedrijf Hertz. Maar ik denk niet dat het een goed plan is om vanavond weer terug te rijden. Sorry.'

'Dat denk ik ook niet,' zei Finch onmiddellijk.

Ze keken elkaar aan. 'Is hier ergens een hotelletje waar we kunnen overnachten?' Het was al ver na middernacht.

'Nee. Maar we hebben hier nog een kamer, vanmiddag zijn er onverwacht twee mensen vertrokken. Jullie mogen hem hebben. Het is een tweepersoonsbed.'

'Geregeld,' zei Sam. En hij zei vervolgens tegen Finch: 'Je hoeft vannacht nergens bang voor te zijn, door de toestand waarin ik verkeer.'

Molly lachte.

Finch waste haar gezicht en droogde zich af met de baddoek die Jen haar had gegeven en borstelde toen haar tanden met de nieuwe tandenborstel waarvoor Jen eveneens had gezorgd. De nacht kreeg iets surrealistisch, maar toen ze in de spiegel keek, zag ze dezelfde oude trekken. Er was niets veranderd. Ze hield alleen haar T-shirt aan, bond de baddoek om haar middel en liep op haar tenen over de gang. Achter de andere deuren lagen Jens gasten waarschijnlijk in een diepe slaap. In de laatste kamer stond een tweepersoonsbed, waarin Sam op zijn rug onder een roze dekbed lag. Ze schuifelde om het bed heen, en met de rug naar hem toe ging ze erop zitten. Ze deed haar voet af en zette hem netjes naast het bed. Ten slotte dook ze onder dekens, trok met een onhandige beweging haar baddoek af en liet hem op de grond vallen.

'We zijn samen op de Everest geweest,' zei Sam zachtjes.

'Denk je dat ik dat vergeten ben?'

'Dus ik heb je op je slechts en je best gezien. Ik ken je, ik weet wie en hoe je bent.'

'Wat wil je hiermee zeggen?'

'Ik wil hiermee zeggen dat je je niet als een maagd in een tweede-rangsfilm met een baddoek om in allerlei bochten hoeft te wringen. Heb ik je op deze reis enige reden gegeven om bang te zijn dat ik bovenop je zal springen?'

'Nee, geen enkele.'

'Finch, ik begin me af te vragen of je niet een gespannen, al te defensief, enigszins egocentrisch meisje bent. Niet de vrouw die ik dacht dat je was.'

Hij had nog nooit iets kritisch tegen haar gezegd en het kwam hard aan.

'Ik hoef niet naakt rond te lopen om te laten zien hoe goed we elkaar kennen.'

'Nee, dat hoef je niet. Zal ik het licht nu uitdoen?'

'Ja, graag.'

Ze lagen op hun rug in het donker, gescheiden door een stuk van Jens roze laken. Toen Finch haar ogen dichtdeed, tolde de kamer onaangenaam in het rond en daarom deed ze ze weer open. Weldra werd Sams ademhaling langzamer en dieper. Hij zuchtte een keer, draaide zich op zijn zij en ging met zijn rug tegen haar aan liggen. Voorzover ze wist, sliep hij. Finch lag zó lang wakker dat de vogels al zongen en er grijze randen om de gordijnen waren toen ze eindelijk wegdoezelde. Ze droomde een niet erg verhelderende droom over Cath, de moeder-zuster, die ze nooit zou ontmoeten.

Toen ze wakker werd, was het bed leeg en de andere kant al koud. Er was niemand op de gang of in de badkamer, waar ze haar vermoeide gezicht met water besprenkelde en met haar handen door haar haren ging. De geur van gebakken bacon die van beneden opsteeg, was helemaal niet welkom.

Op weg naar beneden kwam ze Molly tegen, die naar de eetkamer ging met een dienblad vol borden met ei en bacon. Finch wendde haar blik af.

'Goedemiddag,' grinnikte Molly. Het was halftien.

Sam zat aan de keukentafel met een keurig leeggegeten bord voor zich en een kop koffie bij zijn elleboog. Hij zat een krant te lezen en Jen stond bij het fornuis met een koekenpan te manoeuvreren. Sam wenste haar nietszeggend goedemorgen en Jen bood haar een ontbijt aan, dat ze afsloeg en in plaats daarvan zichzelf een kop koffie inschonk.

Molly kwam terug om de laatste volle borden op te halen.

Jen maakte ze klaar en veegde haar handen af aan haar schort.

'Weer een dag, weer vijftien gebakken eieren met bacon.' Ze kwam naar Finch toe en sloeg een arm om haar schouders. 'Oké? Heb je goed geslapen?'

'Dank je.' Finch lachte tegen haar. Ze wist dat ze Jen Hood heel graag mocht. De lange reis naar Noord-Wales was van vitaal belang geweest, en dat had ze aan Sam te danken. Ze zou het juiste moment moeten vinden om hem te bedanken.

'En nu terug naar huis?' vroeg Jen.

Op datzelfde moment kwam er een korte, vierkante vrouw in een schort binnen en pakte een mandje met poetsmiddelen en stofdoeken uit een kast. 'Ik ga maar eens beginnen,' zei ze tegen de kamer in het algemeen.

'Bedankt, Menna.' Er moest worden gewerkt.

'Ja,' stemde Finch in. 'Terug naar huis.'

Jen en Molly liepen mee naar buiten om hen uit te wuiven. Ze inspecteerden de schade aan de achterbumper van de huurauto en de deuk in de Volvo.

'Helemaal in elkaar,' lachte Molly.

'Bedankt voor jullie komst.'

Jen kuste Sam op beide wangen en sloeg toen haar armen om Finch heen. Finch boog haar hoofd om het op gelijke hoogte te brengen en omarmde haar op haar beurt. Met tegenzin maakte ze zich los, en met een gevoel van een sterke onderlinge band bleven ze even staan.

'Bedankt voor de foto's en voor het vertellen van de dingen die we niet wisten. Het betekent heel veel voor Molly en mij. En ik denk dat we allemaal begrijpen dat je niet alles over iemand kunt weten. Alleen een paar dingen, een paar motieven. Een stukje van de tijd.'

'Ja,' zei Finch.

'Kan ik je in Seattle komen opzoeken?' vroeg Molly aan Sam.

'Natuurlijk. Je bent altijd welkom.'

'Wees gelukkig. Je kunt de keuze maken om gelukkig te zijn, weet je,' zei Jen tegen Finch.

'Dat zal ik niet vergeten. Ik zal niet vergeten dat je me dat hebt gezegd.'

Terwijl Finch de lange straat rondkeek naar de vierkante toren van de kerk, net zichtbaar boven de daken en schoorstenen, dacht ze: *hij is er niet meer.* Het verdriet en de stilte vielen weg en er kwam een grote ruimte van helder wit, als onbetreden sneeuw.

Molly gaf Sam een enthousiaste afscheidskus.

Toen zaten ze in de auto, met Sam achter het stuur. Molly en Jen gingen op het trottoir staan en staken hun hand op om met een en hetzelfde gebaar te wuiven. Finch had alleen de gelijkenis met Al gezien, maar nu realiseerde ze zich dat ook de twee vrouwen op elkaar leken.

Sam reed achteruit, en toen snelde de auto vooruit. Jen en Molly stonden te zwaaien tot hij uit het zicht verdween.

Lange tijd reden ze zonder iets te zeggen. Sam verbrak de stilte.

'Het spijt me wat ik gisteravond heb gedaan. Ik had te veel gedronken en was boos.'

'Het geeft niet. Waarschijnlijk had je gelijk.'

Weer was het een tijdje stil. Het bleef stil en het ging drukken, maar geen van beiden kon de juiste woorden vinden om de stilte te verbreken, omdat ze wisten dat ze op het punt stonden een beslissing over elkaar te nemen die veel te belangrijk was om met de verkeerde woorden te besmeuren.

Waarschijnlijk gingen ze afzonderlijk en voorgoed terug naar hun eigen leven, terwijl er enkele uren geleden nog andere broze mogelijkheden waren geweest. Nu leek het alsof de keuze al was gemaakt, zonder dat er op een bepaald moment een heuse beslissing was gevallen.

Ze gingen terug naar het hotel in Chester en vertrokken weer, reden vervolgens verder zuidwaarts, richting Londen en het vliegveld. Finch had diezelfde dag nog een vlucht naar Vancouver; Sams vlucht naar Seattle zou pas de volgende ochtend gaan.

Kijkend naar het verkeer zonder iets te zien, zat Finch te denken aan het inzichtelijke moment van gisteravond. Jen had gezegd dat Al eigenlijk alleen leefde voor het bergbeklimmen. Finch had dat tot op zekere hoogte ook zelf wel begrepen, maar in de vloedgolf en verrukking van de liefde had ze het meest voor de hand liggende punt gemist. Hij had haar beloofd dat de Everest de laatste top zou zijn en ze daarna voor altijd bij elkaar zouden zijn. Dat was het wat ze van hem had gevraagd, en hij was bereid geweest het voor haar te proberen, ook al moest hij hebben geweten dat hij zijn belofte niet kon nakomen. Haar relatie met Al was bepaald door het onmogelijke, en hun enige bestemming moest op een teleurstelling uitlopen. Ze had geprobeerd Al te maken zoals zij hem wilde, in plaats van hem zichzelf te laten zijn.

De oudste fout die er bestond. Geen wonder dat ze een verwantschap met Jen voelde.

Ze begreep dat Al dit allemaal wist toen hij op weg ging naar de top. Hij had zichzelf opgeofferd voor Sam, omdat de moeilijkste keuze de makkelijkste was.

Toen was er Sam zelf, Als geschenk. Finch kende hem wél, en nu het haar duidelijk was, was het tevens te laat; het leek tussen hen al verkeerd te zijn gegaan. Ze overwoog de mogelijkheden in haar gedachten. Ze kon Sam nog steeds de hand reiken en tegen hem zeggen dat ze niet wilde dat hij ergens zonder haar heen zou gaan, maar ze was bang. Misschien was het niet de waarheid, en het laatste wat ze wilde, was hem niet de volle waarhcid te geven. Finch was altijd zeker geweest van zichzelf, en nu waren de zekerheden ingestort. Ze was van Al verbluffend zeker geweest, en het enige dat daarvan was overgebleven, waren de witte sporen die door de verse sneeuw waren uitgewist en de wereld het perspectief hadden ontnomen. Ze maakte de inventaris op van alle implicaties die dit met zich meebracht. Ze waren onontwarbaar met elkaar verweven, Al, zij en Sam. Terwijl Al onoplosbaar door twee werelden was verscheurd en Sam alleen de fout had gemaakt om er te zijn, leek het dat alle overige blinde en gretige veronderstellingen voor haar rekening kwamen. De stilte omhulde haar en de kilometers gleden voorbij. Ze kon niet praten, zelfs niet tegen Sam.

Sam keek twee- of driemaal naar haar profiel. Ze was verzonken in haar eigen gedachten, en wát die ook mochten zijn, ze gaven haar een kille en zwaarmoedige uitdrukking. Hij moest denken aan de avond toen ze samen in Vancouver hadden gegeten en de huiver van onzekerheid die hij in het begin had gevoeld – dat ze misschien, na zo'n lange tijd en zoveel nieuwe ervaringen, minder zou blijken te zijn dan hij zich had voorgesteld en waarnaar hij had verlangd.

Zeg iets, probeerde hij haar met zijn wil op te leggen. Vertel me wat je voelt, geef me een teken dat je weet wie ik ben. Wees niet het kleine en defensieve mensje dat gisteravond bij me in bed kroop. Wees geen 'koelkast' – had Adam Vries dat niet lang geleden bij wijze van grap gezegd?

Maar ze zei niets. Haar afstandelijke uitdrukking bestendigde zich. Ze maakten een paar opmerkingen over de afstand en de route en spraken af nergens onderweg te stoppen. Binnen vier uur naderden ze het westen van Londen, en de eerste wegwijzer met een vliegtuigje erop verscheen en lieten ze weer achter zich.

'We zijn er bijna,' zei Sam.

'Nog genoeg tijd voordat het vliegtuig vertrekt,' antwoordde Finch, haar horloge raadplegend. 'Waar ga je overnachten?'

'Luchthavenhotel, denk ik.'

Hij wilde dat ze zei dat ze een andere vlucht zou nemen, die nacht bij hem zou blijven, maar er was een afstand tussen hen gekomen die nu niet meer te overbruggen leek, en hij wist dat ze zoiets niet zou zeggen.

Ze namen de afslag naar het vliegveld en kropen door een tjokvolle tunnel. De terminal dook voor hen op, met borden voor kort parkeren. Sam bestuurde de auto met een werktuiglijke doeltreffendheid, die net genoeg van zijn aandacht opeiste om hem ervan te weerhouden het uit te schreeuwen. In zijn hoofd hamerde het ongeloof – ze konden toch samen niet zover zijn gegaan om zo uit elkaar te gaan? Maar de eerste zet moest van Finch komen. Zelfs de geringste toenadering zou voldoende zijn, maar er kwam niets. Ze zat als bevroren, haar gezicht een masker waar hij niet doorheen kon komen.

Ze parkeerden, haalden de bagage uit de auto, zochten een bagagewagentje en duwden het naar de check-in. Sam stond geduldig te wachten, terwijl Finch naar de balie ging en hij moest denken aan de eerste glimp die hij op een ander vliegveld van haar had opgevangen, met lange benen, een skipak en met een bruidsboeket in haar arm. Een lange weg, dacht hij, een heel lange weg, die uiteindelijk tot niets had geleid. Als een misselijkmakend gevoel voelde hij de teleurstelling onder zijn middenrif liggen.

Het was zover. Ze had een instapkaart en een gate-nummer. De vertrekhal leidde naar het vliegveld en een scheiding van duizenden kilometers.

'Ik ben blij dat we zijn gegaan. Het was belangrijk,' zei Finch. 'Bedankt.'

Hij wachtte en keek naar de spanning van de spiertjes rondom haar ogen. Ze aarzelde, ogenschijnlijk op het punt om iets te zeggen, maar veranderde toen van gedachten. In plaats daarvan wachtte ze tot Sam iets zou zeggen, en toen hij dat niet deed, knikte ze.

'Ik kan nu beter gaan.'

Met haar gewicht op haar sterkere kant reikte ze omhoog en kuste hem op de wang. Het was een kleine, droge pik van haar lippen die in zijn innerlijk oor werd uitvergroot tot de verscheurende traan van een definitieve scheiding.

Hij rechtte zijn rug en liet even een hand op haar schouder rusten.

'Het beste.'

'Jij ook.'

Er waren geen loze beloften om te schrijven, te bellen of elkaar nog eens te zien.

Ze liep al weg door de vertrekhal. Hij zag dat ze met haar been trok, alsof de moeite om haar handicap te maskeren haar te veel was geworden. Hij keek haar na tot ze uit het zicht verdween, maar zij keek niet eenmaal om.

Sam stond in het getij van passagiers, met een stroom van zinloze obsceniteiten in zijn hoofd.

18

Finch wachtte op het downloaden van de dagelijkse e-mail van Suzy. Het duurde enkele minuten, dus wist ze dat er foto's bij waren. Toen het eindelijk zover was en ze hem openmaakte, was het eerste wat ze zag dat de baby naakt en op zijn eigen beentjes stond, en zijn plechtige blik staarde recht in de camera. James' kleine voetjes stonden onbeholpen tussen hopen kussens en zijn kromme beentjes waren plompe, mollige zuiltjes.

'Kijk wat hij al zonder hulp kan!' had Suzy eronder geschreven. 'Niet bepaald een wereldrecord in ontwikkelingstermen gesproken, maar hij is zo volmaakt!'

Finch bekeek de foto's. Ze waren goed; Jeff moest ze hebben genomen. Suzy was berucht om haar gebrek aan fotografeertalent. De huid van de baby had een parelachtige glans, en zijn donkere ogen leken de wijsheid van eeuwen in zich te hebben. Hij was prachtig. Finch kon de muskusachtige geur van zijn hoofdje onder de zwarte haarpieken bijna ruiken, en weer voelde ze het onwillekeurig samentrekken van haar spieren, in een kramp van verlangen om een kind van zichzelf vast te houden. Haar vingers gingen van het toetsenbord en maakten een vuist.

Hou op, vermaande ze zichzelf, hou op. Het is alleen maar een kwestie van hormonen, dat weet je.

De meeste uren van de meeste dagen kon ze zichzelf ervan overtuigen dat ze haar eigen kunstvoet kon evenaren in efficiency en gevoelloosheid. Ze deed haar werk en bracht haar vrije tijd door, en sinds het bezoek aan Wales waren er al drie maanden voorbijgegaan. De korte zomer in Vancouver vervaagde tot grijze, mistige ochtenden en avonden, die vanuit de oceaan regen meebrachten.

Weldra zouden de bergen ten noorden van de stad zich in mantels van sneeuw hullen.

De knoop in haar spieren loste zich geleidelijk op in een doffe, hanteerbare pijn. Rustig ademend, ontspande Finch haar vingers en legde haar rechterhand over de muis om de rest van Suzy's bericht door te schuiven. Na de foto's kwamen het nieuws van de dag en de roddel – commentaar op een artikel over cognitie, dat ze in een van de medische tijdschriften had gelezen en waarover ze Finch' mening wilde hebben, een klacht over Jeffs properheid. Er waren in het leven genoeg andere dingen om je over op te winden – daar moest Finch even om glimlachen, omdat ze heel goed wist dat een bescheiden verlangen naar enige huiselijke orde voor Suzy al iets dwangmatigs had – en de laatste ontwikkelingen in James' kennis van de taal. Hij had net 'tak' gezegd – niet één-maar wel tweemaal – toen hij de chagrijnige kat van de buren door de tuin had zien lopen.

De gebruikelijke stenografische berichtjes van vrienden die alleen door afstand van elkaar waren gescheiden. Maar vandaag eindigde het bericht met een ongebruikelijke zin: 'Weet je, dat ik sinds gisteren over je heb zitten denken? Kon je het voelen? Je laatste berichtje was zo triest.'

Was dat zo? vroeg Finch zich af. Ik dacht het niet, het was zeker niet de bedoeling. En ze had niets bijzonders gevoeld, niet tele-pathisch noch anderszins. Ze haalde haar laatste berichtje te voorschijn en las het nog eens over. Het was alleen een verslag van wat ze die dag had gedaan, en ze kon er niets triestigs in vinden.

Ze ging terug naar Suzy en las de slotzin opnieuw: 'Wanneer hou je er nu eens mee op om je tijd zo te gebruiken en ga je echt leven? Ik heb altijd gedacht dat je nergens bang voor was, Finch, maar misschien vind je het wel eng om gewoon en gelukkig te zijn. Wees niet bang – dóé het gewoon. Wát het ook is. Voordat het te laat is. Liefs, zoals altijd. S.'

Je hebt de keuze, had Jen Hood gezegd.

Finch keek naar de lege muur van haar flat. Geen foto van Al. Ze had Sam er geen gevraagd en hij had er ook geen aangeboden.

Toen klikte ze Reply aan en tikte een antwoord in. Liefs en be-wondering voor junior en zijn prestaties, en een geheugensteuntje dat er nu eenmaal mensen zijn, van wie Jeff er een is, die het prettig vinden kleren en handdoeken op te hangen. En een ontkenning: 'Ik weet niet wat je bedoelt met gewoon en gelukkig zijn. Ik ben beide. Maak je geen zorgen om mij. F.'

Ze verstuurde het bericht, en met een aantal venijnige klikjes sloot ze haar laptop af. Het was niet de waarheid, en ze loog tegen Suzy, omdat ze ook tegenover zichzelf niet eerlijk was.

De intercom van de flat zoemde en deed haar schrikken. Het moest Dennis zijn, bedacht ze zich nu, en ze stond op om de knop in te drukken en hem binnen te laten. Ze gingen aan de keukentafel zitten en dronken een glas wijn, daarna maakte ze wat kip klaar met Spaanse pepers; verder ging haar kookkunst ook niet. Ze aten gezellig en praatten over de mogelijkheid om een nieuwe praktijkruimte te kopen en een extra assistente aan te trekken. Toen Finch de tafel had afgeruimd, leunde ze plotseling over zijn schouder en liet haar hoofd tegen zijn wangen rusten.

'Wat is er aan de hand?' vroeg hij.

'Dennis, ik kan je toch wel gewoon omhelzen zonder dat er iets aan de hand hoeft te zijn?'

Ze kuste hem voordat ze weer rechtop ging staan. Zijn haar was kortgeknipt, bijna tot op de schedel, en ze voelde een lichte prikkeling op haar lippen. Het was zo lang geleden dat ze iemand had gekust, en door de schok van het intieme contact was het bijna alsof ze zich brandde. En het was niet de schuur in Deboche die nu in haar gedachten kwam, maar het roze bed in Jens huis waar helemaal niets was gebeurd.

Dennis dacht aan twee mensen in het gebroken licht van de spreekkamer, tussen het bureau en het stalen wagentje met de handschoenen en wegwerpspatels, twee dansende mensen. Hij legde zijn hand op haar pols. 'Je hebt mij niet nodig om je te zeggen wat je moet doen.'

'Het zou te weinig en te laat zijn, wát ik ook doe.'

Dennis zei niets, maar ze kon zien dat hij in haar teleurgesteld was.

In de laatste paar weken had Finch zich de gewoonte eigen gemaakt om de zondagavonden bij haar ouders door te brengen. Het was alsof de laatste paar uren van de leegte van een weekend plotseling ondraaglijk werden. De eerste paar zondagen had ze net gedaan alsof ze toch toevallig in de buurt was, of iets moest ophalen, maar nu was het een gewoonte geworden. Clare zette een derde bord op de grote tafel en Angus zat in zijn stoel op het terras naar de zee te kijken en te wachten tot haar auto eraan zou komen. Er hing geen etensgeur, maar dit drong nauwelijks tot haar door toen ze de trap naar de grote kamer opliep.

'Finch?'

Haar vader riep haar, met een ontzettend scherpe toon in zijn stem die ze nog nooit eerder had gehoord.

'Waar ben je? Ik kom eraan.' Haar gang werd plotseling onhandig toen ze de brede trap probeerde op te rennen.

Op het eerste gezicht was de kamer leeg. Op de grond lag een krant en de voorpagina fladderde in de tocht, die vanuit de openstaande terrasdeuren kwam.

Toen kwam haar vaders grijze hoofd omhoog vanachter de dichtstbijzijnde sofa. Zijn gezicht was wit weggetrokken van schrik. 'God zij dank. Ze is er.'

Clare lag als een hoopje op de grond, met één been in een draai onder zich. Met één oogopslag nam Finch de toestand op en boog zich over haar moeder heen. Op de een of andere manier bleef ze kalm en deed routinematig wat ze moest doen.

Luchtpijp, ademhaling, pols. Geen hartstilstand dus. Maar haar huid was zo wit als papier, volkomen bloedeloos.

Ze keek op naar Angus. 'Hier zijn de sleutels. Kun je mijn dokterstas uit de auto halen?'

Terwijl hij de kamer uit was, deed Clare haar ogen open en kreunde zwakjes: 'Finch? Help me. Wat is er gebeurd?'

Bij bewustzijn en helder, Godzijdank.

Ook geen attack. Clares kleur veranderde toen het bloed weer door haar aderen begon te stromen. Er verspreidde zich een helder rozerood over haar gezicht en keel.

Ik weet het, dacht Finch, ik weet wat het moet zijn.

'Maak je geen zorgen. Blijf maar een paar minuten stilliggen.' Met een kussen en een kasjmierplaid van de sofa maakte Finch het haar gerieflijk en hield haar hand vast, tot Angus de kamer weer binnenkwam.

'Ze is weer bij bewustzijn. Vertel me wat er is gebeurd.'

'Ze klaagde dat ze zich moe voelde, dus ging ze een uurtje op de sofa liggen. Daarna stond ze op, omdat ze het eten klaar wilde maken. Ze deed zes stappen en viel toen. Moet ze naar het ziekenhuis?'

'Nee, dat wil ik niet,' fluisterde Clare.

Finch ruimde haar stethoscoop op en lachte tegen haar. Haar moeders toestand was nu weer stabiel. Als het een Stokes-Adamssyndroom was – en ze was er bijna zeker van dat het dat was – was het geen noodgeval.

'Morgen, om alles even te laten controleren. Laten we even afwachten, maar ik denk niet dat het direct nodig is. Ik blijf hier.'

Opgelucht deed Clare haar ogen weer dicht. Haar oogleden waren opgemaakt met oogschaduw en haar mond was rood aangezet. Altijd tot in de puntjes verzorgd. Maar onder de stalen wil, en ondanks de roze blos die nu langzaam wegtrok, zag Finch dat ze plotseling broos was. Ze boog zich over haar heen en hield haar moeder in haar armen. Angus' handen trilden van de schrik. Het waren twee oude mensen.

'Luister, mam, kun je me horen? Je bent een paar seconden weg geweest, dat is alles. Je hebt geen hartaanval gehad of een attack en hebt geen koorts, dus is het geen ernstige infectie. Je hebt toch geen medicijnen genomen? Ik denk dat je wat rust nodig hebt en dat we even goed op je moeten passen.'

Toen Clare verplaatst kon worden, brachten vader en dochter haar naar bed. Finch friste haar gezicht en handen op en streek een vochtinbrengende crème op haar tere huid, kamde toen haar haar en trok de dekens over haar schouders. Haar gezicht was een kleine driehoek in de kussens. Finch controleerde haar pols nog een keer en kuste haar op het voorhoofd.

De rollen keren zich om, even onvermijdelijk als de tijd voorbijgaat.

'Ik hou van je,' zei Finch, zittend aan haar bed met haar moeders hand tussen de hare. Het was makkelijk gezegd. De draagwijdte van de betekenis was minder makkelijk te bevatten.

'Dat weet ik,' antwoordde Clare. 'Je was altijd zo boos, maar ook met een heleboel liefde. Vol hartstocht, en op zoek naar iets waaraan je die hartstocht kwijt kon.'

'Echt waar?'

'Je wilde altijd beter zijn dan je broers en je wilde mij en Angus laten zien wat je in je mars had. Misschien word je nu volwassen.'

'Shhh. Dat is genoeg voor vanavond.'

'Bedankt dat je voor me zorgt. Blijf je hier vannacht?' Ze was zo bang en afhankelijk als een kind.

'Natuurlijk blijf ik.'

Angus kwam binnen om haar goedenacht te wensen en Finch liet hen alleen.

Ze maakte een eenvoudige maaltijd klaar voor haarzelf en haar vader en aan de keukentafel aten ze afwezig en morsend hun bord leeg.

'Is alles goed met je?' vroeg ze. Zijn handen trilden nog steeds een beetje.

'Wat is er nu écht gebeurd?' Zijn ogen keken haar smekend aan. Het was zonder meer duidelijk dat deze succesvolle man heel erg afhankelijk was van zijn vrouw.

Finch antwoordde bedachtzaam: 'Ik ben er vrij zeker van dat ze een voorbijgaande aanval van bewusteloosheid heeft gehad, een Stokes-Adams. De intense bleekheid en daarna de blos zijn kenmerkend. De natuurlijke pacemaker van het hart valt even uit en de patiënt raakt buiten bewustzijn. Binnen een paar seconden neemt een andere pacemaker in het systeem het over, de bloedsomloop komt weer op gang en de patiënt komt weer bij. Het is een goedaardige aandoening, tenzij je onder een bus komt wanneer je buiten bewustzijn raakt.'

'Ze gaat niet dood?'

'Niet door de aandoening zelf. Ik ben geen cardioloog, en daarom zal ik ervoor zorgen dat Neal Fletcher morgen naar haar kijkt. Maar ik denk dat ze haar vierentwintig uur aan de monitor leggen, en afhankelijk van de uitslag zullen ze haar misschien een pacemaker geven.'

Haar vader luisterde somber naar deze informatie.

'Wil je een scotch?' vroeg Angus, toen ze klaar waren met eten. Finch wist dat hij zelden sterkedrank dronk, maar ze knikte. Ze ging weer even bij Clare kijken en zag dat ze rustig sliep, en toen ze terugkwam, zat Angus op het terras. Hij gaf haar een groot glas whisky en ze leunden op de balustrade om in het donker naar de onzichtbare zee te luisteren.

'Ze is de beste vrouw van de wereld geweest,' zei hij.

'Ze is pas negenenzestig,' merkte Finch vriendelijk op.

'We worden beiden oud.'

'Jullie hebben nog een hele tijd te gaan.'

Tegen zichzelf zei Finch: die moeten we gebruiken. We moeten allemaal alles doen wat we kunnen in de tijd die ons gegeven is, in plaats van ons te verbergen en het leven de rug toe te keren en bang te zijn. Ik moet dat doen.

Ze drukte het koude glas tegen haar wang en voelde bezorgdheid en liefde, die elkaar in evenwicht hielden. 'Ze heeft een heel sterke wil.'

'En jij ook, mijn liefje.' Angus sloeg zijn armen om haar heen en ze ving de vaderlijke geur op van eau de cologne, dure kleren en schoon zweet in de huidplooien van zijn nek.

'We lijken op elkaar, hè?'

'Ja. Jij hebt de perspectieven en verwachtingen van een andere generatie, dat is alles. Clare vond dat het meer dan voldoende was om vrouw en moeder te zijn, terwijl jij moest bewijzen dat je dat níét hoefde te zijn. Ik vraag me nu af of je misschien geen spijt hebt van die totale afwijzing van wat zij vertegenwoordigde.'

'Misschien wel.'

'En dus?'

'Ik weet het nog niet. Ik beloof erover na te denken.'

Toen Angus naar bed was gegaan, zat Finch alleen op het terras tussen de zware silhouetten van de zoutgeglazuurde potten. Ze merkte niet dat het kouder werd en hoorde niet het treurige geruis van de zee. De lichten van de weelderige kamer schenen volop achter het glas en Finch' ogen gleden over de reusachtige maskers, de indiaanse sculpturen, het lichte hout en kalksteen en de lichtgekleurde stoffering. Een levenlang haar moeders waarden afwijzen had haar niet ver van huis gebracht. Ze was nu drieëndertig en ze was hierheen teruggekropen om te herstellen van haar blessures, en ze vond het fijn om elke zondagavond te komen eten.

Er steeg een lachje in haar omhoog.

Het was komisch, en toen ze zich daarvan bewust werd, wist ze dat ze geen boosheid meer voelde. Wát het ook had betekend om het meisje te zijn, de laatste, degene van wie het meest werd gehouden en het minst werd gevraagd, het was niet belangrijk meer. Er was niemand tegenover wie ze nog iets moest bewijzen, behalve zichzelf. Clare en Angus werden oud en ze hielden van elkaar. Haar broers leidden hun eigen leven en zij moest het hare leiden.

Met tederheid dacht ze aan Al, en toen aan Sam, die nog leefde, haar nooit had teleurgesteld en vriendelijk en goedgehumeurd alles van haar had geaccepteerd.

Ze miste hem vreselijk, maar als ze het te laat had gevonden toen ze samen uit Wales terugkwamen, was het nu zeker veel te laat.

Finch boog haar hoofd en worstelde met haar demonen van trots en onafhankelijkheid. Sam zou haar niet weer komen opzoeken. Als ze nu eindelijk zou proberen hem te vinden, zou het een capitulatie van haar kant zijn. Maar ook dat zou hij begrijpen.

Met de onbezonnen vastbeslotenheid van een pas genomen besluit sprong Finch op. Ze vergat haar evenwicht en viel bijna tegen een van de grote potten, en haar hand gleed over het zout-korrelige steen. Ze wist wat ze nu zou gaan doen, en er stroomde een grote golf van ongeduld door haar heen. In haar oude slaapkamer bracht ze het grootste gedeelte van de nacht slapeloos door, keek naar het wit van het plafond en kon nauwelijks wachten tot het ochtend werd.

Toen het daglicht en een gepast uur eindelijk aanbraken, reed ze Clare naar het ziekenhuis en liet haar over aan de zorg van het cardiologenteam. Vervolgens spurtte ze, in de korte tijd die haar nog restte voordat het spreekuur begon, terug naar de flat en verzond een e-mail. Ze wist niet eens waar Sam nu woonde, maar Adam Vries zou het vast wel weten.

Aan het eind van de dag bevestigde cardioloog Neal Fletcher dat mevrouw Buchanan inderdaad een Stokes-Adams-aanval had gehad. Ze zouden haar hartritme vierentwintig uur monitoren en op grond van hun bevindingen een beslissing nemen. Finch bleef een halfuur bij Clare en liet haar toen alleen met Angus. Ze reed in het

spitsuur terug naar haar flat en keek of er een e-mail was gekomen. adamvries@compuserve.com lag te wachten bij de binnengekomen berichten.

Daar, tussen alle verwachte commentaren en toespelingen, stonden een adres en een telefoonnummer. Nog in Seattle.

Finch leunde achterover in haar stoel. Ze kon nu meteen bellen.
Of ze kon nog iets beters doen, wat Sam zelf zou hebben gedaan:
een vliegtuig pakken en naar hem toe gaan.

'Natuurlijk. Neem vrij zolang je wilt,' zei Dennis. 'Als het maar
niet langer is dan drie dagen.'

'Ik heb geen haast om in te grijpen,' was Neal Fletchers reactie.
'Het hangt ervan af wat je moeder zelf wil.'

'Ik ga voor een paar nachtjes naar Seattle,' zei Finch tegen iedereen. Verder niets.

Ze nam een middagvlucht, en het deed haar denken aan hun eerste ontmoeting en de storm, en aan John Belushi die het verhaal
van Sam geloofde toen hij zei dat ze pasgetrouwd waren. Ze kon
het zich nog tot in de kleinste details herinneren, en ze wilde er
niet aan denken wat er zou kunnen gebeuren als hij alleen maar
vriendelijk was, of haar helemaal niet wilde zien.

Toen ze eenmaal in Seattle aan de grond stond, raadpleegde ze
een plattegrond. Sams laatste adres was in het Magnolia-district,
niet ver van Elliot Bay. Er ging een bus naar het centrum en daar
kon ze een taxi nemen die haar voor de deur kon afzetten. Werktuigelijk liep ze alle gangen door, en pas nu kwam de gedachte bij
haar op dat dit een absurde onderneming was. Zoiets spectaculairs
hoorde bij Sam, maar niet bij haar. Hij kon overal zijn, op zijn
werk, op reis, bij een nieuwe liefde.

Ze had moeten bellen.

Ze vond de bus en stapte in. Met een hydraulische zucht gingen de
deuren dicht en de bus reed de bewolkte middag in.

Sam en Frannie waren bezig met het uitzoeken van hun boeken.
Toen hun oude flat eindelijk was verkocht – Sam was toen in
Kathmandu – was Frannie bij een vriendin ingetrokken en de

boeken waren in dozen gepakt en ergens opgeslagen. Sam had nu eindelijk een nieuw onderkomen gevonden, dat hij van zijn laatste spaarcenten had gekocht. Ook Frannie had iets nieuws gevonden, en de dozen waren te voorschijn gehaald. Het was niet moeilijk om Frannies kunstboeken te scheiden van Sams reisboeken en biografieën, maar met de verkreukelde paperbacks met gedichten en klassieke fictie en de daarmee gepaard gaande herinneringen lag het ietsje gecompliceerder.

'Dat boek van *archy & mehitabel* is van mij. Kijk, ik heb erin geschreven.'

'Ik kan me nog herinneren dat ik het in Boston heb gekocht.'

'Nee. Het is beslist van mij.' Frannie legde het bij haar stapel.

'Mijn *Bright Lights, Big City*. Dat heb ik gekocht toen de auteur in de zaak was om alle exemplaren te signeren.'

'Echt waar? Nou, goed dan.'

Ze hielden rekening met elkaar en maakten de pijnlijkheid van deze rituele verdeling zo gering mogelijk. Sam deed Frannies stapels weer terug in de dozen, zodat ze naar haar auto konden worden getransporteerd. Het was stoffig werk.

'Wil je een glas wijn of iets anders?'

Frannie keek rond in de nieuwe ruimte, die vol stond met Sams vertrouwde bezittingen, die nog niet op hun plek stonden en er waarschijnlijk ook nooit zouden komen, althans volgens haar maatstaven. 'Hm, nee, dank je. Ik denk dat ik maar ga. Zijn we klaar?'

'Ja. Ik zal dit voor je naar beneden brengen.'

Hij liep drie keer de trap op en neer en door de gemeenschappelijke gang naar de straat, waar Frannies Toyota stond. De dozen waren zwaar, maar ze lieten zich makkelijk stapelen. De verdeling had iets melancholisch, maar hij was blij dat het was gebeurd. Weldra waren er nog maar twee dozen over. Frannie nam de ene en hij de andere en weer liepen ze de trap af.

Finch zat voor het raam van de bar, achter een groezelig half gordijntje, waar ze net overheen kon kijken en het zicht had op de deur van het huis waar Sam woonde. Het was geen keurige stadsbar en zelfs geen drukbezochte plaatselijke; het was een verpieterde locatie, en slechts halfvol met verpieterde mensen die aan het eind van een werkdag niets meer te zeggen hadden. Met een glas cola, waar ze eigenlijk geen zin in had, zat ze naar de straat te kijken en gaf zichzelf de tijd om haar gedachten en haar moed te verzamelen alvorens op zijn bel te drukken. Ze speelde met de gedachte om naar de telefoon te gaan achter in de bar en hem tenminste nog op het allerlaatste moment te waarschuwen, maar toen herinnerde ze zich hoe hij zich plotseling had gematerialiseerd in de Buddha's Garden, daarna bij haar in de praktijk, en besloot opnieuw om niet voor hem onder te doen en hem op zijn beurt voor een complete verrassing te plaatsen.

Als hij er tenminste was. Als hij hier inderdaad woonde.

Terwijl ze dit nog zat te bedenken, ging de deur aan de overkant open en stapte Sam in hoogsteigen persoon naar buiten. Hij zag er precies zo uit als altijd, hoewel zijn lengte, zijn bewegingen en de kleur van zijn haar nu pas echt tot haar leken door te dringen. Hij droeg een zwaar uitziende doos, die hij in de koffer van een auto laadde. Finch merkte dat haar mond droog was, haar wangen rood en de adem in haar keel stokte, alsof ze weer een schoolmeisje was. Behalve dat ze zich op school nooit zo had gevoeld en daarna maar eenmaal in haar leven. En dat was toen zo uit zijn verband gehaald door tijdgebrek, tragedie, afstand en gevaar, terwijl dit – ze zocht naar het woord – in de lijn van de dingen lag.

Sam ging weer naar binnen en deed de deur dicht. Finch bleef achter haar onaangeroerde cola zitten, en een minuut later was hij terug met nog een doos, en daarna nog een. Was hij weer aan het verhuizen? Had ze het geluk gehad om nog net op tijd te zijn voordat hij oploste in het verkeer en verdween?

Dat moest de laatste doos, of wat het dan ook maar was, zijn geweest, dacht ze, toen de minuten voorbijgleden en hij niet weer te voorschijn kwam. Nu zou ze erheen gaan. Ze kon hier niet voor altijd blijven zitten blozen.

De deur ging weer open, en er kwam een vrouw naar buiten, in een kakipak en met een baseballpet die haar gezicht verborg. Van achteren wipte er een paardenstaart van blond haar onder de pet vandaan en ook zij had een doos in haar armen. Sam kwam achter haar aan met nog een. Ze stonden schouder aan schouder achter de auto, blijkbaar gewend om elkaar aan te raken. Sam liet zijn doos op zijn ene heup rusten, terwijl hij meer ruimte maakte, schoof hem toen de kofferbak in en zette daarna ook de doos van de vrouw erin. Zij stond onderwijl met de autosleutels te spelen. Toen liepen ze naar het portier aan de bestuurderskant en maakte Sam het voor haar open.

Finch keek toe zonder met haar ogen te knipperen. Haar ogen brandden.

Hij legde zijn handen op de schouders van de vrouw en hield zijn hoofd schuin om de klep van de pet te vermijden, toen hij haar opgeheven gezicht kuste. Eerst op de ene wang en toen op de andere. Glimlachend zei ze iets, en Sam gaf antwoord. Ze waren geliefden, die voor even afscheid van elkaar namen.

De vrouw stapte in de auto en manoeuvreerde de parkeerplaats uit. Met opgestoken hand reed ze voorbij en Sam bleef op het trottoir staan kijken tot ze weg was. Toen liep hij rustig weer het huis binnen, een nietszeggende laagbouw in een doodgewone straat, en sloot haar buiten. Te laat, veel te laat, dacht ze, en het kon ook niet anders.

Ik ben een dwaas geweest en heb me verzet tegen iets dat ik me nooit had mogen laten ontnemen.

Boven liep Sam langs de meubelen die nog steeds lukraak bij elkaar stonden, in plaats van op hun plek. Er lag werk op zijn bureau; een nieuw bedrijf, waarin zijn partner een aantal persoonlijke financiële diensten aanbood en Sam het technische en verkoopgedeelte voor zijn rekening nam. Het leek veelbelovend, maar momenteel kon het hem niet boeien. In plaats daarvan liep hij de kamer door en keek naar het uitzicht van ramen, brandtrappen, balkons en kleine huiselijke taferelen. De levens van andere mensen, misschien niet gevulder of bevredigender dan dat van hem. Hoewel dit nu moeilijk te geloven leek.

'Wilt u nog iets gebruiken?' Een ober met een gore schort leunde over Finch heen om de tafel schoon te vegen.

'Nee, bedankt, ik wilde net weggaan,' zei ze mat. Ze stond op en legde het geld op een schoteltje. Waar nu heen? Wat nu te doen? Steek de straat over en bel aan. Verzin een verhaaltje dat je hier toevallig moest zijn, of zoiets. Wens hem het beste en maak dan dat je wegkomt. Ze kon gewoon weggaan zonder hem ooit te laten weten dat ze hier was geweest, natuurlijk kon ze dat doen, maar het verlangen om hem te zien en met hem te praten, al was het maar een minuutje, was sterker dan het instinct van zelfbehoud. Er was geen intercom, alleen een drukbel met zijn naam in een verlicht vakje. Het leek een hele tijd te duren voordat hij de trap was afgekomen om te kijken wie er voor de deur stond.

Ten slotte hoorde ze de grendel verschuiven. Hij trok de deur open en onmiddellijk, sneller dan ze zelfs in haar meest verlangende moment kon hebben gewenst, werd zijn gezicht een en al vreugde.

'Jij bent het. Jij bent het!'

'Ik was... ik was hier toch, en dacht...'

'Ik had niet gedacht dat je nog zou komen. Wat is er? Je ziet er ongelukkig uit. Waarom?'

'Ik was bijna niet gekomen, ik zag...' en ze gebaarde naar de straat waar de auto had gestaan. 'Je vriendin.'

Toen begon hij te lachen. Een schaterlach, en zijn gezicht vertelde haar meer dan de meest welsprekende woorden.

'Frannie. Dat was Frannie, ik heb je over haar verteld. Ze kwam haar spullen halen.'

Ze keken naar elkaar met een blik die de mogelijkheid openliet dat ze tegen alle verwachtingen in, na zoveel, eindelijk op de juiste plaats en op de juiste tijd bij elkaar waren.

'Kan ik dan binnenkomen?'

'O, God, ja. Kom binnen, kom binnen en blijf voor altijd. Ik laat je niet weer gaan.'

Hij pakte haar bij de hand en ging haar voor de trap op naar zijn appartement. Ze kreeg een warrige indruk van papieren, twee computerschermen en in haast neergezette meubelen, die een sfeer van tijdelijkheid opriepen. Hij was hier omdat hij ergens moest zijn, maar niet omdat hij het graag wilde. Toen ging de deur achter hen dicht en in twee stappen hield Sam haar in zijn armen.

'Ik kan níét geloven dat jij het bent.'

'Ik ben het. Kijk maar.'

Hij nam haar hoofd in zijn handen en bekeek het omstandig. Toen kuste hij haar, eerst alsof ze breekbaar was, toen was er meer honger in hun monden, die elkaar vonden.

'Waarom ben je juist nu gekomen en niet op een ander tijdstip?'

'Mijn moeder kreeg een hartblok. Het gaat nu weer goed met haar. Maar ze is altijd zo sterk geweest, en toen ik zag hoe broos ze was, bedacht ik me hoe kostbaar alles is.' Finch zweeg even, niet gewend om zulke dingen te zeggen, en zei het toen zo zacht dat hij zich moest inspannen om het te horen. 'Ik bedacht me dat jij de kostbaarste van allen was.'

'Waarom heb je me niet gezegd dat je zou komen?' mompelde hij.

'Jij vertelde me ook nooit iets.'

'Ik was bang dat je het niet zou goedvinden.'

'Dan weet je dus waarom.'

'Is het zo goed?' vroeg hij, en pakte haar hand weer vast. 'Nu?'

'Ja.'

Hij nam haar mee naar een andere kamer. Er was een bed, en een dakraam in het balkendak.

Ze gingen op het bed liggen, nog steeds hand in hand. Finch keek even omhoog en zag een rechthoek van volmaakte avondlucht, helder en peilloos.

In haar hoofd hoorde ze Suzy's stem: 'Het zal tijd worden. En veel geluk voor jullie allebei.'

Dankwoord

Mijn dank gaat uit naar Mark Lucas, Lynne Drew en Gail Rebuck voor hun inzichten, hun niet aflatende bemoediging en redactionele werkzaamheden tijdens de verschillende stadia van het schrijven van dit boek. Dokter Andrew Peacock en dokter Huw Alban Davies zorgden voor de medische details, en Mark Mason in eigen persoon stond mij toe gebruik te maken van zijn uitstekende naam. Talrijke mensen lieten mij delen in hun kennis van en liefde voor de bergen, onder wie Phil Bowen, Nick Evans, Katie James, Adrian Morris en Rebecca Stephens. Barry Franklin, Jean-Claude Charlet en Sandy Allan hebben mij met alle geduld van de wereld zover gekregen om mijn eerste schreden op het pad van leerling-bergbeklimster te zetten, en ieder van hen ben ik hiervoor mijn dank verschuldigd.

Charlie en Flora King hebben mij in alles gestimuleerd en aangemoedigd.